KV-003-828

罗斯莉·格特伯格是行为艺术研究的先驱。她毕业于伦敦考陶尔德艺术学院，曾担任伦敦皇家艺术学院美术馆馆长和纽约 The Kitchen 录像、音乐和表演中心策展人。格特伯格是《行为表演艺术：自 1960 年代起的现场艺术》（1998）和《劳莉·安德森》（2000）二书的作者，并频繁向《艺术论坛》等杂志供稿，她也在纽约大学任教。格特伯格是 Performa 的创始人、总监及策展人，Performa 是支持和发展视觉艺术家的新行为作品的非营利艺术组织，于 2005 年第一次在纽约召开。2006 年，法国政府授予格特伯格艺术与文学骑士勋章。

“艺术世界丛书”版权引自英国 Thames & Hudson 出版社

“艺术世界丛书”是著名的插图本世界艺术系列丛书，几乎囊括了世界艺术的所有种类。

（第三版）

行为表演艺术
从未来主义至当下

（美）罗斯莉·格特伯格 著
张 冲 张涵露 译

浙江摄影出版社

图 1 (扉页) 施莱默《板条舞》，1927 年。舞者在半昏暗的环境中表演，以此标记出空间内的几何分割，并强调了观众的视角。

目 录

前言

1970年代起，行为表演被接纳并成为艺术表达媒介中的独立一员。与此同时，宣称艺术关乎理念而非成品、艺术不可买卖的概念艺术也处于其黄金时代，行为表演正体现了这种精神，并将那些理念实现。行为表演成为那个时期最具形态的艺术样式。重大的国际艺术中心里、由美术馆资助的艺术节上、艺术学院的课表中和专门的杂志刊物上，都能见到行为表演的踪迹。

正是在这同一时期，这第一部致力于行为表演史的书籍问世（1979年），展现了行为表演的悠久传统。艺术家的现场表演不过是许多种表达观念的方法中的一种，而这些行为事件在艺术史上担当着重要的角色。有趣的是，在1970年代之前，艺术史学者们检验艺术发展时经常忽略行为表演，尤其在现代时期，作者们似乎只感到行为表演在艺术史中取得应有地位的难处，但决不承认那是一种蓄意遗漏。

然而，这段历史的深度与丰富性恰恰使这种疏忽变得更加显著，因为行为表演不仅仅是艺术家个人用来博取公众目光的手段，它更将艺术创作基于的那些形式和观念上的讯息公布于众。现场表演的行为时常被认作是一种有力武器，来对抗那些已确定地位的艺术形式。

图 2　艾伦·卡普罗 (Allan Kaprow)，《在 6 部分里的 18 个偶发艺术 (重演)》[*18 Happenings in Six parts* (*Re-doing*)]，2006—2007 年。对 1959 年同名原作的重演，是博物馆策划的卡普罗回顾展的一部分。

此般激进的立场使得行为表演成为20世纪艺术史上的催化剂，每当一个流派的发展遇到瓶颈时，无论是立体主义、极少主义，还是概念艺术，艺术家们都会投奔行为表演，以此来打破类型的框架，探索新的方向。此外，在20世纪先锋艺术（Avant-garde，另译前卫艺术）史上，即一个新流派不断推翻前一个流派的过程中，行为表演总处在这种先锋的更前线，成为“先先锋艺术”。虽然当今关于未来主义、建构主义、达达艺术和超现实主义的著作仍旧围绕着每个时期的艺术品物件来讨论，但事实上，这些运动中很多都能从行为表演中找到各自的根源以及解决问题的关键。当这些运动团体的成员还只是二三十岁的年轻人时，他们常在行为表演中初次检验日后他们高举旗帜的理念，只是后来选择用实物来表现出这些理念而已。例如大部分早期苏黎世达达艺术家们都是诗人、即兴表演者以及行为艺术家，在真正推出达达主义的作品之前，他们展示的正是他们前一流派——表现主义风格的作品。类似情况也发生在很多巴黎达达和超现实主义艺术家身上，在创作出超现实主义装置和画作之前，他们是诗人、作家和暴动者，正如他们的前辈苏黎世达达们。布列东（André Breton）的文章《超现实主义与绘画》(1928)是为超现实主义理念寻找绘画出路的一种逾期的努力，在发表的几年后，他还不断提出这个问题：究竟什么是超现实主义绘画？这一切都是因为有人在四年前发表狂言说超现实主义的终极体现，即一种“无端的行动”(acte gratuit)，是朝着街上的人群里随便开一枪。那个人不正是布列东吗？

从未来主义一直到当下，行为表演的宣言总是异见分子在日常生活中寻求多元的方式来检视艺术体验的表达。行为表演是一种可以直接吸引公众的方法，这种方法使人震惊，并促使观众重新评估艺术的定义和它与文化的关系。反过来，公众对于行为表演这个媒介的关注，尤其在1980年代，通常来自观众对于进入艺术世界的强烈愿望，他们想要见证艺术之仪式，加入其乖戾的圈子，他们期待出其不意，常常为一些非常规的表演所惊叹。行为表演作品可由单人完成，也可团体创作，伴随着艺术家自己或合作挑选和制作的灯光、音乐及视觉效果，地点可以是画廊、美术馆，或“另类场所”，比如剧院、咖啡馆、酒吧或者街角。和剧院里通常会发生的不同，表演者是艺术家而非演员，他们并不出演角色，表演的内容也很少具有传统意味的情节或叙事性。行为表演可能是一系列亲昵细微的动作，也可能是巨大的视觉舞台；可能持续数分钟，也可能是好几个小时；它可能是一次性的表演，也可能被循环呈现；可能准备了剧本，排练了好几个月，也可能当场即兴自发地表现。

无论是部落里的神秘仪式，中世纪的宗教受难剧，文艺复兴的景观剧，还是 1920 年代巴黎艺术家们在他们画室中举办的“晚会”，行为表演为艺术家们在社会上提供了位置。这种位置可能是神秘的、萨满巫师式的、具有引导性的、充满争议的，或仅仅娱乐至上的，这些都取决于他们表演的性质。文艺复兴时期的例子甚至体现了艺术家担当起公共景观的创作人和总监之重任，他们需要为充满奇幻色彩的凯旋游行修建壮丽而繁复的临时建筑；他们需要利用他们的多才多艺，来构建出那些栩栩如生的寓言场景——不过这对于那些文艺复兴名匠来说是小事一桩。1589 年，卡拉瓦乔（Polidoro da Caravaggio）充满创意地在佛罗伦萨的皮蒂宫（Palazzo Pitti）后院注满了水，来模拟一场海战的戏；达·芬奇（Leonardo da Vinci）在 1490 年的一场名叫《天堂》的露天盛会上，让演员们穿上戏服来扮演天上的行星，一边背诵诗篇赞美希腊神话中的黄金时代；另外，巴洛克艺术家贝尼尼（Gian Lorenzo Bernini）为自己写的剧本《台伯河的泛滥》（*L' Inondazione*，1638）搭建了舞台，设计了情节背景和服装道具，修造建筑元素，并安排上演了真实的洪水场景。

20 世纪的行为表演史是一个自由、开放的媒介的历史，这个媒介具有无数可能性和变数。行为艺术家们深感被已有形式的条条框框所束缚，从而决定将艺术直接带到公众面前。正由于这个原因，行为表演的本质是无政府主义的，它藐视任何精确或者轻易的定义，只需宣称是艺术家创作出的现场艺术，足矣。任何严格一点的定义都会立即从本质上推翻它。

它可以潇洒自如地从任何一个领域和任何一种材料上吸取灵感：文学、诗歌、戏剧、音乐、舞蹈、建筑、绘画，或者是视频、电影、幻灯片或小故事，它能以任何一种混搭形式来调配和部署这些材料。事实上，没有其他哪种艺术表达形式具有如此无拘无束的宣言准则，因为每一个行为艺术家在创作的方法上和过程中都在总结着各自对于行为表演的定义。

本书在“艺术世界丛书”系列中已经历了两次再版，相较于前两版，第三版增添了一段写于 1978 年的文字，揭露了一则之前不为人知的故事。作为第一次对行为表演历史所作的系统性的整理，书中提出了关于“什么是艺术”这个本质问题，并对于行为表演在 20 世纪艺术的发展史上的重要地位进行了全面解释。本书展示了艺术家是如何选择行为来从绘画和雕塑这两个支配性媒介之间、从美术馆和画廊系统的层层限制中解放出来，以及他们如何利用这个激进的形式来回应政治或文化上的变革。新版还介绍了行为表演在打破高雅艺术和流行文化之间的界限这场斗争中所扮演的角色，并阐述了艺术家的“在场”和对身体的聚焦如何成为“真实”这个概念中的关键因素，行为表演对装置艺术、视频艺术以及 20 世纪后半叶的摄影艺术都有着深远的影响。

在 21 世纪，全球范围内用行为表演来传达“差异”的艺术家数量剧增，这种“差异”涵盖了文化和种族等层面，他们以此参与到当今高度媒介化的世界中一个更大的议题：跨国文化。本书也反映了学术界对行为表演关注的程度，在哲学、建筑、人类学等领域中，学者们研究它对于人类思想史所作的贡献。而行为表演矛头指向的对象之一——美术馆，如今也纷纷建立了行为表演部门，认同“现场”为正经艺术媒介中的一员。在老版中，我提到这本书无法完整地记录下 20 世纪每一位行为艺术家及其作品，在新版中依旧如此。相比面面俱到，此书更注重记录下一种感知的发展。这本书的目标在数版之后仍未变，即对现象提出问题以获取独到的解读，而关于解读对象在书本纸页之外庞大丰沛的生命力，本书仅能点到为止。

于纽约，1978、1987、2000、2011 年

[illegible] — [illegible] — N° [illegible]   Le numéro avec le Supplément : SEINE & SEINE-ET-OISE : 15 centimes = DÉPARTEMENTS : 20 centimes

Gaston CALMETTE
Directeur-Gérant

RÉDACTION — ADMINISTRATION
26, rue Drouot, Paris (9e Arrt)

POUR LA PUBLICITÉ
S'ADRESSER, 26, RUE DROUOT
À L'HÔTEL DU « FIGARO »
ET POUR LES ANNONCES ET RÉCLAMES
Chez MM. LAGRANGE, CERF & Cie
8, place de la Bourse

LE FIGARO

« Loué par ceux-ci, blâmé par ceux-là, me moquant des sots, bravant les méchants, je me hâte de rire de tout... de peur d'être obligé d'en pleurer. » (BEAUMARCHAIS.)

SOMMAIRE

Le Futurisme

M. Marinetti, le jeune poète italien et français, au talent remarquable et fougueux, que de retentissantes manifestations ont fait connaître dans tous les pays latins, suivi d'une pléiade d'enthousiastes disciples, vient de fonder l'École du « Futurisme » dont les théories dépassent en hardiesse toutes celles des écoles antérieures ou contemporaines. Le *Figaro* qui a déjà servi de tribune à plusieurs d'entre elles, et non des moindres, offre aujourd'hui à ses lecteurs le manifeste des « Futuristes ». Est-il besoin de dire que nous laissons au signataire toute la responsabilité de ses idées singulièrement audacieuses et d'une outrance souvent injuste pour des choses éminemment respectables et, heureusement, partout respectées? Mais il était intéressant de réserver à nos lecteurs la primeur de cette manifestation, quel que soit le jugement qu'on porte sur elle.

Nous avions veillé toute la nuit, mes amis et moi, sous des lampes de mosquée dont les coupoles de cuivre aussi ajourées que notre âme avaient pourtant des cœurs électriques. Et tout en piétinant notre native paresse sur d'opulents tapis persans, nous avions discuté aux frontières extrêmes de la logique et griffé le papier de démentes écritures.

Un immense orgueil gonflait nos poitrines à nous sentir debout tous seuls, comme des phares ou comme des sentinelles avancées, face à l'armée des étoiles ennemies, qui campent dans leurs bivouacs célestes. Seuls avec les mécaniciens dans les infernales chaufferies des grands navires, seuls avec les noirs fantômes qui fourragent dans le ventre rouge des locomotives affolées, seuls avec les ivrognes battant des ailes contre les murs!

Et nous voilà brusquement distraits par le roulement des énormes tramways à double étage, qui passent sursautants, bariolés de lumières, tels les hameaux en fête que le Pô débordé ébranle tout à coup et déracine, pour les entraîner, sur les cascades et les remous d'un déluge, jusqu'à la mer.

Puis le silence s'aggrava. Comme nous écoutions la prière exténuée du vieux canal et crisser les os des palais moribonds dans leur barbe de verdure, soudain rugirent sous nos fenêtres les automobiles affamées.

— Allons, dis-je, mes amis! Partons! Enfin, la Mythologie et l'Idéal mystique sont surpassés. Nous allons assister à la naissance du Centaure et nous verrons bientôt voler les premiers anges! — Il faudra ébranler les portes de la vie pour en essayer les gonds et les verrous! Partons! Voilà bien le premier soleil levant sur la terre!... Rien n'égale la splendeur de son épée rouge qui s'escrime pour la première fois dans nos ténèbres millénaires.

Nous nous approchâmes des trois machines renâclantes pour flatter leur poitrail. Je m'allongeai sur la mienne...

Le grand balai de la folie nous arracha à nous-mêmes et nous poussa à travers les rues escarpées et profondes comme des torrents desséchés. Çà et là, des lampes malheureuses, aux fenêtres, nous enseignaient à mépriser nos yeux mathématiques.

— Le flair, criai-je, le flair suffit aux fauves!...

Sortons de la Sagesse comme d'une gangue hideuse et entrons, comme des fruits pimentés d'orgueil, dans la bouche immense et torse du vent!... Donnons-nous à manger à l'Inconnu, non par désespoir, mais simplement pour enrichir [illegible]

nos bras foulés en écharpe, parmi la complainte des sages pêcheurs à la ligne et des naturalistes navrés, nous dictâmes nos premières volontés à tous les hommes *vivants* de la terre :

Manifeste du Futurisme

1. Nous voulons chanter l'amour du danger, l'habitude de l'énergie et de la témérité.

2. Les éléments essentiels de notre poésie seront le courage, l'audace et la révolte.

3. La littérature ayant jusqu'ici magnifié l'immobilité pensive, l'extase et le sommeil, nous voulons exalter le mouvement agressif, l'insomnie fiévreuse, le pas gymnastique, le saut périlleux, la gifle et le coup de poing.

4. Nous déclarons que la splendeur du monde s'est enrichie d'une beauté nouvelle : la beauté de la vitesse. Une automobile de course avec son coffre orné de gros tuyaux, tels des serpents à l'haleine explosive... une automobile rugissante, qui a l'air de courir sur de la mitraille, est plus belle que la *Victoire de Samothrace*.

5. Nous voulons chanter l'homme qui tient le volant, dont la tige idéale traverse la terre, lancée elle-même sur le circuit de son orbite.

6. Il faut que le poète se dépense avec chaleur, éclat et prodigalité, pour augmenter la ferveur enthousiaste des éléments primordiaux.

7. Il n'y a plus de beauté que dans la lutte. Pas de chef-d'œuvre sans un caractère agressif. La poésie doit être un assaut violent contre les forces inconnues, pour les sommer de se coucher devant l'homme.

8. Nous sommes sur le promontoire extrême des siècles!... A quoi bon regarder derrière nous, du moment qu'il nous faut défoncer les vantaux mystérieux de l'impossible? Le Temps et l'Espace sont morts hier. Nous vivons déjà dans l'absolu, puisque nous avons déjà créé l'éternelle vitesse omniprésente.

9. Nous voulons glorifier la guerre, — seule hygiène du monde, — le militarisme, le patriotisme, le geste destructeur des anarchistes, les belles Idées qui tuent et le mépris de la femme.

10. Nous voulons démolir les musées, les bibliothèques, combattre le moralisme, le féminisme et toutes les lâchetés opportunistes et utilitaires.

11. Nous chanterons les grandes foules agitées par le travail, le plaisir ou la révolte : les ressacs multicolores et polyphoniques des révolutions dans les capitales modernes; la vibration nocturne des arsenaux et des chantiers sous leurs violentes lunes électriques; les gares gloutonnes avaleuses de serpents qui fument; les usines suspendues aux nuages par les ficelles de leurs fumées; les ponts aux bonds de gymnastes lancés sur la coutellerie diabolique des fleuves ensoleillés; les paquebots aventureux flairant l'horizon; les locomotives au grand poitrail qui piaffent sur les rails, tels d'énormes chevaux d'acier bridés de longs tuyaux et le vol glissant des aéroplanes, dont l'hélice a des claquements de drapeaux et des applaudissements de foule enthousiaste.

C'est en Italie que nous lançons ce manifeste de violence culbutante et incendiaire, par lequel nous fondons aujourd'hui le *Futurisme*, parce que nous voulons délivrer l'Italie de sa gangrène de professeurs, d'archéologues, de cicérones et d'antiquaires.

L'Italie a été trop longtemps le marché des brocanteurs qui fournissaient au monde le mobilier de nos ancêtres, sans cesse renouvelé et soigneusement mitraillé pour simuler le travail des tarets vénérables. Nous voulons débarrasser l'Italie des musées innombrables qui la couvrent d'innombrables cimetières.

Musées, cimetières!... Identiques vraiment dans leur sinistre coudoiement de corps qui ne se connaissent pas. Dortoirs publics où l'on dort à jamais côte à côte avec des êtres haïs ou inconnus. Férocité réciproque des peintres et des sculpteurs s'entre-tuant à coups de lignes et de couleurs dans le même musée.

Qu'on y fasse une visite chaque année comme on va voir ses morts une fois par an!... Nous pouvons bien l'admettre!... Qu'on dépose même des fleurs une fois par an aux pieds de la *Joconde*, nous le concevons!... Mais que l'on aille promener quotidiennement dans les musées nos tristesses, nos courages fragiles et notre inquiétude, nous ne l'admettons pas!...

Admirer un vieux tableau, c'est verser notre sensibilité dans une urne funéraire au lieu de la lancer en avant par jets violents de création et d'action. Voulez-vous donc gâcher ainsi vos meilleures forces dans une admiration inutile du passé, dont vous sortez forcément épuisés, amoindris, piétinés?

En vérité, la fréquentation quotidienne des musées, des bibliothèques et des académies (ces cimetières d'efforts perdus, ces calvaires de rêves crucifiés, ces registres d'élans brisés!...) est pour les artistes ce qu'est la tutelle prolongée des parents pour des jeunes gens intelligents, [illegible] de leur talent et de leur volonté

s et
[illegible]

pour accomplir notre tâche. Quand nous aurons quarante ans, que de plus jeunes et plus vaillants que nous veuillent bien nous jeter au panier comme des manuscrits inutiles!... Ils viendront contre nous de très loin, de partout, en bondissant sur la cadence légère de leurs premiers poèmes, griffant l'air de leurs doigts crochus, et humant, aux portes des académies, la bonne odeur de nos esprits pourrissants déjà promis aux catacombes des bibliothèques.

Mais nous ne serons pas là. Ils nous trouveront enfin, par une nuit d'hiver, en pleine campagne, sous un triste hangar pianoté par la pluie monotone, accroupis près de nos aéroplanes trépidants, en train de chauffer nos mains sur le misérable feu que feront nos livres d'aujourd'hui flambant gaiement sous le vol étincelant de leurs images.

Ils s'ameuteront autour de nous, haletants d'angoisse et de dépit, et, tous, exaspérés par notre fier courage infatigable, s'élanceront pour nous tuer, avec d'autant plus de haine que leur cœur sera ivre d'amour et d'admiration pour nous. Et la forte et la saine Injustice éclatera radieusement dans leurs yeux. Car l'art ne peut être que violence, cruauté et injustice.

Les plus âgés d'entre nous n'ont pas encore trente ans, et pourtant nous avons déjà gaspillé des trésors, des trésors de force, d'amour, de courage et d'âpre volonté, à la hâte, en délire, sans compter, à tour de bras, à perdre haleine.

Regardez-nous! Nous ne sommes pas essoufflés... Notre cœur n'a pas la moindre fatigue! Car il s'est nourri de feu, de haine et de vitesse! Cela vous étonne? C'est que vous ne vous souvenez même pas d'avoir vécu! — Debout sur la cime du monde, nous lançons encore une fois le défi aux étoiles!

Vos objections? Assez! assez! Je les connais! C'est entendu! Nous savons bien ce que notre belle et fausse intelligence nous affirme. — Nous ne sommes, dit-elle, que le résumé et le prolongement de nos ancêtres. — Peut-être! soit!... Qu'importe?... Mais nous ne voulons pas entendre! Gardez-vous de répéter ces mots infâmes! Levez plutôt la tête!

Debout sur la cime du monde, nous lançons encore une fois le défi insolent aux étoiles!

F.-T. Marinetti.

en poussant des vivats et des clameurs, gagna les vastes salles à manger et s'éparpilla en groupements sympathiques autour d'une multitude de tables luxueusement fleuries.

Sur ces tables chacun trouva un très joli menu orné d'un dessin de de Losques et représentant spirituellement le Roi embrassant en même temps Mlle Lavallière et Mlle Lantelme, qui furent chacune exactement cent fois de suite l'espiègle et délurée petite You-You de la comédie de MM. de Caillavet, Robert de Flers et Emmanuel Arène.

Je renonce à vous donner une idée de l'aspect féerique que présentait alors cette foule de jolies actrices aux parures brillantes et chatoyantes encadrées de dominos et de costumes masculins variés à l'infini, et échangeant d'une table à l'autre des propos joyeux et des répliques — je vous jure — le plus souvent spirituelles!

A la table d'honneur présidait Samuel le Magnifique — le Doge de face, — ayant à ses côtés Mmes Lender, Séverine, Yvette Guilbert et Mily Meyer. Beaucoup plus préoccupé de savourer l'excellent menu que de faire du reportage, j'avoue à ma honte de soiriste n'avoir pas songé à noter exactement le nom de toutes les belles invitées; au reste, mes deux manchettes et mon plastron n'y auraient pas suffi... Cependant en forçant mon souvenir, je vois passer devant mes yeux fermés, se suivant en théories suggestives et galantes :

Mmes Lavallière, en délicieux petit cow-boy; Lantelme, en mignonne bohémienne; Jeanne Saulier, charmante en toilette 1830; Germaine Gallois, si jolie en Hollandaise; Diéterle, en gitane, fraîche petite statue de Saxe; Marville, superbe en robe second Empire; Lyse Berty, ravissante en Espagnole de Zuloaga; Ginette, exquise en Mexicaine; Ugalde, si svelte en tambour royal; Juliette Clarens, toute gracieuse en Leonida de *Bohémos*; Corciade, éclatante en deur écarlate : Faber, très belle en dame Louis XV; Delza, toute séduisante en son originale toilette premier Empire.

Mais comment sortir de ce recensement monstre sans avoir recours à l'ordre alphabétique? Et je note :

Mmes d'Argy, Azmiont, Raymonde Ariel, Yv. d'Arthigny, Arnoult, Lebergy, Becker, Yv. Batiel, Brasseur, Chapelas, Cézanne, Clairville, Th. Cernay, Campton, Caumont, Th. Berka, Blangot, Gaby Boissy, Barat, Baretty, Baron, Cl. Barton, Paul Boyer, Debacker, Renée Desprez, Debério, Derys, Debrenne, Deréval, Mitzy-Dalti, M. Durand, Depas, Ad. Doré, Destrelles, Delmarès, Derminy, Desbarolles, Rose Demay, Ch. Dix, Demours, Daurel, Delyane, Fursy, Gilberte, Gareda, Guillemin, Guérin, Guardia, Germaine, Heffler, M. L. Herrouet, Invernizzi, Isola, Issaurat, Ev. Janner, miss Lawler, Lender, Lukas, Henriette [illegible]

maxima, 8° ; minima, 0°. Vent est-sud-est, faible. Baromètre : 768mm.
A Berlin : Temps beau.

Les Courses

Aujourd'hui, à 2 heures, Courses à Vincennes. — Gagnants du *Figaro* :

Prix Michelet : Frivole ; Fringante.
Prix de Mayenne : Fada ; Bourgogne.
Prix Léda : Farnèze ; Frégoli.
Prix Mambrino : Fresnay ; Escapade.
Prix de Maisons-Laffitte : Electa ; Eclaireur.
Prix du Plateau : Fred Leyburn ; Elisabeth.
Prix de La Varenne : Elysse ; Etendard.

A Travers Paris

Le roi des Bulgares a chargé M. Stancioff, ministre de Bulgarie à Paris, de déposer en son nom une couronne sur le cercueil du marquis Costa de Beauregard et d'offrir ses condoléances à la famille du défunt.

M. Jean Richepin a fait jeudi son entrée sous la Coupole au son du tambour. C'est le rite. Lorsqu'un nouvel académicien, vêtu de son habit neuf, se présente devant la lourde porte verte, des militaires portent les armes et le tambour bat aux champs. Depuis Napoléon Ier, il y a toujours eu dans le vestibule du palais, aux jours de réception académique, un piquet d'honneur et un tambour.

Toujours, sauf une fois, voilà trois ans, quand M. Etienne Lamy vint prendre séance. Ce jour-là il y eut bien un piquet d'honneur, mais le tambour manquait. A sa place, il y avait un clairon.

Un clairon! tout le monde fut d'accord pour le prier de se taire. M. Etienne Lamy fut reçu sans tambour ni trompette.

Le secrétaire de l'Institut fit au ministère de la guerre les démarches nécessaires pour éviter le retour d'un pareil incident. On lui promit que jamais plus on ne verrait de clairon sur le passage du récipiendaire. Mais, pour plus de certitude, le secrétaire perpétuel, chaque fois qu'il écrit au ministre pour lui demander le piquet, prend soin d'ajouter : *avec un tambour*.

第一章　未来主义

与其称早期未来主义行为表演为创作实践，不如说它更像是一句口号宣言；与其说它产出实际作品，不如说它更像一种意识形态。未来主义的历史始于 1909 年 2 月 20 日的巴黎，那天，大规模发行的日报《费加罗报》（图 3）发表了第一篇未来主义宣言。宣言的作者是富裕的意大利诗人菲利波·托马索·马里内蒂（Filippo Tommaso Marinetti）（图 4），他在其位于米兰的豪华罗莎别墅中起草，并选择巴黎公众作为这篇堪为“煽风点火的暴力”之宣言的攻击目标。对于这么一座自豪于作为“世界文化之都”的城市，对长久建立起来的绘画、文学的学术价值进行颠覆并不是罕见的事。这也不是第一个意大利诗人如此执迷于赤裸的自我包装，马里内蒂的同胞邓南遮（D'Annunzio），又称“神圣的空想家”（Divine Imaginifico），也曾在 20 世纪初凭借类似华丽张扬的行为树立起地位。

《尤布王》和《大吃国王》

马里内蒂于 1893 年至 1896 年居住在巴黎，常混迹于艺术家、作家、诗人出没的咖啡店、沙龙、文艺宴会及舞会。在这期间，十七岁的

图 3　1909 年 2 月《费加罗报》上刊登了未来主义宣言。

图 4（右下角）　F. T. 马里内蒂。

马里内蒂与一本名叫《笔》(*La Plume*) 的文学杂志及其小圈子关系渐佳，这里面包括里昂·德尚 (Léon Deschamps)、雷米·德古芒 (Remy de Gourmont)、阿尔弗莱·雅希 (Alfred Jarry) 等人。这些人向马里内蒂介绍了“自由诗”(Free Verse) 的主要创作手法，他很快便在自己的写作中用上了。1896 年 12 日 11 日，马里内蒂离开巴黎回到了意大利，同年，23 岁的诗人兼自行车狂人阿尔弗莱·雅希在卢涅–波埃 (Lugné-Poë) 的作品剧院 (Théâtre de l'Oeuvre) 上演了他创作的荒诞闹剧《尤布王》(*Ubu Roi*)（图 5)。这部戏剧的灵感来自雅希小时候在雷恩上学时的胡闹以及 1888 年他在儿时旧居阁楼上表演的木偶剧——他称之为“财富戏剧”(Théâtre des Phynances)。雅希在一封信里面向卢涅–波埃解释了这部剧的主要特点，这封信成了剧作的前言。这部戏的主角尤布戴着独具一格的面具，那是一个围在脖子上的用卡板纸做成的马头，“正如古英语戏剧中一样”。剧中一共只有一个场景，这样就不用升降舞台幕布，而且有一个绅士模样的人身着晚礼服，在表演期间一直举着示意牌报幕，像木偶表演中的情形一样。主角会以“一种特殊的语调说话”，服装必须“和历史差得越远越好、颜色越少越好”。雅希补充说这一切都将看起来很现代，因为“讽刺是现代的”、污秽的，“因为它们使表演看起来让人浑身难受，令人唾弃”。

整个巴黎文艺界都对开幕之夜拭目以待。幕布拉开前，一把未加工的桌子被抬出来，上面放了一只“龌龊的”麻布袋。然后雅希现身了，脸被涂白，从酒杯里啜着酒，他共花了十分钟为观众们打预防针，让他们为随后上演的内容做好心理准备。“即将开始的演出，”他宣布道，“发生在波兰，也可以说，什么地方也不是。”然后幕布徐徐升起，全剧唯一一个场景出现了，这个舞台布景是在皮耶·博纳 (Pierre Bonnard)、维雅 (Vuillard)、杜鲁斯–罗特列克 (Toulouse-Lautrec) 和保罗·瑟胡西耶 (Paul Sérusier) 的协助之下，雅希亲自绘制而成的。一位英国观众回忆说，布景“既是室内，又在室外，甚至是酷热地区、温带以及北极圈合

图 5　阿尔弗莱·雅希为《尤布王》海报绘制的图画，1896 年。

为一体的地方”。长成梨形的尤布王［演员费芒·热米尔（Firmin Gémier）扮演］宣读了开幕词，里面只有一个词语：“大便儿”（Merdre）[①]，观众席哄然炸开了锅。尽管多了一个 r，单词“大便”还是清晰可辨，这个词当时在公共场所是严禁使用的。尤布每一次发出这个词，底下的反应不断加剧。尤布这个角色是雅希自创的空想科学“形而超学”（pataphysics）中的关键，在剧中，他一路杀到波兰的王座，舞台上拳脚相加，示威者或鼓掌或吹口哨，来显示他们的支持或敌对。上演了两场《尤布王》之后，作品剧院一夜成名。

不出意外，马里内蒂在《费加罗报》上发表了未来主义宣言的两个月后，也就是 1909 年 4 月，在同一个剧院展示了他的版本——《大吃国王》（*Le Roi Bombance*）。这部戏剧对革命和民主进行了冷嘲热讽，马里内蒂倒也没有刻意回避对雅希的借鉴，毕竟他是从后者那儿进修了挑衅的态度。剧中将人类的消化系统作为寓言故事的背景，主角是个名叫“笨

① 译注：法语单词 Merde 是大便的意思。

蛋”的诗人英雄，他是唯一一个发现“吃东西的人与被吃的东西”之间的战争的人，他最后绝望地自杀了。正如雅希的形而上学，这部剧也成为一个丑闻，巴黎人蜂拥至剧院来一睹究竟，看看这个自称“未来主义”的作家到底如何把宣言里面的概念实现出来。事实上这部戏剧的呈现方式并没有那么的颠覆性，这个剧本早在四年前已经发表过了。虽然作品包含并实现了未来主义宣言倡导的许多观点，但它仅仅包含了后来使得未来主义臭名昭著的那种表演中的一小部分。

第一次未来主义晚会

回到意大利之后,马里内蒂着手制作在都灵的阿尔弗莱利剧院(Teatro Alfieri）上演的《电子娃娃》(*Poupées électriques*）一剧。依旧照搬雅希的风格，这部剧作有一个充满热情的前言，基本上基于 1909 年的宣言。《电子娃娃》确立了马里内蒂在意大利艺术界里新兴怪异一员的地位，以

图 6　翁贝特·波丘尼描绘未来主义晚会的漫画，1911 年。

图7 路易奇·鲁索罗、卡洛·卡拉、F.T.马里内蒂、翁贝特·波丘尼、吉诺·赛佛里尼 1912 年于巴黎。

及一种日后数年成为年轻未来主义艺术家风向标的戏剧形式：演讲。然而，当时的意大利处于政治混战中，但马里内蒂发现他可以利用公共动乱，把未来主义主张变革的观念糅合进当下活跃的民族主义和殖民主义运动中。当时，在罗马、米兰、那不勒斯、佛罗伦萨等城市的艺术家们公开抗议，建议政府出面抵抗奥地利侵略。于是马里内蒂和他的同伙们前往奥意之争的关键边境城市蒂里亚斯特，于 1910 年 1 月 12 日在那里的罗塞蒂剧院 (Teatro Roseti) 举办了第一次“未来主义晚会”(*serata*)（图 6)。马里内蒂在晚会上痛斥对传统的盲目崇拜以及艺术商业化，大力称颂爱国军事主义和战争，与此同时，身材魁梧的阿莱芒多·马扎 (Armando Mazza)（图 7）向偏狭的蒂里亚斯特观众们介绍了未来主义宣言。而被这些人戏称为“活动厕所”的奥地利警察则记下了活动的全部过程，未来主义“制造麻烦的人”的名声由此而来。奥地利领事馆向意大利政府发了官方投诉，于是在接下来的几场未来主义晚会上，大批警力出面监视。

未来主义画家成为行为表演家

马里内蒂对这一切并不在乎，他召集起米兰和周边的画家，让他们加入未来主义阵营中。他们于 1910 年 3 月 8 日在都灵的凯莱拉剧院 (Teatro Chiarella) 又召开了一次未来主义晚会。一个月后，画家翁贝特·波丘尼（Umberto Boccioni）、卡洛 · 卡拉（Carlo Carrà）、路易奇 · 鲁索罗 (Luigi Russolo)、吉诺·赛佛里尼（Gino Severini）、贾科莫·巴拉（Giacomo Balla），以及无处不在的马里内蒂一起发表了《未来主义绘画技术宣言》。这些年轻的未来主义者在当时已经采用了立体主义和奥菲主义技法，因此画面看起来很现代，随后他们将最初的未来主义宣言中的一些观念，比如“速度与对危险的热爱”，转变为未来主义绘画的蓝图。1911 年 4 月 30 日，共同宣言发表后一年，第一个以未来主义绘画的名义召开的集体展在米兰拉开序幕，展出了包括卡拉、波丘尼、鲁索罗等人的作品。这些事件都体现了一份理论性宣言是如何落实成实体画作的。

他们宣称："我们的行为不再是宇宙动力（universal dynamism）中**一个凝结的瞬间**，而是**动态感受**（dynamic sensation），直达永恒。”同时，他们秉持概念古怪的“行动”与“变化”，以及一种“从周遭找到其组成部分”的艺术，为了迫使观众们更直接地留意到这些概念，未来主义者们随后投身到行为表演中。比如说波丘尼（图 8）就曾写过："绘画不再是表面上的景象，而是戏剧奇观的布景。”索费奇（Soffici）也写道："观众应该位居舞台表演中心，而这舞台是绘制而成的。”未来主义绘画的这些言辞都预示并解释了这些画家为何会转行成为表演艺术家。

为了干扰安于现状的公众，行为表演是最明确的手段。它给予了艺术家双重身份：他们既是建立起这种艺术戏剧新形式的“作者”，他们自己同时又是“艺术品”，正如他们的诗歌、画作一样，没有差别。紧接着的一则则宣言也把他们的意图表达得很清楚了，他们建议画家们“走上街去，展开一场来自戏剧的袭击，把真正的拳打脚踢带入艺术之争”。这正是他们所做的。观众的反应前所未有地狂热，他们把土豆、橙子以及

"LA TEATRAL"
Società in Accomandita - Direttore-Gerente Walter Mocchi
Buenos-Ayres · Rio Janeiro · Santiago de Chile · Roma

TEATRO COSTANZI
ROMA
Grande Stagione Lirica Carnevale-Quaresima 1912-913

Domenica 9 Marzo 1913
alle ore 21 prec.

GRANDE SERATA
FUTURISTA

PROGRAMMA

1. INNO ALLA VITA
Sinfonia futurista del maestro Balilla Pratella
eseguita dall'Orchestra del Costanzi e diretta dall'Autore

2. La Poesia nuova di *Paolo Buzzi.*
La Fontana malata di *Aldo Palazzeschi.*
L'orologio ed il suicida di *A. Palazzeschi.*
Sciopero generale di *Luciano Folgore*
Sidi Messri di *F. T. Marinetti.*

Queste poesie futuriste saranno declamate dal Poeta
F. T. MARINETTI

3. *Il pittore e scultore futurista*
UMBERTO BOCCIONI
parlerà della "Pittura e Scultura futurista"

CONSIGLIO AI ROMANI
di F. T. MARINETTI.

PREZZI
1 Lira · INGRESSO · Lire 1
Palchi I e II Ordine L. 25 — III Ordine L. 10
Poltrone L. 6 Sedie L. 3 Anfiteatro L. 2 (tutto oltre l'ingresso)
Galleria Posti num. L. 1,50 · Galleria Posti non num. L. 1
(compreso l'ingresso)
Il Teatro si apre alle ore 8 ½ · La Galleria si apre alle 8 ½

Il camerino del teatro è aperto dalle ore 10 ant. in poi nei giorni di rappresentazione e dalle ore 10 ant. alle ore 6 pom. in quelli di riposo. · *Telefono 10-27.*

图 8（左上） 翁贝特·波丘尼画的阿莱芒多·马扎，1912 年。

图 9（右上） 一次未来主义晚会的海报，科斯坦奇剧院（Teatro Costanzi），罗马，1913 年。

图 10（左下） 1913 年 12 月 20 日，瓦朗蒂娜·德·圣-波昂在香榭丽舍喜剧院表演《空气之诗》。她是未来主义表演艺术家中少数的几个女性艺术家之一。她还是团体中唯一一个曾在纽约表演过的艺术家，于 1917 年在大都会歌剧院。（参见 26 页）

任何能从就近市场抓起的东西，扔向表演者。卡拉在一次诸如此类的情况下反驳道："有种你们扔点主意上来，别扔土豆，傻瓜们！"

在数个未来主义晚会表演之后，逮捕、判罪、进一两天监狱，接连发生，这些是再好不过的免费宣传。此般效果正是他们想要的，马里内蒂甚至写了一份声明《被喝倒彩的快感》，发表在他的书《战争，世上唯一的清洁》(1911—1915) 中。他表示，未来主义者应该教会所有的作者和表演者去鄙视他们的观众。掌声只是代表"中庸、无趣、迂回的东西，就像消化过于良好"。而倒彩向演员证明了观众还活着，而非瞎了，或"中了理智的毒"。在文章中他介绍了几种为了激怒观众的小把戏，比如每个座位安排两张票，以及在座位上粘上胶水，他还鼓励他的同伴们在舞台上随心所欲即兴发挥。

于是，1914 年，在米兰的达尔维尔姆剧院（Teatro Dal Verme）中，未来主义艺术家们将一面奥地利国旗撕成碎片然后点燃，随后把这混战移至了大街上，烧掉了更多的奥地利国旗，为了"肥胖的人们能够阖家欢乐地舔着冰激凌"。①

行为表演的宣言

1910 年到 1911 年，普拉泰拉写了关于未来主义音乐的宣言，1911 年 1 月，未来主义剧本宣言出世（由十三位诗人、五位画家和一位音乐家共同签署）。这些宣言都鼓励艺术家进行更为复杂多样的表演，而这些表演实验产出更多更富有细节的文本，比如几个月来的即兴晚会就为艺术家积累了一系列不同的经验和技巧。当人们期待一套正式的未来主义戏剧理论时，《杂耍剧宣言》(*Variety Theatre Manifesto*) 出现了。这部宣言于 1913 年 10 月发表，并在一个月后刊登在伦敦的《每日邮报》上，它没有提到之前火热的未来主义晚会，但是解释了那些重要事件背后的

① 译注：第一次世界大战期间奥地利入侵意大利边境。作者这里指有着制作冰激凌传统的意大利人。

意图。另外,1913 年后,一本基于佛罗伦萨的刊物《拉切尔巴》(*Lacerba*)在历经无数争夺之后成为未来主义的喉舌，要知道在那之前杂志是由未来主义的竞争对手经营的。

马里内蒂青睐杂耍剧的原因中最重要的一点在于，它“没有传统，没有大师，没有教义，因此它非常幸运”。事实上杂耍剧是有传统和大师的，但也正是因为它的“杂”，它混合了电影、杂技、歌唱、跳舞、小丑表演，以及“各式各样的愚蠢和低能，把智力推向疯癫的边缘”，所以它成为未来主义表演的理想模式。

杂耍剧受到追捧还有很多别的因素。首先，它没有故事情节（马里内蒂认为剧情纯粹是多余的)。他说杂耍剧的作者、演员和技师存在的原因只有一个，那就是“不间断地创造出新元素让人瞠目结舌”。其次，杂耍剧强迫观众参与到互动中，把他们从“愚蠢的偷窥者”这种消极的角色中解放出来。而且正由于这种“观众会积极配合”的设想，马里内蒂认为表演可以“同时在舞台上、包厢里以及乐队席中即兴发展”。另外，无论是面对成人还是孩子，杂耍剧能够“迅速有效”地解释那些“最深奥的问题以及最复杂的政治事件”。

当然，这种歌舞狂欢形式的戏剧吸引马里内蒂的另一个原因是它是“反学术、原始、天真的，因此表演中的意外发现和简易方式才显得更为意义重大”。于是，按照马里内蒂的逻辑，杂耍剧“彻底摧毁了大写的艺术中的神圣、庄重、严肃和崇高”①。最后，一个额外的原因是，他写道，杂耍剧能为“每一个没有像巴黎那样独一无二的文化首都的国家（诸如意大利）提供只有在巴黎才能获拥的至高无上的享受”。

有一个艺术家体现了对庄严和崇高的终极毁坏，并用表演来提供享乐，那就是瓦朗蒂娜·德·圣-波昂（Valentine de Saint-Point)，她还是《欲望宣言》的作者。圣-波昂在 1913 年 12 月于巴黎的香榭丽舍喜剧院表

① 译注：“大写的艺术”（Art with a capital A）示意传统高雅艺术。

演了一出新奇的舞剧（图 10），在她身后是一块巨大的幕布，上面投影不同颜色的灯光，表演仿若情诗、战争诗、氛围诗的结合。其他墙上是各种数学等式的投影，伴随着萨蒂和德彪西的音乐，她翩翩起舞。1917 年她还在纽约的大都会歌剧院上演了此剧。

表演指导

早期的“未来主义晚会”后来进化成一个制作更加精良的版本叫作“皮耶蒂格罗达”(Piedigrotta)，由弗兰切斯科·坎朱洛（Francesco Cangiullo）编写，马里内蒂、巴拉和坎朱洛于 1914 年 3 月 29 日和 4 月 5 日在罗马的斯布罗维耶里画廊（Sprovieri Gallery）表演，以一种“自由语言”(parole in libertà）的方式，充分体现了《杂耍剧宣言》中提出的新观点。画廊里闪烁着红色灯光，墙上挂着马里内蒂、巴拉、坎朱洛、鲁索罗和赛佛里尼的画作。“戴着梦幻卫生纸帽子的矮人团伙”［实际上是斯布罗维耶里、巴拉、德贝罗（Depero）、雷迪昂特（Radiante）和西罗尼（Sironi）］帮着马里内蒂和巴拉一起演出，他们“慷慨激昂地宣读着未来主义自由艺术家坎朱洛创作的‘自由语言’”，而坎朱洛自己则弹奏着钢琴。每个演员负责一件“自创”噪音乐器——大贝壳、提琴拉弓（实际上是一把绑着几根锡片的锯子)，以及一个覆盖着动物皮的陶制盒子。在陶盒里有一根簧片，当“用沾湿的手敲击时，簧片会震动”。按照马里内蒂一向荒唐的说法就是，这陶盒体现了“一种暴力的讽刺，是一个年轻而清醒的种族用来纠正并抗衡月光的思念之毒的工具”。

此类表演之后总会产生新的宣言，这次是《动态简要的演讲》(*Dynamic and Synoptic Declamation*)。这份宣言指导未来艺术家如何表演，或者用马里内蒂的话来说，如何“演讲”。他还强调，需要这些“演讲”技巧的目的是为了“把知识分子们从陈旧腐朽的、和平主义的方式中解放出来”。于是他们需要一种新的，如战争般动态的演讲。马里内蒂声称他自己是“世界一流的自由语言和自由诗演讲者”，所以他能够发现并指出传统“演讲”

中的不足。他认为，未来主义演讲者则必须像用嘴一样用他们的手臂和双脚来说话，而他们的双手，则应该握着各种发出噪音的乐器。

这种“动态简要的演讲”的第一次落实就是“皮耶蒂格罗达”，而第二次则于 1914 年 4 月底发生在伦敦的朵瑞画廊（Doré Gallery），这时候马里内蒂刚从莫斯科和圣彼得堡的巡演中回来。《泰晤士报》报道这次事件写道，房间里“挂满超现代艺术流派的各种样本”，“叽叽喳喳小姐也在场”——她是一个腿上挂着雪茄滤嘴，脖子上挂着香烟的芭蕾舞演员。马里内蒂充满动感，言简意赅地表演了他写的《锵镗镗》（*Zang tumb tumb*）（图 13），那是一个关于巴尔干战争时保加利亚人包围了土耳其阿德里安堡的故事。马里内蒂写道：“我面前的桌上有一架电话、几块板以及相应的榔头，我可以用这些来模仿土耳其将军下达命令的声音，以及大炮和手枪对战的声音。”大厅中放置了三块黑板，马里内蒂“不断走着或跑着用粉笔画一些粗略的示意图。而我的听众们也参与进来，紧跟我的节奏和故事发展，听着我用自由语言呈现出战争的暴力场景时，他们也引火上身，充满了情感”。在隔壁的房间里，画家内文森（Nevinson）在马里内蒂的电话指导下敲打着两面巨大的鼓。

噪音音乐

马里内蒂自己称之为“拟声炮队”的《锵镗镗》创作于给画家鲁索罗的一封信中，他 1912 年在保加利亚的战壕里写下这封信。“每隔五秒钟，围攻大炮发出‘镗’的响声把土地炸得稀巴烂，紧跟着五百多回声，无穷无尽的分割、撕裂、碾碎。”受到马里内蒂“伟大战役交响曲”的灵感激发，鲁索罗开始了对噪音的探索。

1913 年 3 月，在巴里拉·普拉特拉于拥挤的罗马科斯塔兹剧院（Teatro Costanzi）演出之后，鲁索罗写下了他的宣言《噪音艺术》。对鲁索罗来说，普拉特拉的音乐证实了机器的声音也是一种可行的音乐形式。鲁索罗向普拉特拉介绍了他自己，并解释说，当他听着这位作曲家以管弦

图 11（上） 鲁索罗和他的助手匹亚蒂（Piatti）与他们的 intonarumori，即噪音乐器。

图 12（左下） 马里内蒂在一次未来主义晚会上与坎朱洛一起作演讲。

图 13（右下） 马里内蒂《锵镗镗》的封面，1914 年。

T. MARINETTI FUTURISTA

ZANG
TUMB TUMB

ADRIANOPOLI OTTOBRE 1912

TUUUMB
IN LIBERTÀ
PAROLE
TUUUUM TUUUUM TUUUUM

EDIZIONI FUTURISTE
DI "POESIA"
Corso Venezia, 61 - MILANO
1914

图 14　马里内蒂,《自由言语图画》, 1919 年。

乐演绎“强有力的未来主义音乐”时，他设想出一种新的艺术——噪音的艺术，而这种新的艺术是普拉特拉创作的逻辑结果。他还给了噪音一个更具体的定义，并解释道：古代是安静无声的，但随着 19 世纪机器的发明，“噪音诞生了”。而如今，噪音已经支配了人类的情感。另外，音乐的进化与“机器数量递增”是同步的，因此出现了噪音的竞争，“不仅仅在喧闹的大城市里,连一直到昨天都还是寂静的乡村也一样”。于是，“细腻或单一的声响不再能诱发人的任何情感”。

鲁索罗的噪音艺术旨在结合电车的声响、发动机的爆炸声、火车，以及人群的嘈杂。他设计制造了一些特殊的乐器，只需要拉一下把手打开开关，这些声音就能自动产生。比如一种长方形木盒，大约有一米高，还附着漏斗形的扩音器，里面装有各种能够发出“噪音家庭”中不同成员的马达：未来主义交响乐诞生了。鲁索罗说，这些装置至少能发出三万种不同的噪音。

噪音演出先于 1913 年 8 月 11 日于马里内蒂在米兰的豪宅罗莎别墅

里进行，下一年6月，又在伦敦大剧院亮相。《泰晤士报》评论了这次演出："古怪的漏斗形乐器（图11）发出……类似蒸汽船传动装置在河道拥堵时发出的叫声。这些演奏者——或许我们应该称他们'噪音家'……"他们似乎本不该演出第二个作品的，因为观众席的每个角落都冲他们哀求道："别演了！"

机械运动

噪音音乐也与实验戏剧合作，在大多数情况下作为舞台的背景音乐。就像《噪音艺术》对音乐的机械化提出了建议，《动态简要的演讲》则提倡演员的肢体行为的节奏应该像机器般间断而单调。宣言里说："要用手势比画出几何形状，像个制图师一样用拓扑学在空气里假装创造出立方体、圆锥形、螺旋形以及椭圆形。"

贾科莫·巴拉的《印刷机》（*Macchina Tipografica*）（图15，16）写于1914年，在一次为狄亚基列夫（Diaghilev）举办的私人演出上，它将以上提到的表演形式呈现出来了。十二个人，每个人是一个机器的一

图15（左） G. 巴拉的未来主义作品《印刷机》里面的机器角色，1914年。

图16（右） G. 巴拉为《印刷机》画的演员动作示意图，1914年。

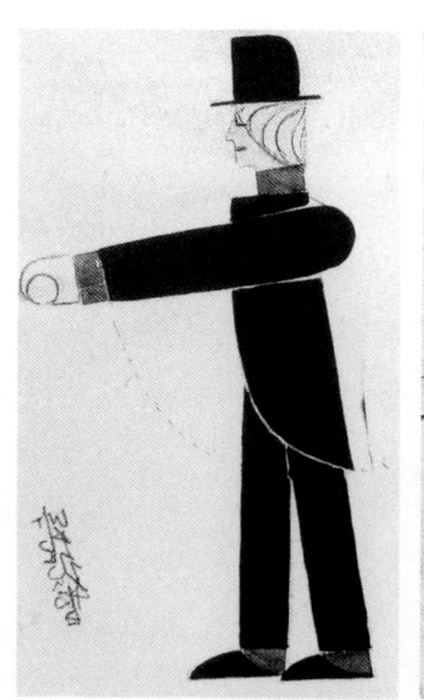

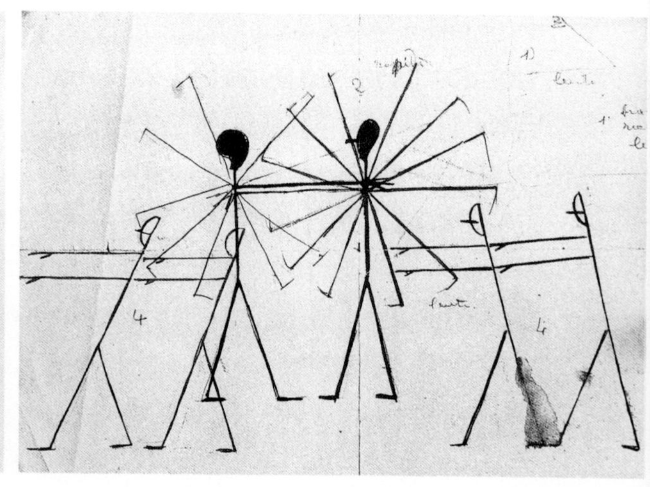

图 17（右） 普兰波里尼和卡萨沃拉的《心的商人》，1927 年。

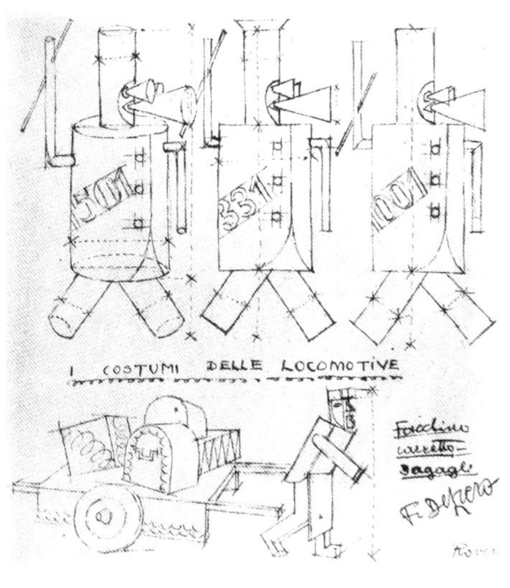

图 18（左下）“伟大的野蛮人”，F. 德贝罗为他和克拉维尔的《塑性舞蹈》设计的木偶人物，1918 年。

图 19（右下） F. 德贝罗为机械芭蕾《机器 3000》设计的戏服，这部剧的音乐由卡萨沃拉（Casavola）担当，1924 年。

部分，在印着“字体”这个词的幕布前表演。六个人站成一列，同时伸出手，模仿一个活塞，另外六个则扮演成由活塞推动的“轮子”。为达到精确的机械性动作，演员们事先进行排练。其中一个参与者，建筑家韦尔奇诺·马尔奇（Virgilio Marchi）描述说，巴拉把演员们安排成几何形状的图案，要求每个人必须“表达出转轮印刷机上一块零部件的灵魂”。每个演员还被分配到一种拟声声响，伴随着肢体表演发出。“他叫我连续不断并强烈地发出‘嘶哒’的音节。”

这种机械化了的表演与英国戏剧导演与理论家爱德华·戈登·克雷（Edward Gordon Craig）的想法相似。克雷办的杂志《面具》在佛罗伦萨出版，影响深远，其中一期重新刊登了《杂耍剧宣言》。克雷在1908年提倡废除演员，后来安利柯·普兰波里尼（Enrico Prampolini）在他的宣言《未来主义舞台布景》和《未来主义场景氛围》(两者都写于1915年）中也说过同样的话。克雷建议真人演员应该都被替换成“超级木偶”(Übermarionette)，但他自己从未将理论落为实践。普兰波里尼佯装反驳克雷，说要把“近来某些演员提议的超级木偶”给淘汰掉。然而，未来主义者们还是造出了这些非人类生物，并让它们来表演。

比如，吉尔波特·克拉维尔（Gilbert Clavel）和佛图纳多·德贝罗（Fortunato Depero）于1918年在罗马奥德斯卡尔其大楼（Palazzo Odescalchi）里的一个名叫“儿童剧院”的木偶剧院呈现了一场由五个短剧构成的演出。《塑性舞蹈》(*Plastic Dances*)（图18）由比真人稍微小一点的木偶呈现。其中一个角色，德贝罗的“伟大的野蛮人”倒比真人高；他的特点是肚子那里可以掉下一个小舞台，小舞台上更小的“野蛮人”木偶们按照他们自己的一套动作跳舞。情节中有一段是“香烟雨”，另一段叫“影子之舞”，它“构建起了能自由活动的影子——光的游戏”。《塑性舞蹈》前后共上演了十八次，在未来主义作品中算是一个巨大的成功。

普兰波里尼和卡萨沃拉后来又创作了《心的商人》(*The Merchant of Hearts*)（图17），在1927年上演，混合了木偶和真人演员。真人大

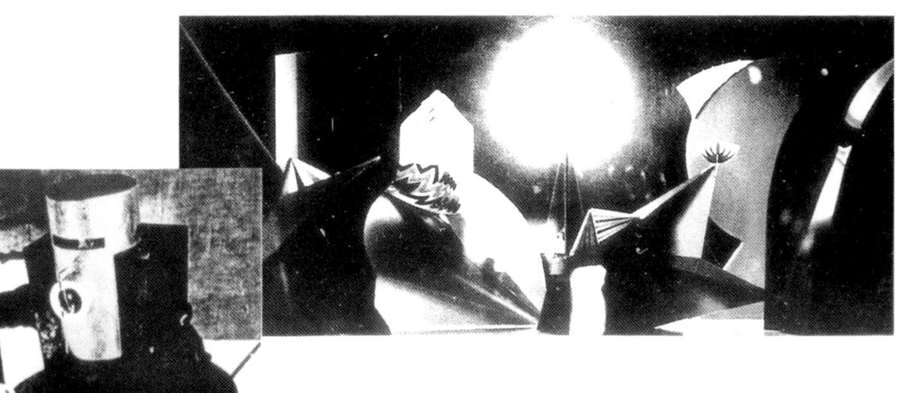

图 20 (上三图)　巴拉 1915 年为斯特拉文斯基《烟火》设计的舞台，1917 年。

图 21 (左下角)　潘纳奇为 M. 米开洛夫 (M. Michailov) 的一场芭蕾(约 1919 年) 设计的戏服。这件戏服“使整个人变形了，便于机器式的运动”。

小的木偶从天花板上吊下来，它们看起来更抽象，与传统木偶相比它们更不灵活，但它们足以与真人演员一起“表演”。

未来主义芭蕾

这些机械木偶以及活动布景的背后包含着未来主义的一个意图，就是想要将人物和舞台场景结合起来，共享一个连续的空间。比如伊沃·潘纳奇（Ivo Pannaggi）1919 年为《机械舞》（*Balli Meccanichi*）（图 21）设计戏服时，有意让人物与未来主义的舞台美术融合在一起；而巴拉在 1917 年一个改编自斯特拉文斯基（Stravinsky）的作品《烟火》（*Fireworks*）（图 20）上，对舞台布景进行了“编舞”处理。《烟火》在罗马的科斯塔兹剧院上演，作为狄亚基列夫的“俄国芭蕾”节目的一个项目，其中唯一的“演员”就是移动的舞台场景和灯光。而场景设计本来就是巴拉的一幅画作放大并且变成三维的形式，表演时，巴拉自己用键盘来控制灯光，为观众带来“光的芭蕾”。不仅是舞台，连观众席都被用作灯光的投影背景，忽明忽暗，整场演出没有一个演员。总体来说，演出持续了仅仅五分钟，但巴拉的笔记里说，在这短短的五分钟内观众见证了不下四十九种不同的舞台设计。

而对于那些由真人出演的芭蕾，1917 年，马里内蒂在《未来主义舞蹈》宣言中对于舞者应该“怎么动”进行了进一步的指示。在里面，他非常不寻常地称赞了当时几位著名舞蹈家的一些特征，比如尼琴斯基（Nijinsky）、艾莎道拉·邓肯（Isadora Duncan）和洛依·福勒（Loie Fuller）。马里内蒂说是尼琴斯基为观众“带来了舞蹈的纯粹几何性，并非模仿，也无意勾引”。但是，他说，舞者必须超越“肌肉的可能性”，从而创造出一种“人们梦寐以求的发动机似的多重身体”。他详细述说了如何实现这个愿望，他提出一种“炸弹舞蹈”，并指导说：“用脚发出炮弹从大炮里冲出的‘轰轰’声”；还有“女飞行员之舞”，在里面女舞者的身体必须“不断抽搐并晃动，以模仿飞机起飞的那种递进的效果”。

然而无论“未来主义舞蹈的金属性”究竟是什么，人物只是总体表演的一部分。这期间艺术家疯狂地写下了无数宣言，关于舞台设计、哑剧、舞蹈以及戏剧，但都提倡：在一个特别制作的环境中，演员与舞台应不分彼此。普兰波里尼在他的宣言《未来主义哑剧》中写道：“音响、场景设置以及人的举止必须营造出与观众灵魂之间的心理同步(synchronism)。”他还解释道，这种同步符合“同时性”(simultaneity)，而“同时性”管理着“世界范围内的未来主义价值”。

合成戏剧

在1915年的《未来主义合成戏剧》宣言中，作者对“同步”这个概念作了更为详细的解释。宣言给出定义：“合成的，就是短暂的——在几分钟、几个词组甚至几个动作里面压缩了无数状况、情绪、概念、感受、事实和符号。”杂耍剧就曾提出要在一个晚上把希腊、法国、意大利的悲剧压缩并以喜剧手法呈现出来，它还建议把所有的莎士比亚剧目合并到一幕中。同样地，未来主义合成体(sintesi)推崇简短的、单一概念的表演。比如说，布鲁诺·柯拉(Bruno Corra)和埃米利欧·赛蒂梅利(Emilio Settimelli)的《负面行为》就是纯粹单一的“负面行为”。一个人上了舞台，他“匆匆忙忙，若有心事……愤怒地踱着步”。他脱下外套，突然他发现了观众。“我什么也不会告诉你们的……把幕帘拉起来！”他叫道。

宣言否定了传统戏剧及其以现实主义手法呈现时间和空间的企图，它驳斥道：“过去的戏剧把城市广场、景色风光、街道等像塞香肠一样塞进了一个房间里。”与此相反，未来主义合成戏剧则机械地“依照越短越好的原则……实现了一种全新的戏剧形式，与我们那种飞速、简洁明了的未来主义精神浑然一体”。于是，场景设计被削减到最少。比如在马里内蒂的合成剧《脚》(图23)中，我们只看到演员们的脚。剧本标明了：“一块边缘为黑色的幕布降到演员的胃的高度，观众只看得到脚的动作。演员们必须尽最大努力用他们的下半身来给出非凡的表现力和态度。”七个

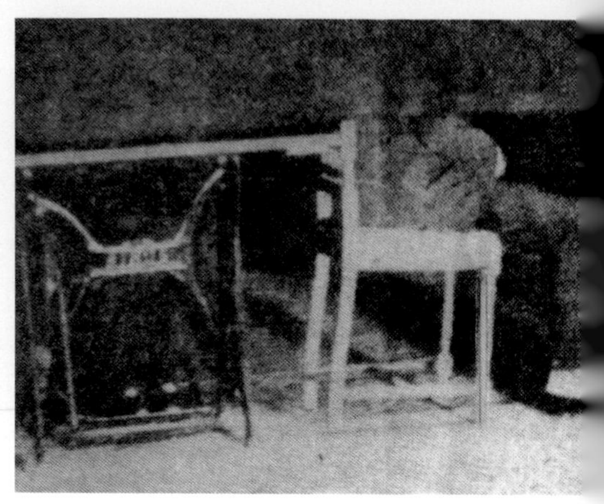

图 22　马里内蒂《他们来了》中椅子的退场，1915 年。

互不相关的片段都围绕着物体的“脚”，包括两把扶手椅、一座沙发、一张桌子和一座踏板操作的缝纫机。简短的表演以一只脚猛地踢向另一个面目不明的人的小腿而终结。

在马里内蒂 1915 年的《他们来了》（图 22）中，道具变为了“角色”。在一座被水晶吊灯点得通亮的豪华房间里，一位管家简单地宣告：“他们来了！”这时，两个仆人匆匆将八把椅子摆成马蹄的形状，放在一把扶手椅旁边。管家奔跑着穿过房间，兴奋地喊着：“Briccatirakamekame！”他又重复了一遍这个奇怪的动作之后，仆人们把家具挪了位，关上了吊灯，房间于是被“穿过法式窗户的月光”微微照亮。随后，仆人们“挤在一个小角落里，浑身颤抖地等待着，一副痛苦的模样。这时候，椅子们离开了房间”。

未来主义艺术家们拒绝解释这些合成体作品的含义，因为“去迎合大众这群原始人是愚蠢的行为”，他们写道：“他们总期待着看到坏人输了好人赢了。”宣言还写道，公众没有必要对每一幕每个表演都理解得很透彻。虽然合成剧号称没有内容也没有意义，但很多时候它们围绕并讥讽着艺术生活和艺术家身世。它们的结构很像简短的杂耍剧，包括引子、很多警句妙语以及快速的结尾。

波丘尼的《天才与文化》就讲了一位绝望的艺术家笨拙地自杀的故

图 23　马里内蒂的《脚》，1915 年，这是一部只由表演者和道具的脚构成的合成剧。

事，一个永远在一旁待着的批评家看着他飞快死去，这个批评家“二十年如一日地研究着这个了不起的现象（艺术家）”。（在艺术家）死去的那一刻，批评家大声喊道：“太好了！我终于可以写一本专题著作了！”然后他像“死人边上的乌鸦”一样盘旋在艺术家的尸体周围。他开始写这部著作，一边大声念出来：“一直到 1915 年，一位杰出的艺术家绽放过……与其他伟大艺术家一样，他身高 1.68 米，体宽……”这时候，幕布降下。

同时性

合成戏剧宣言中的一个章节对“同时性”的概念做了解释，其中写道：“（同时性）来自即兴发挥，闪电般的直觉，基于具有暗示性和启示意义的现实。”艺术家们深信一件作品只有当“即兴发挥（小时、分钟、秒）而非事前准备（月、年、世纪）时”，它才具有一定价值。只有如此才能捕捉到日常生活中那令人迷惑的“无数交错紧扣事件中的片段”，对未来主义来说，对零碎片段的呈现要胜于现实主义戏剧的任何尝试。

马里内蒂的剧本《同时性》是为同时性作出范例的第一件作品。它发表于 1915 年，剧本中有两个不同的空间，这两个空间及各自的演员共享一个舞台。在剧中大部分时间里，不同的事件在毫不相关的两个世界分别发生，任何一方对另一方都毫无知觉，同时演出。然而在某一刻，“美丽援交小姐的生活”突然穿透了相邻空间里的资产阶级一家的生活。一年之后，马里内蒂在他的《互相交流的花瓶》中进一步扩展了同时性的概念。剧中故事在三个不同地点同时进行，与之前一部剧一样，最后演员打破了隔离，情节在不同场景中连续并迅速地转换。

同时性的逻辑也引发了在一个剧本中分两栏写作的方法，马里奥·戴西（Mario Dessy）在他的《你的丈夫不行？……改变他！》中的《等待》一文就是这样写成的。两栏中各描绘了一个年轻男人紧张地来回踱步的情境，他们不断盯着各自场景中的钟看，等着各自爱人的到来，两者都没有等到。

一些合成剧可以被形容为“形象剧”。比如说，在《狗不存在》中，整部剧唯一一个“形象”就是一只狗短暂地在舞台上走过。还有在作品中描绘感觉的，比如巴拉的《举棋不定》，在剧中，四个穿着不同的人向彼此背诵一系列数字组合，然后是一系列元音和辅音，接着，同时提起了他们的帽子，看一眼手表，擤一下鼻子，看报纸（“一直很严肃”）；最后，他们又同一时间颇具感情地念出了这几个词：悲伤，迅速，喜悦，拒绝。戴西的《疯癫》试图将这种感觉也注入观众席中。“主人公疯了，所以观众们开始感到紧张，其他角色也接着变疯了。”剧本解释道，“一点一点，每个人都受到了影响，疯癫这个概念渗入到空气中，将人打败。突然一些观众（卧底）开始站起，尖叫……人们四处逃散……不知所措……疯！了！”

另一类合成剧拿颜色来作文章。在德贝罗的作品中，有一个直接就叫《颜色》，角色是四个纸板做的物体——小灰（塑料的，椭圆形）、小红（三角形，动态的）、小白（长条的，尖端）和小黑（几个球形拼成的），隐形的线拉着他们在一个蓝色方形空间里活动。在后场，艺术家们为这些“演员”配音，或者说配上“自由言语”（parolibero），比如：“卟噜卟，卟噜卟噜卟噜卟噜卟噜……”仿佛这些颜色就是这样交流似的。

坎朱洛《光》的一开场，舞台和观众席一片漆黑，持续了“整整三分钟的黑暗”。剧本要求“对光的渴求必须由不同分散在观众中的演员们来激发实现，以至于过了头，变得疯狂，直到整个场地的光亮达到一种骇人夸张的程度”！

未来主义的后期活动

到1920年代中期为止，未来主义已经将行为表演发展为一种独立的艺术形式。在莫斯科、彼得格勒（现改名为“圣彼得堡”）、巴黎、苏黎世、纽约和伦敦，艺术家用它来打破不同艺术类型之间的疆界，并或多或少地用上了各种未来主义宣言中那些不合逻辑、具有煽动性的对策。尽管在成立的刚开始几年内，未来主义基本上是以理论条例为主，但十年之后，在以上这些城市上演的行为表演的数量十分可观。

在巴黎，1924年出版的《超现实主义宣言》带来了一种全新的观点。同时，未来主义宣言的数量逐渐减少。一部稍晚期的宣言，马里内蒂和坎朱洛写于1921年10月的《惊奇戏剧》，与早期经典的那些宣言作品并不相差太多，在里面两位作者希望赋予未来主义活动以历史意义，给予了他们早期作品非常高的价值，他们认为这些价值还未获得外界的高度认可。“如果今天有一部年轻的意大利戏剧是一种严肃、诙谐、荒诞的混合体在里面，不真实的人物位于真实的空间，具有同时性，并对时间和空间进行着重新解读，”宣言号称，“那就是我们的合成戏剧的功劳。”

他们的活动频率未减，一些未来主义艺术家组成的团队周游全国各地演出，还去了几次巴黎。《惊奇戏剧》团队由演员兼经理鲁道夫·迪安杰利（Rodolfo DeAngelis）带领，除了他、马里内蒂和坎朱洛以外，剧团还包括四个女演员、三个男演员、一个小孩、两个舞者、一名杂技演员以及一只狗。他们于1921年9月30日在那不勒斯的梅卡当特剧院（Teatro Mercadante）初次亮相之后，前往罗马、巴勒莫、佛罗伦萨、热那亚、都灵和米兰巡演。1924年，迪安杰利组织了“新未来主义剧院”，其中收录了大约四十件作品。由于经费有限，这些剧团的演员不得不发挥出即兴表演的才华，并使用强有力的措施在观众中“激发出最纯粹的即兴言行”。正如一些早期作品，有时候演员埋伏在观众席，于是在这些巡回演出中，坎朱洛将管弦乐器分散在房间的各处演奏——一只长号在一间包厢里、一把低音提琴在乐队席里、一把小提琴在正厅后排。

他们也积极地在其他艺术领域进行探索。1916 年他们拍摄了一部未来主义影片，名叫《未来主义生活》。他们探索了新的电影技术，比如：给胶片上色来象征精神状态；用镜子来扭曲图像；描绘巴拉和一把椅子之间的爱情故事；将荧幕分成两边；马里内蒂还演示了一段未来主义行走。换句话说，作品将很多合成体的特性直接运用到电影媒介上，同样地杂乱无章。

后来还出现了《未来主义航空戏剧》的宣言，由飞行员费德里·阿查理（Fedele Azari）写于 1919 年的 4 月。这份宣言是在天上写下的，在一次被他称为“表现力对话的首次飞行”的空中芭蕾中完成。同一次飞行中，他还用控制飞机引擎声响的方式表演了噪音吟诵（intonarumori），表演用的机械装置是路易奇·鲁索罗发明的。阿查理认为空中芭蕾是在最短的时间内获得最多观众注意的方式。于是，1920 年 2 月，马里欧·斯卡巴罗（Mario Scaparro）也以空中芭蕾的形式呈现了他的作品《出生》。剧中描写了两架飞机在云后做爱，随后诞下了四个人类，表演以四名全副武装的飞行员从飞机上跳下结束。

如此，未来主义几乎对所有的艺术分支进行了攻击，艺术家们将他们的才华运用于当时的技术革新。整个运动覆盖了两次世界大战之间的那些时间，它对于艺术界的最后一次贡献是在 1933 年。在当时的欧洲，收音机已成为风起云涌的政治气候中有力的宣传工具。马里内蒂很快意识到了它的利用价值，并与皮诺·马斯纳塔（Pino Masnata）在 1933 年 10 月共同发布了《未来主义无线电戏剧》宣言。宣言里写道，无线电收音机已成为了“戏剧、电影与叙事望而止步的新艺术”。利用噪音、无声的间隔以及“电台与电台之间的互相干涉”，收音机的“表演”专注于“对寂静进行界定和几何构造”。马里内蒂编写了五部收音机合成剧，包括《寂静与寂静之间的对话》（那是一段氛围音乐，夹在 8 秒和 40 秒的静默之间）和《风景听见》，在里面，火堆的爆裂声和潮水拍岸的声音交替响起。

未来主义的理论和实践几乎涵盖了行为表演的各个方面。这是马里内蒂的梦想，因为他曾说过，艺术必须是“烈酒，而不是香油”。而正是这种“醉意”，成为这个逐渐壮大的艺术群体的标志，他们将行为表演变为一种散播他们激进艺术态度的途径。马里内蒂写道：“多亏了我们，一个新的时代降临了：生活不再是简单的面包和劳作，亦不是闲散，而是一件艺术品。”这无疑是未来很多行为表演作品的基本前提。

第二章　俄国未来主义与建构主义

行为表演在俄国起步有两个重要的因素：一是艺术家对旧体制的反抗，无论是针对沙皇政权还是针对从外国引进的印象主义和早期立体主义绘画风格；二是意大利未来主义的影响。未来主义虽然也几乎是外国引进的，但因为它与俄国当时的艺术有所类似，都突出对传统形式的反叛，所以它们惺惺相惜。于是，意大利未来主义在俄国被重新诠释，成为反抗传统艺术的有力武器。1909 年，马里内蒂的第一部未来主义宣言同时在巴黎和俄国发表，这一年也在俄国被载入了史册。

1912 年，年轻诗人和画家布勒刘克（Burlyuk）、玛亚科夫斯基（Mayakovsky）、立夫谢兹（Livshits）、科列布尼科夫（Khlebnikov）效仿他们的意大利同伴写了未来主义宣言，题为《给公众品味的一记耳光》，其中充满对传统艺术价值的攻击。同年，一个名叫“驴尾巴”的展览开幕，作为对“来自巴黎与慕尼黑的腐败艺术”的回应，展览也是年轻艺术家致力于创作一种专属于俄国的艺术之决心，这种国家艺术可以追溯到 1890 年代俄国前卫主义。之前的艺术家们都会将目光放在西欧，而新一代们则希望将这目光倒置方向，努力使他们的创作独具优势，对欧洲艺术造成影响。

在几个主要文化中心，比如圣彼得堡、莫斯科、基辅和敖德萨，成群的作家和艺术家涌现。他们积极组织展览和公共辩论，用他们充满争议的言论来面对观众。很快，这些聚会便产生了强烈的影响以及热情的追随者。大卫·布勒刘克握着鬈发小男孩的照片来讲解拉斐尔的西斯廷圣母，用将伟大杰作与随便一张当地小孩的照片并列的另类方法，来打破人们对于艺术史的崇敬态度。玛亚科夫斯基则到处演讲，朗诵他的未来主义诗篇，倡导一种属于未来的艺术。

流浪狗咖啡馆

不久后，圣彼得堡的一个酒吧餐馆便成为这些艺术精英的聚首之地：流浪狗咖啡馆。流浪狗咖啡馆位于米凯洛夫斯卡亚广场（Mikhailovskaya Square），它吸引了诸如科列布尼科夫、安娜·安德烈耶夫娜（Anna Andreyevna）、玛亚科夫斯基、布勒刘克等诗人（图 24）和他们的圈子，

图 24　大卫·布勒刘克与弗拉基米尔·玛亚科夫斯基，1914 年。

图 25（左） 一部讲述未来主义“日常生活”的电影《歌舞戏剧 13 号》，照片中，演员拉廖诺夫（Larionov）抱着贡切若娃（Goncharova）。

图 26（右） 小丑拉扎连科，他在无数作品中与未来主义者们密切合作。

以及新兴的文学杂志《萨帝利孔》的编辑们的光临。在那里，他们上了未来主义的第一课：维克托·什科洛夫斯基做了题为“未来主义在语言历史中的地位”的演讲，几乎每个人都写了自己的宣言。流浪狗咖啡馆的艺术家们对于传统艺术进行尖刻严厉的批判，因而聚会常常以混战收尾，正如几年前的意大利未来主义者们一样。

于是，未来主义聚会成为夜晚的一个节目，在莫斯科和圣彼得堡的人们闻讯前来旁观。而艺术家们在厌倦了咖啡馆里一成不变的老观众之后，决定把他们的“未来主义”带到公共视野：他们穿着稀奇古怪的服饰走在大街上，脸上涂满颜料，他们的纽扣洞里面插着萝卜或调羹，还有高礼帽、天鹅绒外套和耳环……1913 年，圣彼得堡的《阿尔戈斯》杂志（*Argus*）刊登了《我们为什么画自己：未来主义宣言》。在宣言中，艺术家们称他们的自画像“首次发现了未知的真相”，并补充道，他们并不囿于单一形式的美学。他们写道：“艺术不是帝王，而是一个记者、一名装潢师。我们自画像的原则就在于这样一种装饰和描述的结合。我们为生活装潢，我们说教——这就是我们画自己的原因。”几个月后，他们出发进行了一次十七个城市的未来主义巡演。弗拉基米尔·布勒刘克以新艺术的名义随身携带了20磅重的哑铃，他的兄弟大卫在额头上戴了一块招牌，上面写着：“我——布勒刘克”，而玛亚科夫斯基则定时以他的“大黄蜂”装扮现身：黑色天鹅绒西装加上黄色条纹的套头衣。在巡演之后，他们拍了一部电影来记录他们每日的未来主义生活，名为《歌舞戏剧13号》（图25）。他们的第二部电影名为《我想成为未来主义者》，其中玛亚科夫斯基饰演主角，国家马戏团的小丑兼杂技演员拉扎连科（Lazarenko）（图26）扮演配角。如此一来，他们为艺术表演搭建了舞台，并宣称生活和艺术必须脱离社会习俗，而这些概念值得被无限运用到所有文化领域。

《战胜太阳》

1913年10月，俄国未来主义从大街和“家庭电影院”搬到了圣彼得堡的月亮公园。玛亚科夫斯基正在创作一出名为《弗拉基米尔·玛亚科夫斯基》的悲剧，他的朋友，未来主义诗人阿里克谢·克鲁奇内赫（Alexei Kruchenykh）正在准备一出歌剧，名字叫作《战胜太阳》（图27）。之后，《言语》杂志刊登了一篇召集演员的小幅报道，邀请所有有兴趣的人来特洛伊斯基剧院（Troyisky Theatre）参加试演。通知上还标明：“职业演员们就别花费心思跑一趟了。”10月12日，无数名学生出现在了观众席中，其中一个名叫托马契文斯基（Tomachevsky）的学生后来写道：“没人想过真的被挑中……但对我们来说，这个机会不仅在于能够见到未来主义艺术家们，而且能够结识他们，并结识到他们的创作环境。”的确，他们见到了几个未来主义者：诸如穿着黑色天鹅绒外套并戴着高帽和手套的20岁的玛亚科夫斯基、脸上干干净净的克鲁奇内赫、《战胜太阳》的作曲大胡子哈伊尔·马秋申（Mikhail Matyushin）、为玛亚科夫斯基的悲剧

图 27　马秋申、马列维奇和克鲁奇内赫 1913 年在芬兰的乌伊思基耶科 (Uuisikirkko)，他们分别是第一部未来主义歌剧《战胜太阳》的作曲、设计和作者，歌剧于同年上演。

设计了背景幕布的费洛诺夫（Filonov）以及未来主义作家兼行政员弗拉基米尔·拉波波尔特（Vladimir Rappaport）。

在挑选演员那天，首先，玛亚科夫斯基朗读了他的作品。他丝毫不隐藏这部剧的主题，也就是对他自己诗歌天才的赞颂，剧中他疯狂地重复着自己的名字。作品里主要的角色，哪怕是那些玛亚科夫斯基的崇拜者，也是“玛亚科夫斯基”，他们分别是：无头人、独耳人、独眼独腿人、双吻人和长脸人。也有女人，她们是：一滴眼泪女、一滴巨大的眼泪女以及被玛亚科夫斯基撕烂了面纱的巨女人。在破烂面纱之下的巨女人是一只 6 米高的娃娃，被吊起来带走了。此外，玛亚科夫斯基决定挑选一些“群众演员”来歌颂他自己。

克鲁奇内赫则更开放一点。他把来试演的人中没被玛亚科夫斯基选上的全部收入了他的歌剧中。他让这些业余演员把每个词组的音节分开来停顿着念：“The cam-el-like fac-to-ries al-read-y thret-en us……”[①]托

① 译注：“那些骆驼般的厂房吓死我们了……”

图 28　马列维奇为《战胜太阳》设计的戏服。

马契文斯基说，克鲁奇内赫随时会冒出些新点子，“每个人都很紧张”。

《战胜太阳》的歌词主要讲述了一帮“未来乡下人”去征服太阳的故事，很多年轻的未来主义艺术家们都闻讯来到彩排现场。“月亮公园的那座剧场几乎成为未来主义的沙龙，”托马契文斯基写道，“在这里你可能会遇到所有艺术家，从英俊的库布林（Kublin）到那些跟着布勒刘克等未来主义大师们到处跑的小狗。所有人都在场：诗人、评论家、画家……”

卡西米尔·马列维奇（Kasimir Malevich）为歌剧设计了场景和服装（图 28）。“马列维奇画的舞台场景是立体主义、非物象的：背景上有圆柱形和螺旋形的图案，幕布上也有（但是幕布一开场就被未来乡下人撕烂了）。”托马契文斯基回忆道，“服饰是用纸板做的，看起来像是立体主义绘画里的盔甲。”演员们戴着塑形纸做成的大一号的头套，在舞台上一个小角落里做着类似于木偶移动的动作。作者克鲁奇内赫对表演非常满意：“正如我所期待的一样，强光从投影仪中打出，很多巨大的纸张构成了布景：三角形的、圆形的，还有一些机械装置。演员们戴的面具让我想到了那种现代防毒面具。戏服使演员们变了形，在艺术家和导演的全权控制下，他们跟着节奏移动。”马列维奇事后形容开场情境时说：“幕布升起，观众们看到一块白色印花布，上面有几组象形图案，分别代表了作者、作曲者和设计师。音乐响起，第二块幕布拉开，一位广播员和一位游吟诗人出现了，还有一个不知道是什么玩意儿的东西，双手沾满血，还叼着根大香烟。”

这两部作品引起了巨大的轰动，大批警察站在剧院外面维持秩序。接下来的几周内，围绕着作品共有四十几个讲座、研讨会和辩论会召开，人们蜂拥参与。然而，圣彼得堡的媒体却一声不吭，对作品的成功感到非常困惑。《战胜太阳》的作曲哈伊尔·马秋申疑问：“是否他们（媒体）完全活在自己的世界里，从而丧失了对当下正发生的文学、音乐、视觉艺术进行学习和思考的能力？”在一系列革新中，一些人觉得难以接受的方面包括：视觉关系的错位、对轻与重的重新定义、形式和颜色的新概念、和谐与旋律，以及对传统语言使用方式的否定。

受到无意义的、非现实主义的歌词的灵感激发，马列维奇创造出了木偶般的人物造型和几何形式的布景设计。而反过来，人物造型又决定了演员的动作，并影响到了整部作品的风格。在之后的表演中，机械化的人物也出现了，体现了未来主义和辐射光线主义（Rayonism）中对速度和机动化的概念。人物被刀刃般忽明忽暗的光线效果"切断了"手、腿或者身体，甚至有时完全四分五裂。这些立体的形体以及对空间的抽象呈现对马列维奇后来的作品影响深远，他将《战胜太阳》中独具一格黑白的方块和梯形认作为至上主义绘画的源头。《战胜太阳》体现了诗人、音乐家和艺术家之间全面的合作，为日后更多的合作提供了范例。虽然它与传统戏剧和歌剧完全脱离了关系，但没有进一步形成新类型。马秋申说，这部歌剧是"第一部在舞台上体现了概念与语言的分裂、传统舞台与音乐协调的背离的作品"。现在看来，《战胜太阳》是一个起到过渡作用的事件，它成功地为行为表演的未来发展提供了新的方向。

弗瑞格和马戏团的复兴

《战胜太阳》和《弗拉基米尔·玛亚科夫斯基》将画家和诗人紧密地联系在了一起。而正因为它们的成功，更多作家开始邀请新兴艺术家一起创作，为他们的作品做设计，画家们也积极举办各种新型展览。"第一次未来主义展览：电车轨道 V"于 1915 年 2 月在彼得格勒举办。由伊万·普尼（Ivan Puni）出资，这次展览包括了新崛起的前卫艺术中的两个关键人物：马列维奇和塔特林（Tatlin）。马列维奇展示了他于 1911 年至 1914 年之间创作的作品，而塔特林则带来了他之前从未在群展中展出过的"绘画浮雕"。展览还收录了那些一年前刚刚因欧洲爆发大战而回到俄国的艺术家的作品。在欧洲其他中心城市，战争的到来拆散了各种艺术群体，而莫斯科却迎来了艺术家们的重聚。

仅仅十个月后，普尼又组织了“最后一次未来主义绘画展：0.10”。马列维奇的《白底上的黑色方块》以及两份至上主义的宣传册成了这次事件的标志。而对于行为表演来说，这次展览更重要的意义在于那之后，莫斯科卡梅尔尼剧院（Kamerny Theatre）的创始人和制作人泰洛夫（Tairov）聘请了亚历山德拉·艾克斯特（Alexandra Exter）来为剧院上演的作品做景观和服装设计。他们的“合成剧院”将场景、戏服、演员和表演动作结合起来。泰洛夫进行了一套关于观众参与的研究，并得出结论：音乐厅是能够实现目标的唯一途径。之前的那些大革命期间早期的合作都见证了未来主义和建构主义（Constructivism）以“生产艺术”（production art）的名义被接纳入了传统戏剧。①

生产艺术实际上是建构主义者们发出的一种伦理宣言，他们坚信：为了将学院派从支配地位上驱赶下台，所有“思索性行为”都应该搁一搁，比如使用过时的刷子和颜料来绘画，取而代之的是，艺术家需要运用“真正的空间和材料”来创作。另外，艺术家们还悉心探索了马戏团、音乐厅、杂耍剧、埃米尔·雅克-达尔克罗兹（Emile Jaques-Dalcroze）的音乐韵律法（eurhythmics）、鲁道夫·范·拉邦（Rudolf von Laban）的舞蹈优动法（eukinetics）、日本戏剧、木偶剧，等等。以上每一种都为创新娱乐模式提供了可能性，尤其是针对数量大、文化程度并不高的观众。社会新闻、政治事件、意识形态以及新崛起的共产主义精神都灵活地穿插在作品之中。这些活动似乎成为将最新的艺术和艺术形态传达给广大公众的最有效途径。

其中一位艺术家成了一系列热点事件的导火线。尼古拉·弗瑞格（Nikolai Foregger）1916 年从家乡基辅来到了莫斯科，在 1917 年 2 月卡梅尔尼剧院关门之前在那当过短期学徒。那期间，他正好目睹了媒体对辐射光线主义、建构主义和其他艺术激进分子的热情报道和关注。他

① 译注：Constructivism，常译作“构成主义”，来源于日语。本书译作“建构主义”，强调了当时艺术家认为艺术应具有建设社会的责任和功用的初衷。

被各种展览中无尽的讨论以及艺术和戏剧的机械化与抽象化进程深深吸引，于是将相似的概念带到舞蹈中。为了将革命前的前卫艺术与其独特风格更加具体化，他不懈地探索表演形态和舞蹈动作。在莫斯科待了一年后，他来到彼得格勒（现改名为“圣彼得堡”），在自己那间连着剧院的狭小工作室里建立了一个作坊来研究这些内容。

首先，他分解了法国中世纪宫廷闹剧和 17、18 世纪艺术喜剧（commedia dell’ arte）中的传统元素，把它们运用到一系列新作品中，包括普拉特兹（Platuz）1920 年的《双胞胎》，一系列演出总称《四面具剧院》。这些作品在革命结束后几年内非常成功，然而观众们很快便厌倦了他对戏剧形式进行的“经典的”，也就意味着反革命的重新诠释。作为对策，弗瑞格试图找到一种更为大众，更迎合新的社会主义口味的戏剧形式，于是他请来了弗拉基米尔·马斯（Vladimir Mass），一位编剧、诗人兼戏剧评论。他们参与到了苏维埃宣传鼓动文化（agit-trains）的阵营，在作品中探索政治幽默。1921 年搬到莫斯科之后，两人继续探索面具戏剧，剧中角色直接反映了当时的政治事件。比如说列宁当时正在推行他的新经济政策，目标是稳固俄罗斯动荡的经济状况。于是在弗瑞格的作品中出现了“新政人”，用来描述钻了当时自由经济政策空子的资产阶级。“新政人”与神秘主义知识分子、拎着皮制公文包的军事主义女党员、意象派诗人这些典型形象一样，都成了弗瑞格新建立的“马斯特福”（Mastfor）工作室的储备角色。

当时还是电影学院学生的爱森斯坦（Eisenstein）、尤特凯维奇（Yutkevich）、巴尔涅特（Barnet）、弗格尔（Fogel）和伊林斯基（Ilynsky）都积极参与到“马斯特福”制作作品的设计中。那时仅仅 17 岁的爱森斯坦和尤特凯维奇设计了“模仿秀”的布景，其中共有三个短剧，分别是《每个聪明人看一部轻歌剧就足够了》《没烧开的水别喝》《佩特拉的壮烈悲剧》。两人共同推出了一套复杂的新技术，也正因为运用了机械装置，他们被形容为“美国人”。尤特凯维奇为马斯的《对马好一点》(1922 年)

做了设计，在里面他创造出一种完全活动性的空间，空间里包括了移动的阶梯以及踩水车、弹簧床、闪烁的霓虹标牌和电影海报、旋转装饰品，以及飞在空中的灯光。爱森斯坦负责戏服，有一次他让一个女性角色穿上一圈一圈螺旋形的圆环，再系上彩色绸带和薄纸片。

在《绑架儿童》(1922 年) 中，弗瑞格在早期的音乐厅元素中添加了“电影化”因素——强光灯打在快速转动的圆盘上以模仿电影播放的效果。除了这些机械发明，弗瑞格进一步推出两项理论：第一个被他称为“拉太妃糖”(tafiatrenage)，这种教学方法虽然没有明说，但非常强调演员肢体和心理发展；第二个理论是“马戏团的复兴”，他在 1919 年 2 月的国际马戏团艺术家联盟上的演讲中表达了这个信念。这两个理论对舞台上除了绘画和戏剧以外的元素进行了特殊关注和运用，因此在探索新型表演模式的路上跨出了巨大的一步。

弗瑞格认为马戏团和戏剧是一对连体婴儿，并用伊利莎白时代英格兰和 17 世纪的西班牙作为戏剧—马戏团结合的完美范例。他强调舞蹈和肢体训练的新方法——“我们把舞者的身体看作是机器，而他们身上那些意志控制的肌肉则为机械师。”“拉太妃糖”和其他的一些身体理论并不是没有相似之处，比如梅耶荷德（Meyerhold）的“生物机械学”(Bio-mechanics) 或者拉邦的优动法。生物机械学是一套基于十六个练习的表演训练理论（图 29—32），协助演员掌握舞台动作的基本技巧，

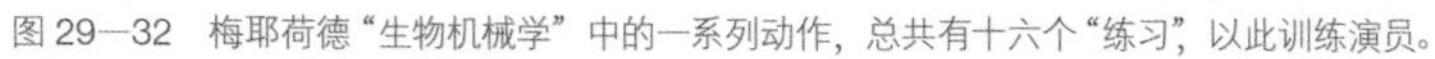
图 29—32　梅耶荷德“生物机械学”中的一系列动作，总共有十六个“练习”，以此训练演员。

图 33　弗瑞格的舞蹈剧团，1923 年作品《机械舞蹈》的片段，舞者正模仿一条传送带。

比如走出方形、圆形、三角形的形状。与生物机械学不同，弗瑞格认为他的“拉太妃糖”不仅是上场前的训练系统，其自身也是一种艺术形式。

1923 年 2 月，弗瑞格的《机械舞蹈》首次上演（图 33）。剧中一段舞蹈模仿了一架传送装置：两个男演员相距 3 米面对面站着，几个女演员紧紧抓住彼此的膝盖，接连从一点移动到另一点。另一段舞蹈模仿了一把锯子：两个男演员分别握住一个女演员的手和脚，以波浪的动作摇动她。一个噪音交响乐团在后场为演出提供音效，发出了玻璃杯摔碎的声音、不同金属物件互相敲打的声音等。

《机械舞蹈》反应热烈，但很快受到了严厉的批判，事件起因是几个工人向戏剧行业杂志写信，威胁着要揭发弗瑞格剧团作品的“反苏联”和“色情”立场。评论家谢日普宁（Cherepnin）称之为“半神话、半传奇的美国主义”，因为弗瑞格的机械艺术对俄罗斯人的认知来说很陌生，非常稀奇。此外，他还被指责为沉迷于音乐厅与娱乐，缺乏那个时代的生产需要具备的社会和政治意义。

革命行为表演

当弗瑞格在构建一套纯机械艺术形式的同时，其他的艺术家、编辑、演员们则积极向政治宣传机器靠拢，因为它能够针对当下最新的政策和生活方式给出最迅速及最易理解的诠释。前者重视美学观赏性，后者关注伦理意识。

玛亚科夫斯基就曾说过 :“毫无疑问，这也是我的革命。”他和他的同僚们都相信政治宣传是必不可少的。“能说话的报纸”，诸如海报、戏剧、电影能够使大部分是文盲的公众与时俱进。和很多其他艺术家一样，玛亚科夫斯基加入了俄罗斯通讯社（ROSTA），他后来回忆道 :“通讯社窗口（Window ROSTA）（图 34）是个神奇的地方，新闻电报在那里可以直接被转换成海报，而法令直接变为口号。它是一种新的形式，它那自发的灵感直接取自生活。有了它，在开战之前红军就能看到振奋人心的海报，他们可以带着现成的口号上战场，而不是念叨着祈祷。”

图 34（对页左） 玛亚科夫斯基做的关于“通讯社窗口”的海报。

图 35，36（对页右二图） 宣传轮船和宣传火车，1919 年。这是当时流行的革命宣传活动，这些交通工具载着演员和新闻游遍全国。

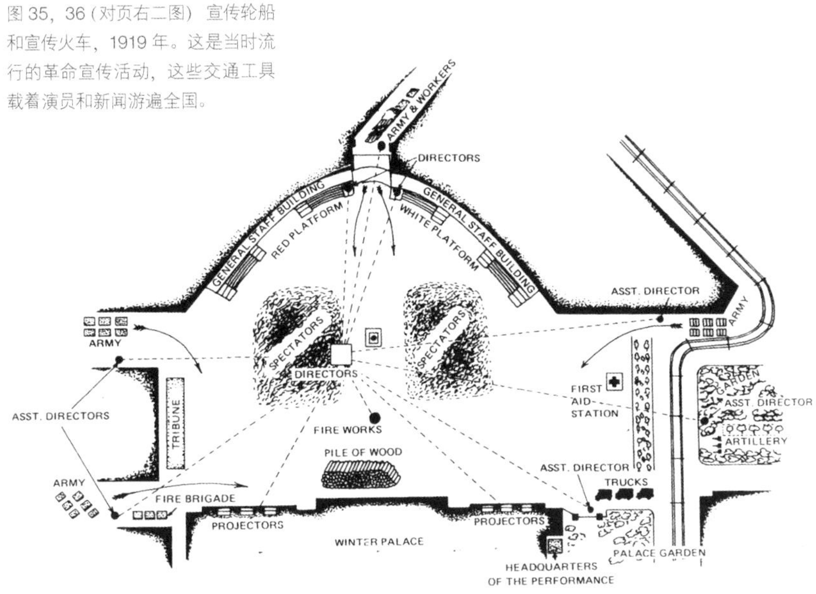

图 37（上） “冬宫风暴”事件的布局示意图，1920 年。

图 38（下） 俄国革命三周年之际上演的“冬宫风暴”，由耶弗雷诺夫、佩特洛夫、库吉尔和安尼恩科夫指导，共有 8000 多名演员。

不久后，橱窗招贴和布告牌海报演变成了现场事件。一系列海报被依次投影出来，还到处巡演。在表演开始时先放一段事先录制好的标题，诸如“一切权力属于人民”，然后再放映一系列静止图像来详细解释这个口号的意义。海报成为舞台布景的一部分，演员们拿着画有海报的画布登场。

以这种形式运作的宣传火车、宣传轮船（图 35，36）、ROSTA、宣传街边剧院成为年轻艺术家放弃“思索性活动”投身到社会实用主义艺术的唯一途径[①]。行为表演不同于早几年的艺术探索，走上了一条新的道路。艺术家们策划了围绕革命胜利的五一大游行，街头被装扮得五彩缤纷，他们用戏剧形式来重新演绎 1917 年的大革命，成千上万的公众参与了表演。

1918 年，为了纪念十月革命成功一周年，内森·奥尔特曼（Nathan Altman）和其他未来主义艺术家策划了一次大型的示威游行。游行在彼得格勒的街道上和冬宫广场上举行，楼房上挂着巨幅的未来主义绘画，广场上的方尖碑上还连着一座未来主义的移动装置。两年后，1920 年 11 月 7 日的三周年庆祝活动也同样隆重壮观。一个名叫“冬宫风暴”的节目（图 37，38）将十月革命前的一些风云事件，尤其是推翻临时政府的事件重演了一遍。在首席总监尼古拉·耶弗雷诺夫（Nikolai Yevreinov）的指导下，佩特洛夫 (Petrov)、库吉尔 (Kugel) 及安尼恩科夫 (Annenkov) 三位导演组织了一支由临时演员构成的军队，共有 8000 多名市民参与到了重演三年前当日发生之事的活动阵营中。

表演在围绕着宫殿的三个不同区域同时进行，通往广场的街道上布满了军队、装甲车以及军用卡车。宫殿前广场的入口两边是两座巨大的舞台，每座大约有 55 米长，16 米宽，左边是“红”舞台，代表着红军（无产阶级），右边是“白”舞台，是临时政府的大本营。白舞台共有 2685 名参与者，其中 125 个芭蕾舞者、100 个马戏团艺术家、1750 个临时演员。

---

① 译注：宣传火车、宣传轮船、宣传街边剧院原文为：agit-train、agit-ships、agit-street theatre。为苏联政府部署下的政治宣传机制。

红舞台的规模相当，耶弗雷诺夫努力使这些人数与当时战役时参与的人数一样。晚上 10 点左右，随着一声枪响，演出开始了，五百人的交响乐队演奏着瓦利赫（Varlich）的乐曲，最后一首是《马赛曲》，代表了临时政府[1]。千百人同时高喊："列宁！列宁！"《马赛曲》一遍遍重复着，但渐渐地走了调，人群中雷鸣般合唱起了《国际歌》。最后，载着工人们的卡车加速穿过拱门驶进了广场，来到了他们的目的地：冬宫。当革命者们在宫殿楼顶上会合时，原本漆黑的冬宫突然被无数灯光、游行的军队以及上升的烟花点亮，如白昼般。

《华丽的绿帽子》

这些周年庆典活动把所有艺术形式的技能和风格都发挥了出来：绘画、戏剧、马戏团、电影……如此一来，表演艺术的限制也就被打破了：艺术家们不再试图在不同学科领域之间划分类别或划定限制。建构主义艺术家依旧致力于"生产艺术"，把艺术扩展到真实的物理空间，宣告了绘画的死亡。

1919 年之前，当戏剧编导弗谢沃洛德·梅耶荷德在他还未与建构主义那一伙人熟识时曾写道："我们有权邀请立体主义者们加入我们，因为我们需要那些明天我们将会去全力反对的场景。我们希望我们的场景是开阔海洋中的一根钢铁管道，或者其他什么新人类的发明物……我们会竖立一座吊环秋千，让我们的杂技演员在上面表演，用他们的身体来表现出我们的革命戏剧的精华，并提醒我们：我们正在享受我们自己的斗争。"梅耶荷德在建构主义舞台设计中找到了他一直以来寻找的东西。1921 年，当他需要一种可以在任何地方竖立起的布景，他没有从传统舞台机制中寻求解决方案，而是看重了建构主义那多功能脚手架，它可以随时拆散收起或重新组装。波波娃（Popova）为同年在莫斯科举办的

① 译注：《马赛曲》为法国国歌，在俄国十月革命前，被临时政府配上俄罗斯语，作为临时国歌，革命后被废除。

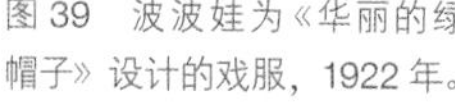

图 39　波波娃为《华丽的绿帽子》设计的戏服，1922 年。

图 40　波波娃画的《华丽的绿帽子》的舞台布景。

“5×5=25”展览撰写的目录图册文章中也提到了与梅耶荷德相似的关于布景设计的想法，她说：“(展览中) 所有的结构都是图画性质的，而这些结构必须被认作是一系列作为准备工作的实验，艺术家最终要把它们实现为物质的结构。”但她并没有详细说明如何实现。

显然，梅耶荷德感到了建构主义给传统戏剧长久建立起的美学带来的重创，这个发现使他实现了一直以来的梦想，那就是将基于戏剧但超越戏剧的作品移出盒子似的剧院，带到更多的场所：集市、金属铸造厂，或一座战舰的甲板上……他与建构主义团体里的不同人都谈起了这个想法，尤其是对波波娃，但合作往往总不如最后成果看起来的那么完美无缺。1922 年上半年，当梅耶荷德提出要用波波娃的空间理论来创作一个表演时，她断然拒绝了，整个建构主义群体也不看好这样一个计划，因为一个匆忙的决定也可能是一次冒险，新概念的名声几乎是不堪一击的。然而梅耶荷德却坚持认为建构主义是他的新作品的理想伴侣，这部作品是克罗梅兰克 (Crommelynck) 的《华丽的绿帽子》(图 39，40)。他非常狡猾，私下一个个分头找艺术家，让他们各自为他做了研究，收集起来以作备用。因为每个人都秘密地做着准备，毫不知情其他人也在为作品设计布景。于是，1922 年 4 月最终呈现的作品成为一个在波波娃协调下的集体成果。

《华丽的绿帽子》的布景设计包括了几面传统戏剧的背景幕布，舞台由台阶、陡坡道、T 型台、风车的叶片、两只轮子以及一只巨大的转盘组成，转盘上标有“CR-ML-NCK”字样（代表剧作者克罗梅兰克）。角色们穿着松垮垮的工装连衣裤，哪怕穿着舒适的服装，他们还得做出一系列高难度的杂耍动作来配合舞台装置。于是，这部作品的确成为了梅耶荷德的理想平台，用来发挥之前提到的他那套“生物机械学”系统，在那不久前他刚刚推出这套理论（图 29—32）。他学习了“泰勒制”(Taylorism)，那是一套当时盛行于美国的生产效率管理体系，他因此号召推出“戏剧泰勒制，这样就能在一个小时的时间内把本来需要四小时的内容呈现出来”。

《华丽的绿帽子》的成功确立了建构主义在舞台设计方面的领先地位。这部作品是各种艺术之间交流转换的巅峰之作，因为在里面，艺术家不仅需要满足一个富有创造力的导演的戏剧方面需求，而且还改变了表演的本质，以如此复杂新奇的“表演机器”改变了戏剧的意义。

蓝衬衫与怪怪演员工厂

每一年，艺术、建筑、戏剧都有进一步创新。新的团体涌现频率之高，以至于我们无法追踪到每一份“宣言”的具体灵感来源，甚至难以找到它们的始作俑者。艺术家们经常从一个工作室搬到另一个：爱森斯坦先是与弗瑞格合作，后来又和梅耶荷德一起；艾克斯特与梅耶荷德、泰洛夫的合作；玛亚科夫斯基与 ROSTA、梅耶荷德以及蓝衬衫团体都合作过。

蓝衬衫团体（图 41，42）成立于 1923 年的 10 月，具有很明显的政治参与性。它既包含先锋艺术，又运用流行元素，以面向更广泛的大众。在其顶峰时期，团体内大约有十万人，并在全国各个城市有无数个俱乐部。它们采用宣传鼓动机制、“活的新闻报纸”以及传统的包厢剧院形式，演出内容主要包括了电影、舞蹈以及动画海报。从多重角度来看，蓝衬衫是对马里内蒂的杂耍剧之理想的终极实现，因为它是“所有奇观里最健康的一种，因为它形式和颜色的丰富性。魔术、芭蕾、体操、骑术、螺旋风同时发生……”这些华丽表演的另一个源头是爱森斯坦为奥斯特洛夫斯基（Ostrovsky）的《恶棍日记》做的舞台，那是一个囊括了25种不同节目的蒙太奇：电影、小丑表演、短剧、滑稽戏、宣传歌曲大合唱、马戏团等。马斯特福工作室的实验同样大力推崇技术装置和电影拼贴；梅耶荷德的生物机械学也受到了蓝衬衫演出的强烈影响。

该团体所采用的机械装置以及其能够展现大规模“工业制作”的能力，与早期的另一个组合有些相似，那就是“怪怪演员工厂”，又称FEKS。FEKS青睐于以美国为范例的新兴工业社会：同时具有高科技和“低俗”文化——爵士、漫画书、音乐厅、广告等。对于苏霍沃–柯贝林（Sukhovo-Kobylin）的剧作《塔刘金之死》（*Tarelkin's Death*）（图43）的诠释尤为著名，斯蒂帕诺娃（Stepanova）在其中设计了可以折叠的家具。再重申一遍，俄罗斯行为作品实现了十年前未来主义立下的信条，佛图纳多·德贝罗就曾号召发明一种戏剧，在里面“一切事物转着圈，消失了——又再出现了，不断复制、停顿、破碎、战栗、推翻，将舞台转化为一座宇宙无敌大机器，那座机器就是生活”。尽管FEKS的宣言中否认它们受到了意大利未来主义影响，但这些意大利前辈的理想的确在他们的作品中不断被实现。

图 43　梅耶荷德的作品《塔刘金之死》中的一幕，剧作的设计是罗琴科（Rodchenko）的妻子斯蒂帕诺娃，1922 年莫斯科。

图 41（对页），42　蓝衬衫团体，于 1923 年成立。他们在舞台上张贴了巨大的海报，并在上面挖洞，演员的头、手和脚从洞里伸出，并且朗读基于颇具争议的政治和社会事件的文字。

图 44 《莫斯科在燃烧》中的金字塔造型舞台，剧作在真的马戏团——莫斯科第一国家马戏团——中表演的，该剧是为了纪念 1905 年的“血色星期天”起义二十五周年。

《莫斯科在燃烧》

戏剧处处渗透于艺术作品中，正如艺术处处改造着戏剧，俄罗斯正在经历一场像1905年革命那般激烈的文化事件，仿佛能量从未削弱。1930年是俄国大革命二十五周年，二十五年前那个血色星期天，工人们在冬宫外面抗议，却被飞射而来的子弹击中。然而二十五年后，一个时代似乎要结束了。玛亚科夫斯基以一种末日悲剧的姿态筹办着《莫斯科在燃烧》（图44）。由苏联中央国家马戏团出资，这部哑剧被安排在马戏团节目单的后半段，它挖掘了马戏团表演中的一切可能性，在马戏团哑剧历史上开创了新天地。整部剧以电影的风格演绎一出政治讽刺剧，讲述了大革命第一天的故事。五百名演员参与了这个奇观：马戏团艺术家、戏剧学院和马戏学校的学生以及骑兵部队。《莫斯科在燃烧》于1930年4月21日在莫斯科第一国家马戏团拉开帷幕。而一个星期前，也就是4月14日，玛亚科夫斯基吞枪自杀。

虽然1909年标志着艺术家行为表演的起点，而实际上早在血色星期天的那年，1905年，就已经真正发生了戏剧和艺术在俄国的革命。工人们想要推翻沙皇王朝的士气日益递增，于是，工人阶级戏剧运动立即吸引了无数艺术家的参与。另一方面，1934年标志了戏剧和行为表演发展的第二个转折点，突兀地叫停了持续了几乎三十年的杰出创作。那一年，维持十天的年度苏联戏剧节以二十年代早中期的剧目开幕：梅耶荷德1922年的《华丽的绿帽子》、泰洛夫1926年的《长毛猿人》、瓦赫坦戈夫（Vakhtangov）1922年的《图兰朵公主》，这意味着一个充满实验精神的时代降下了帷幕。如果不是巧合的话，同年，在莫斯科的作家代表大会上，党内关于艺术事业的发言人史达诺夫（Zhdanov）作了一个演讲，那是对社会主义现实主义（socialist realism）的首次确定申明，为所有文艺活动规定了一系列官方的指导法令。

第三章　达达主义

韦德肯在慕尼黑

苏黎世的伏尔泰酒馆在 1916 年成为达达艺术家的活动大本营，早在那之前，酒馆里的演出就是德国城市里非常受欢迎的夜生活娱乐活动。慕尼黑在大战之前正发展成为一个艺术中心，而伏尔泰酒馆的两个重要人物就来自这个城市——它的两个创办人：夜总会表演者艾米·亨宁斯（Emmy Hennings）和她未来的丈夫雨果·巴尔（Hugo Ball）。慕尼黑的酒吧和餐馆在青骑士团体和表现主义画家中也非常著名，它们是城市中的波西米亚艺术家、诗人、作家和演员的聚集中心。在诸如辛普利西斯慕斯餐馆（Café Simplicissimus）（巴尔和亨宁斯就是在那遇见的，后者当时是酒馆的小明星）的场所内，在昏暗的灯光下，那些人探讨着写了一半的宣言、编了一半的杂志。与此同时，狭小的舞台上演着基于这座巴伐利亚首府战前生活的讽刺短剧。在所谓的“亲密剧院”中，一些奇异的人物出现了，其中就包括了本雅明·富兰克林·韦德肯（Benjamin Franklyn Wedekind），也就是著名的弗兰克·韦德肯（图 45）。

韦德肯是一个擅于煽风点火、言辞毫无遮掩的人，尤其是关于性的话题。每次遇到一个年轻女子，他的第一句话永远是:“你还是处女吗？”

色眯眯的表情，再加上装错位的假牙，他的笑脸看起来总是像鬼脸。韦德肯被称为“浪子”“反资产阶级性爱剥削者”，以及“道德公害”，当他没有钱资来制作他自己的表演，或表演被官方审查禁止时，他会参与一些酒馆演出。他甚至会在舞台上小便，还自慰。雨果说，韦德肯全身发颤，“他的手臂、他的腿、他的——甚至是他的脑子”，要知道那是一个道德依旧被禁锢在新教主教袍之下的时代。当时整个艺术圈也同样地反对资产阶级，于是，韦德肯表演中对世俗和权威的尖刻批判深受赞赏。

他的戏剧作品也同样饱受争议。在短暂地被驱逐到巴黎以及由于违反审查制度被关押数月之后，韦德肯写了他著名的关于慕尼黑生活的讽刺剧《基思侯爵》(*Der Marquis von Keith*)，公众和媒体的反应是嘲笑不已，而韦德肯在 1901 年以一部《尼可洛王，或这就是生活》(*König Nicolo, oder So Ist das Leben*) 反击。这部恶毒的作品描写了一位国王被他的资产阶级臣民们推翻，随后被迫在他的篡位人面前表演宫廷小丑。韦德肯

图 45　弗兰克·韦德肯在他自己的剧作《希达拉》中，1905 年。

仿佛是用每一出表演当作安慰剂，来回应反面攻击。而反过来，他的剧本也一次又一次被威廉皇帝下属的普鲁士官方所审查，因此他的书稿也常遭出版方擅自删改。当他的储蓄被法庭和监狱耗尽，他作为作者被紧张的出版方抛弃的时候，他再次参与进当时盛行的酒馆巡回表演，有一回为了维持生计，他还加入了一个著名的巡游团体“十一个刽子手”。

这些零零碎碎演出近乎下流，却使得韦德肯在慕尼黑的艺术圈广受青睐，而那些每每随之而来的政府审讯也让他成为了城市里的大人物。辛普利西斯慕斯餐馆的常客巴尔说，从1910年起他生活中一切都围绕着戏剧:“生活、人、爱、道德。对我而言，戏剧意味着超乎想象的自由。”他还写道：“给我留下最深印象的是一位诗人，他同时也是一个令人可畏的、愤世嫉俗的奇观：弗兰克·韦德肯。他的很多排练以及几乎每一次演出我都看过。在作品中，他挣扎着抹杀他自己，同时也试图抹杀一整个曾几何时根深蒂固的文明。”

韦德肯的《潘多拉宝盒》发表于1904年，讲了一个解放了的女人的职业生涯，就是一个关于“抹杀文明”的故事。剧本一发表就立即被禁止，无法在作者有生之年在德国的公共场合演出。作者对检察官表示愤怒，他认为后者为了说明自己是下流的、有罪的，因而歪曲了证据。作为回应，韦德肯写了一篇从未发表的剧本，改编自歌德的名作《野玫瑰》，在里面，他嘲笑模仿法庭程序以及法律用语：

> 流浪汉说：我会和你性交，女流浪汉。
>
> 女流浪汉回答说：我会把严重的性病传染给你，你将自此永远有原因记住我。
>
> 显然，她当时毫无性交之意。

韦德肯的表演之所以能够为所欲为，是因为他是艺术家，而艺术家“局外人”的身份使他得以获得一种“许可”。然而他深知，他之所以拥有这种“许可”，是因为艺术家的角色在当时社会是微乎其微的，他们与其是被“接受”，不如说是被“容忍”。很快，在慕尼黑和其他城市，更

图 46 科柯施卡为他的早期表现主义剧作《女人们的救星：杀人犯》创作的钢笔画，1909 年于维也纳上演。

多人加入了韦德肯的行列，选择成为艺术家，并视之为一种反抗平庸之众的职业，他们把行为表演当作为反社会的先锋活动。

科柯施卡在维也纳

韦德肯的昭著臭名传出了慕尼黑。当《潘多拉宝盒》的法庭程序还在德国没完没了地进行时，这部剧已在维也纳悄悄上演。韦德肯自己扮演剧中角色撕人者杰克，而他未来的妻子提莉·尼维斯（Tilly Newes）则扮演女主人公露露。当时的慕尼黑、柏林和维也纳正盛行着表现主义，虽然这股潮流还停留在纸上，尚未渗入表演类作品中，但韦德肯反感于任何将他与表现主义混为一谈的声音。毕竟，当他直觉性地开始采用那些被视作为表现主义的技法时，表现主义还未形成潮流呢。

一部原型式的表现主义作品，科柯施卡（Kokoschka）的《女人们的救星：杀人犯》（*Mörder, Hoffnung der Frauen*）（图 46）在维也纳上演。这部作品通过《风暴》杂志经由柏林传到慕尼黑，杂志在 1909 年维也纳的演出之后很快便发表了其文字版本和插图。和韦德肯一样，22岁的科柯施卡被视作为对公共道德和维也纳保守的社会价值的一次怪异冒犯，他还被教育部长威胁要去除他在维也纳艺术工艺学校的教师职位。1908年，在他的陶瓷半身像《战士》在“维也纳艺术展”展出之后，评论家们称他为“堕落艺术家”“资产阶级敌人”“公民罪犯”以及“野蛮人首长”。

科柯施卡被这些粗糙的攻击激怒，于是他创作出《女人们的救星：杀人犯》，在“维也纳艺术展”花园剧场的演出给了维也纳公众一记重重的耳光。由科柯施卡的朋友们和表演学生构成的剧组人员在演出前只进行了一次彩排，导演讲解了这部剧的主要剧情之后，演员们便靠着“小纸条上的关键词”即兴发挥，再配以不同音高、韵律与表情，一场演出就现形了。在花园中，他们挖了一个洞让乐队在里面演出，他们用纸板和木板搭了一个舞台。布景的中央是一座有着牢笼般格子门的巨塔，演员们挥着双手弓着背，表情夸张地围着塔匍匐行进。这些动作成为表现主义行为表演的标志手法。在如此阴森古怪的氛围中，演员们上演了一场男人与女人之间的激烈争斗，一个男人把一个女人领袖的衣服撕烂，并象征性地在她身上刻上了他的记号。为了自卫，她用一把匕首刺向他，他的伤口中涌出假血。三个戴着面具的男人把他抬进棺材，并将棺材抬升至格子塔。然而，后期表现主义作家意味深远的“新男人”最终还是胜利了。使男人流血导致了女人的终极噩运——她缓慢而富有戏剧性地死了，而阳刚纯洁的“新男人”则幸存下来。

科柯施卡日后回忆说这部作品招来了“恶毒而充满仇恨的反对”。文字争辩后来差点变成一次流血事件，他说：“要不是阿道夫·卢斯（Adolf Loos）及其忠诚伙伴们出手相救，我可能难逃被殴打到死的命运。”建筑师卢斯是这场剧的赞助人。科柯施卡继续写道：“最让观众不能忍受的是，人的神经都被画在演员的皮肤上，仿佛我们能看透他们的身体。希腊人用面具来固定人物的特点：悲伤的、热情的、愤怒的等，而我则有我自己相似的一套，我在演员的脸上涂画，不是为了装饰，而是为了突出其特点。这些图案在远处也清晰可见，就像是壁画。不同角色有不同的图案，有的我画了条纹，他们看起来就像一只老虎，或一只猫。但每个人的身上我都画了神经，这些神经的位置分布来自我对解剖的研究。”

佐尔格（Sorge）的《乞丐》被广泛认作为第一部表现主义剧作，在它于 1912 年被发表之前，科柯施卡的作品一直是慕尼黑的谈论焦点。虽然没几部自诩是表现主义的剧本最终被表演出来，但人们已将具有新观念的表演艺术视作摧毁传统现实主义戏剧的有力武器，这些人之中就有 26 岁的雨果·巴尔。他当时正忙于筹办他自己的演出。对巴尔而言，慕尼黑的这几年意味着一种以合作形式呈现的“艺术戏剧”的准备阶段，他与康定斯基（Kandinsky）联手，巴尔评论康定斯基说：“光其存在就使得慕尼黑的现代性甩开其他德国城市几条街。”他们在《风暴》《行动》《新艺术》以及 1913 年的《革命》等期刊上表达见解。巴尔认为，他正处于一个常识必须受到来自各个时代的攻击、“哲学被艺术家占领的阶段，是一个只属于有趣的人、属于流言蜚语的年代”。在如此混乱的周遭中，巴尔认为当“一切艺术媒介和动力结合为一体时，社会就将堕入无常”。他相信只有戏剧能够创造出一个崭新的社会。但是他所说的戏剧不是传统的戏剧：一方面，他曾拜师于新兴导演马克斯·莱恩哈特（Max Reinhardt）并探索新式的戏剧技法；另一方面，巴尔还对半个多世纪之前瓦格纳 (Waner) 提出的一种概括所有艺术作品总和的概念“总体艺术”（Gesamtkunstwerk）相当着迷，“总体艺术”团结起来自各个学科的艺术家，使他们集中大规模创作。于是，若是巴尔有办法，他当时差点成功地怂恿以下这些艺术家加入他的剧作中：除了被他指定为掌舵整体方向的康定斯基外，还有马克（Marc）、福金（Fokine）、哈特曼（Hartmann）、克利（Klee）、科柯施卡、耶弗雷诺夫、门德尔松（Mendelsohn）、库宾（Kubin）以及他自己。从某些方面来看，这个计划大纲所体现出的热情同样体现在两年后——他在苏黎世召集了许多艺术家共同参与创作。

然而，在慕尼黑，这些宏伟的计划却从未落实。巴尔没能找到赞助人，他投标德累斯顿国家剧院导演一职也以失败告终。失落之时，他在柏林中转去了瑞士，离开了德国。因为对战争和当时德国的社会状况失望透顶，巴尔对戏剧建立起了新认识："戏剧的重要性总是与社会道德和公民自由的重要性成反比。"在他看来，社会道德和公民自由在俄国和德国都危在旦夕，戏剧被战争击垮了。"戏剧失去了其意义，如今谁还愿意演戏，谁还愿意看人演戏啊？如果戏剧是一个人，我觉得他刚遭受了断头的厄运。"

巴尔在苏黎世

雨果·巴尔和艾米·亨宁斯在 1915 年那个宁静的夏天抵达苏黎世。当时，亨宁斯刚刚出狱八个月，她由于为那些想要逃避兵役的人制作假外国护照而被逮捕入狱，而巴尔自己也携带着假文件，并以假名过活。

"很奇怪，人们总是搞不清我的真名叫什么，然后就会有官员上门审问。"为了应对上门调查逃避兵役者的德国间谍，他们改了名字，但这绝不是最令他们头疼的事，两人又穷，又是未注册的外国无业游民。亨宁斯有时兼职一些用人的活，而巴尔则坚持完成他的学业。当被瑞士警方发现他用假名登记时，巴尔逃到了日内瓦，然后又回到苏黎世，进了监狱。但 12 天后他就被放出来了——瑞士官方没兴趣将他遣返回德国接受兵役。那年秋天，两人的状态每况愈下：没有钱，无家可归。在巴尔当时的日记中他曾暗示有过一次企图自杀，在苏黎世湖畔有人报警阻止了他的企图。他把从湖里面打捞起的外套拿到夜总会去卖，但也没人要。之后，他总算时来运转了，签了一家夜总会，并加入了里面一个名叫弗拉明戈的巡回剧团。哪怕在瑞士各地巡演的时候，巴尔仍着迷于尝试去理解他所逃离的德国文化。他开始筹划写一本书，这本书后来以《德国心态批判》的名字出版，他在里面探讨了无数哲学上和精神上的时代弊病。他成为了一名坚定的和平主义者，并初次接触了麻醉剂和神秘主义，之后他还和诗人马里内蒂通信，就是那个未来主义艺术家们的领袖。他还为席克勒（Schickele）的杂志《白色传单》和苏黎世的刊物《革命》撰稿。

但是，他在酒馆的表演与他的文章互相矛盾。巴尔在文章里谈论一种他越来越没有耐心去实现的艺术："在我们这个时代，当人们每天都受着怪物一般事物的侵袭，根本无暇去留意自己的感受和印象。在这样一个年代，美学创作于是成为一门必修课。然而，所有当下的艺术都会保持一种非理性、原始、复杂的状态：它以一种秘密语言交流，它所留下的遗产不是教化，而是一个谜团。"在疲倦地随着弗拉明戈巡演了几个月后，巴尔回到了苏黎世。

伏尔泰酒馆

早在1916年巴尔和亨宁斯（图47，48）就决定开办他们自己的酒馆，就像他们过去在慕尼黑接触到的那一类酒馆一样。史匹格卡瑟区（Spiegelgasse）一间小酒吧的主人杨·伊法艾姆（Jan Ephraim）同意他们使用他的场地作此用途，紧接着就是漫长而疯狂的从五湖四海的朋友那儿收集作品来装饰酒馆的过程。然后，人们读到了一篇新闻稿："伏尔泰酒馆，在这个名字之下，一群年轻有为的艺术家和作家联合起来了，他们的目标是创造一个艺术与娱乐的中心。酒馆的运作方式如下：每天例行集会，并邀请艺术家客座表演音乐、朗读等节目。他们欢迎苏黎世的年轻艺术家们，无论定位为何，都可前来献计献策。"

开幕之夜吸引了大批观众，酒馆人头攒动。巴尔后来回忆说："晚上六点钟，当我们还在敲敲钻钻忙着贴上未来主义海报时，一行四人代表团已经到了，他们有着东方人的面相，个子矮小。他们腋下夹着文件夹和图画，礼貌得不停地鞠躬，自我介绍说他们分别是画家马塞尔·詹科（Marcel Janco）、特里斯坦·查拉（Tristan Tzara）、乔治·詹科（Georges Janco），第四个人的名字我记不清了。阿尔普（Arp）那时也在场，我们没费几句口舌就搞清楚了状况，詹科那华丽的天使绘画立即与其他很

Als ich das Cabaret Voltaire gründete, war ich der Meinung, es möchten sich in der Schweiz einige junge Leute finden, denen gleich mir daran gelegen wäre, ihre Unabhängigkeit nicht nur zu geniessen, sondern auch zu dokumentieren. Ich ging zu Herrn Ephraim, dem Besitzer der „Meierei" und sagte: „Bitte, Herr Ephraim, geben Sie mir Ihren Saal. Ich möchte ein Cabaret machen." Herr Ephraim war einverstanden und gab mir den Saal. Und ich ging zu einigen Bekannten und bat sie: „Bitte geben Sie mir ein Bild, eine Zeichnung, eine Gravüre. Ich möchte eine kleine Ausstellung mit meinem Cabaret verbinden." Ging zu der freundlichen Züricher Presse und bat sie: „Bringen sie einige Notizen. Es soll ein internationales Cabaret werden. Wir wollen schöne Dinge machen," Und man gab mir Bilder und brachte meine Notizen. Da hatten wir am 5. Februar ein Cabaret. Mde. Hennings und Mde. Leconte sangen französische und dänische Chansons. Herr Tristan Tzara rezitierte rumänische Verse. Ein Balalaika-Orchester spielte entzückende russische Volkslieder und Tänze.

Viel Unterstützung und Sympathie fand ich bei Herrn M. Slodki, der das Plakat des Cabarets entwarf, bei Herrn Hans Arp, der mir neben eigenen Arbeiten einige Picassos zur Verfügung stellte und mir Bilder seiner Freunde O. van Rees und Artur Segall vermittelte. Viel Unterstützung bei den Herren Tristan Tzara, Marcel Janco und Max Oppenheimer, die sich gerne bereit erklärten, im Cabaret auch aufzutreten. Wir veranstalteten eine RUSSISCHE und bald darauf eine FRANZÖSISCHE Soirée (aus Werken von Apollinaire, Max Jacob, André Salmon, A. Jarry, Laforgue und Rimbaud). Am 26. Februar kam Richard Huelsenbeck aus Berlin und am 30. März führten wir eine wundervolle Negermusik auf (toujours avec la grosse caisse: boum boum boum boum — drabatja mo gere drabatja mo bonooooooooooooo —) Monsieur Laban assistierte der Vorstellung und war begeistert. Und durch die Initiative des Herrn Tristan Tzara führten die Herren Tzara, Huelsenbeck und Janco (zum ersten Mal in Zürich und in der ganzen Welt) simultanistische Verse der Herren Henri Barzun und Fernand Divoire auf, sowie ein Poème simultan eigener Composition, das auf der sechsten und siebenten Seite abgedruckt ist. Das kleine Heft, das wir heute herausgeben, verdanken wir unserer Initiative und der Beihilfe unserer Freunde in Frankreich, ITALIEN und Russland. Es soll die Aktivität und die Interessen des Cabarets bezeichnen, dessen ganze Absicht darauf gerichtetet ist, über den Krieg und die Vaterländer hinweg an die wenigen Unabhängigen zu erinnern, die anderen Idealen leben. Das nächste Ziel der hier vereinigten Künstler ist die Herausgabe einer Revue Internationale. La revue paraîtra à Zurich et portera le nom „DADA". („Dada") Dada Dada Dada Dada.

ZÜRICH, 15. Mai 1916

图 47（上） 雨果 · 巴尔为伏尔泰酒馆开幕撰写的媒体稿，1916 年苏黎世。

图 48（下） 雨果 · 巴尔和艾米 · 亨宁斯 1916 年在苏黎世。

多美丽的作品一起被挂上了墙。当天晚上，查拉诵读了一些传统风格的诗歌，他从身上多个口袋里随手拿出一首便念了起来，格外潇洒。艾米·亨宁斯和拉康特小姐（Laconte）用法语和丹麦语演唱歌曲，查拉还读了一些他用罗马尼亚语写的诗歌，而一旁一支巴拉莱卡琴乐队演奏着流行小调和俄罗斯舞曲为他伴奏。”

于是，1916 年 2 月 5 日，伏尔泰酒馆正式开业，每晚都有活动。比如 6 日那晚，观众席里来了很多俄罗斯人，节目单安排了康定斯基和艾尔莎·拉斯科 (Else Lasker) 的诗歌、韦德肯的《雷电之歌》(*Donnerwetterlied*)、在革命合唱团协助下表演的《死亡之舞》（*Totentanz*）以及阿希斯提 · 布吕昂（Aristide Bruant）的《至薇耶特》(*A la Villette*)。紧接着，7 日晚上有布莱斯 · 桑德拉尔（Blaise Cendrars）和雅科布 · 冯 · 侯迪斯（Jakob van Hoddis）的诗歌；11 日晚上，巴尔的慕尼黑老朋友李卡德 · 胡森贝克（Richard Huelsenbeck）来了，巴尔记录道:“他带来了强烈的韵律（黑人韵律)，他倾向于用打鼓表演把文学击个粉碎。”

接下来几个星期的表演各异，包括了来自韦菲尔（Werfel)、摩根士坦恩（Morgenstern）和李希登斯坦（Lichtenstein）的诗歌。“每个人都沉醉在不可名状的情绪中，小小的酒馆似乎要从墙上的细纹中裂开，那是一片癫狂的游乐场。”巴尔亢奋地安排着节目表，并和他的同僚们一起编写表演材料。他们对于创作出新的艺术不甚在意，巴尔甚至警告说：“那些想象力随心所欲的艺术家实际上是在逃避他的原创力，他们利用现成素材，仅仅在其基础上进行适当扩展。”相对而言，他更青睐艺术的催化作用：“拉丁语里面的 producere 是生产、使某样事物存在的意思。不一定要生产书籍，我们还可以生产‘艺术家’。”

酒馆里的表演还包括了阿尔普、胡森贝克、查拉、詹科、亨宁斯及其他路过苏黎世的艺术家和作家们合作的作品。由于有要娱乐不同层次观众的压力，他们必须“不间断地保持活力、创意以及天真。这是一场与观众期望赛跑的比试，这场比赛需要我们的发明才能和辩论才能。”酒馆有一点尤其使巴尔满意："我们无法断言说过去二十年的艺术是欢乐为主的，我们不能说现代诗人在取悦人或试图形成任何潮流。"朗诵和现场表演成为在艺术中重新找到愉悦的关键。

每晚的节目都围绕一个特定的主题：俄罗斯之夜针对俄罗斯观众，而每个周日则是他们慷慨向瑞士人开放的，然而达达艺术家们都觉得"瑞士的年轻人似乎对酒馆格外小心"。胡森贝克发展出一种独具一格的朗诵风格，"当他走进酒馆时，手上拿着一根西班牙手杖，他时而挥舞手杖，这让观众兴奋起来，他们觉得他是个自大狂，他看上去也的确如此：他的鼻孔颤动，耸着眉毛。他嘴角抽动着，看起来很费力，但他格外镇静"。伴随着大鼓的击奏声、叫喊声、口哨声和笑声，他朗诵着：

> 慢慢地，屋子们张开了他们的身体
>
> 随后，教堂们肿着嗓子，向着深渊嚎叫

在 3 月 14 日的法兰西之夜，查拉朗诵了马克思 · 雅科布（Max Jacob）、安德烈·萨勒蒙（André Salmon）和拉佛格（Laforgue）的诗歌，欧瑟（Oser）和鲁宾斯坦（Rubinstein）演奏了圣—桑（Saint-Saëns）大提琴奏鸣曲的第一乐章，阿尔普朗读了雅希的《尤布王》，等等。"只要这座城市没有被我们吸引，酒馆就失败了。"巴尔写道。

3 月 30 日的晚上标志了一个新的跨越："在查拉的提议下，胡森贝克、詹科和查拉（第一次在苏黎世，也是第一次在任何地方）同步朗诵了亨利 · 巴尊（Henri Barzun）和菲南德 · 迪瓦（Fernand Divoire）的诗歌，还表演了一首他们自己创作的同步诗歌。"巴尔用以下一段文字来定义同步诗歌（simultaneous poem）这一概念：

> 一种对位的诵读，由三种或以上的声音同时讲话、唱歌、吹口哨等，与此同时，这多种声音必须齐头并进，共同传达出哀怨的、幽默的或古怪的内容。在同步诗歌中，一部有机作品的智慧之处就在于如何给出强有力的表达，以及如何掌握同伴带来的限制。噪音（比如拉长了好几分钟的 rrrr 音、撞击声、警报声）比人类嗓音更为出色。

图 49　马塞尔·詹科 1916 年作的《伏尔泰酒馆》，在舞台上，由左到右依次为：巴尔（钢琴旁）、特里斯坦·查拉（紧握双手）、让·阿尔普、李卡德·胡森贝克（阿尔普下方）及马塞尔·詹科。

酒馆如今已声名大噪而巴尔却感到精疲力尽。“酒馆得休息一下，一天都不中断的表演不仅消耗精神，”他写道，“而且伤身害体。有次在人群中我忍不住浑身颤抖不已。”

一些作家，比如韦德肯、德国表现主义者李昂哈德·弗兰克（Leonhard Frank）和路德维希·鲁宾纳（Ludwig Rubiner），以及东欧的一些政治犯，都集中到了苏黎世。他们中的一些人拜访了伏尔泰酒馆，另一些人直接加入了他们的阵营。编舞家和舞蹈先锋艺术家鲁道夫·冯·拉邦在他的舞者表演时也出席了。詹科创作了绘画《伏尔泰酒馆》（图 49），阿尔普向我们讲解道：

> 在这座俗气、混杂的舞台上，有几个稀奇古怪的人物，分别代表了查拉、詹科、巴尔、胡森贝克、亨宁斯小姐以及鄙人。完全是一片混乱。我们周围的人们叫着、笑着、做着手势。而我们以爱之叹气、集体打嗝、哞哞声、中世纪“布伊主义”（Bruitist）式猫叫回应。查拉摆动着他的臀部，像东方人跳肚皮舞一样。詹科演奏着一架隐形小提琴，一边鞠躬一边到处刮擦。化装为圣母的亨宁斯小姐正在做劈腿。胡森贝克一刻不停地敲打着他的鼓，巴尔在一旁弹钢琴伴奏，苍白得像一个鬼。我们一伙人被荣誉地称为“虚无主义者”。

酒馆当然也少不了暴力和酒后生事，与保守的瑞士城市氛围格格不入。胡森贝克直言不讳地说：“当伏尔泰酒馆还是个啤酒厅的时候，它的常客是瑞士资本家的儿子们，他们都是大学生。然而我们如今想要把伏尔泰酒馆变为最新艺术的焦点，虽然我们时不时会提醒那些肥胖而不可理喻的苏黎世俗人：别忘了，你们是猪猡，而德国国王是战争的发动者。”

酒馆里的每个人都掌握了一门独门绝技。詹科专门制作面具，巴尔描述这些面具说：“不仅聪明绝顶，而且继承了日本和古希腊戏剧的精华，同时又绝对摩登。”这些面具的设计对于远距离的观众也能够产生震惊的效果，虽然酒馆也不是很大。“詹科戴着面具过来时，我们都在，每个人立即也戴起了他的面具。然后，奇异的事发生了：面具看起来似乎急需戏服来搭配，而且它还需要戴的人持有一种特定的、热烈的姿势，一切似乎处于疯狂的边缘。”

艾米·亨宁斯每天都有新作诞生，除她之外，其他没有人是职业酒馆表演者。媒体很快就认出她的作品中的专业性。“酒馆里的明星，”《苏黎世邮报》写道，“无疑是亨宁斯（图 50）。无数个夜晚，她是歌舞和诗歌表演的焦点。几年前，她站在一间柏林酒馆窸窣的黄色幕布旁，手搭在胯上，仿若一丛生长力无限的灌木。如今，她以同样的表演勇闯前线，除了被哀痛稍微侵袭，她的身体和过去几乎无差别。”

巴尔开创了新品种“无语之诗”,或者说“声响之诗”。在表演中,“元音的平衡只根据诗的第一行来衡量并分布在剩下的文字中”。1916 年 6 月 23 日，他于伏尔泰酒馆首次登台表演朗诵这类诗歌（图 51），并且亲自为表演设计了戏服，在那天的日记中他这样描述他的戏服：头戴“一

图 50（左） 艾米·亨宁斯和玩偶。

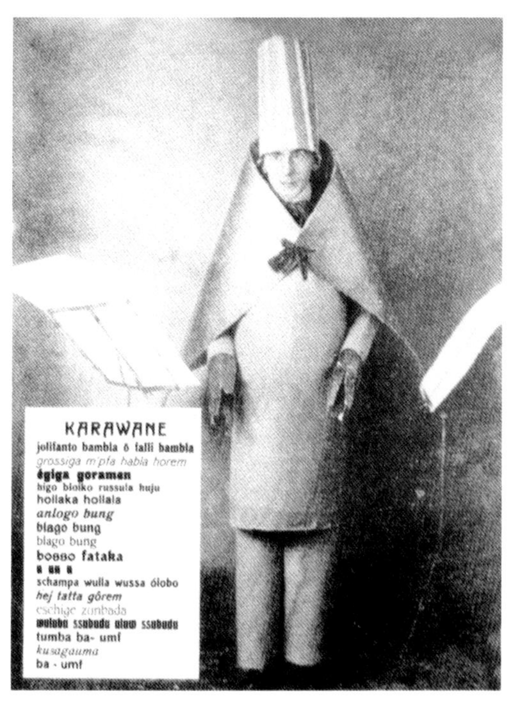

图 51（右） 雨果·巴尔朗诵声响之诗《卡拉瓦内》（Karawane），1916 年，那是伏尔泰酒馆里表演的最后几个节目之一。巴尔把他的诗作搁在分散在舞台数处的乐谱架上，在表演过程中，他从一个乐谱架转到另一个，并不断上下拍动他的纸板“翅膀”。

顶高高耸起，蓝白条纹的巫术医师帽”，他的腿是两根蓝色的纸板管子，“管子一直到我的胯部，因此我看起来像一座塔”，他还戴着巨型的纸板披肩，里面是深红色的，外面是金黄色的，他上下移动的时候，这披肩就像一双翅膀。他必须靠别人在灯光亮起前把他抬上舞台，朗读着舞台三边三座乐谱架上的诗歌，他“缓慢而庄重”地开始了：

gadji beri bimba

glandridi lauli lonni cadori

gadjama bim beri glassala

glandridi glassala tuffm I zimbrabim

blassa galassasa tuffm I zimbrabim

这场诗朗诵并不尽如人意。他说他马上就留意到了，他的表达方式还不够强烈，朗诵被“浮华的舞台布景”抢了风头。好像有一股神秘的力量指引，他“听上去似乎诵出了修道士哀诵时的古老韵律，仿佛是东方和西方的天主教堂里同时响起弥撒人群的恸哭声……我不知道是什么促使我使用这种音乐，但我开始吟唱起我的元音诗词，就像教堂风格的宣叙调”。巴尔希望用这些新的声响来抛弃那种“被新闻所剥削因此穷途末路了的语言”。

达达

与此同时，查拉还有别的事务要处理。他不断地为筹办一本期刊而头疼，而且酝酿着比伏尔泰酒馆里的活动更加宏大的计划。他能够预见到这个计划的无限潜力——一场运动，一本杂志，一次席卷巴黎文艺界的风暴。而另一边，阿尔普则是一个相对内向和安静的人，他始终保持着伏尔泰酒馆局外人的身份。胡森贝克回忆说：“阿尔普从来不表演，他不需要那些喧喧嚷嚷，然而就是这种性格有着非常强烈的推动作用，达达的诞生离不开他。他是风中的幽灵，是荆棘火焰的中坚力量。他那优雅的面容，他如舞者般纤细的身躯，他轻巧富有弹性的步伐，无一不体现了他那无与伦比的敏感。阿尔普的伟大之处在于他能专注倾身于艺术的能力。”

酒馆里的歌舞表演还在继续着。他们开始探索一种独特的表演方式，但总体来说，他们都保持着一种立场，巴尔解释这种立场说 :“我们念出的和唱出的每一个词至少在讲一件事，就是 : 这个令人羞耻的年代已经失去人心。还有什么值得尊重和热爱的:大炮？可我们的鼓声已将它淹没；理想主义？无论从平民还是学术角度来讲，它从来就是一个笑柄。那些年恢宏的杀戮和同类相食的利用？我们自发的装疯卖傻以及对于幻想的热情终将摧毁这些东西。”

1916 年 4 月，人们正筹划着组建“伏尔泰社”以及一次国际展览。而酒馆表演的势头也正在趋向于计划发表一本合集。尤其是查拉，他对这种合集感到热切，但巴尔和胡森贝克则表示反对，他们反对一切“组织”，胡森贝克说 :“这世上组织还不够多吗？”他俩的看法是 :“一定不能将一时的突发奇想转化为一场艺术运动。”然而，查拉坚持不已。正在这时候，巴尔和胡森贝克在一本德法词典中为歌唱家乐瓦女士（le Roy）找了一个名字,叫“达达”。在罗马尼亚语里面,达达是“是,是”“对,对”的意思;在法语里，它是“摇摆木马”或者“竹马”的意思;而在德语里，巴尔说，“它象征着一种愚蠢的天真，一种对于生产的喜悦以及对婴儿车的着迷”。

1916 年 6 月 18 日，巴尔写道 :“我们正将这个词的可塑性发展到前所未有的境地。为了达到这个目标，我们牺牲了理性而结构逻辑的句子，同时我们也为此放弃了记录工作。”他还标明了塑造这个想法的两个因素 :“首先，这个时代的特殊处境不会使真正的才华湮灭或成熟，而是会全面测试它的潜能 ; 其次就是我们这个团体那非凡的能量了。”他将达达的起点归功于马里内蒂,因为后者的“自由诗”将单词从句子的框架（世界的样子）中解放出来，并“将奄奄一息的大都市语言哺育以光和空气，把温度、情感和原本安好的自由归还给它们”。

酒馆连续几个月的歌舞升平开始使酒馆主人伊法艾姆不安起来。“他要求我们要么给出更好的娱乐活动来吸引更多人，要么关了酒馆。”胡森贝克写道。达达艺术家们对于这个最终通牒反应不一：巴尔“准备好关门大吉”了，而胡森贝克这样讽刺地说查拉：“他专注于与罗马和巴黎的通信，并与各国知识分子保持联系，研讨世事。”一如既往地，“阿尔普保持着距离，他的目标很明确，就是发动一场艺术革命，将绘画和雕塑中的客观呈现铲除掉”。

仅仅五个月后，伏尔泰酒馆落下帷幕。

达达：杂志与画廊

在 1916 年 7 月 14 日于苏黎世的瓦格大厅公开亮相之后，达达主义进入了一个新的时期。巴尔视这次事件为他和达达分道扬镳的起始：“我在第一次**达达**公开晚会上念的宣言，实际是一封稍加伪装的绝交信。”那是一份关于这个词在句子中至高首要性的声明，而更关键的是，这表明了巴尔对于达达作为“艺术趋势”这一观念的反对立场。巴尔写道：“想要成为艺术趋势，我们期待看到一些更加复杂的动力。”然而查拉却乐在其中，在他的《苏黎世编年史》中，他如此形容自己的角色：

> 1916 年 7 月 14 日——前所未有；瓦格大厅：首次达达晚会（音乐、舞蹈、理论、宣言、诗歌、绘画、戏服、面具）
>
> 在拥挤人潮的见证下，查拉为我们展示，我们渴望，我们渴望以不同颜色来撒尿，胡森贝克为我们展示，巴尔为我们展示，阿尔普声明，詹科我的图画，胡瑟（Heusser）原创构图狗吠在钢琴上在钢琴上在甲板上解剖巴拿马——诗歌们喊道——在大厅里喊叫决斗，第一排批准了第二排宣告自己无可匹敌判决剩余的喊叫，谁最强，大鼓被带进来，胡森贝克对 200，超大鼓和绑在他左脚上的小铃铛们强调着胡森拉斯——人们抗议尖叫，砸碎了窗玻璃，杀死了对方，每个人毁坏，搏斗，警察来了，中止。

拳击又开始了：立体主义舞蹈，詹科设计的戏服，每个人戴一顶大鼓在头上，噪音，黑人音乐/喇叭几亚波欧欧欧欧/5个文学测试：查拉穿着燕尾服站在幕布前，面对动物们像石头一样清醒，解释着新的美学：体操诗、韵母的合唱、布伊主义诗歌、静态诗、想法的化学组合、比利蹦比利蹦公牛在环中冲向圆形（胡森贝克），韵母诗歌啊啊噢、依呃欧、啊依依，动脉的主观愚蠢的最新诠释心灵的舞蹈关于燃烧的房屋和观众中的杂技。再多些倒彩、大鼓、钢琴和无能的大炮，纸板戏服被撕烂，观众将自我推向分娩后的狂热中断。报纸不满4个声音的同时诗歌+为300个不可救药的傻瓜创作的同时作品。

晚会上，五个达达主要人员分别念了不同的宣言。同月，第一期《达达选集》出版了，里面收录了查拉的《安提匹林先生的首次天空之旅》。同年的9月和10月，胡森贝克的两部诗集也跟着出版了。查拉正在创造一次基于达达概念的文学运动，同时他也开始慢慢疏远巴尔。胡森贝克起初还积极合作，但后来，看着巴尔对达达走向的保留和担忧，他也开始感同身受，哪怕他们各自的出发点可能不同。 胡森贝克的远离意图在于改变达达，而巴尔则只想退出团体从而能专注于他自己的写作上。

从公开演出到杂志出版，下一步则是拥有一个他们自己的场地——一个达达画廊。一开始他们租了一个场地：1917年1月第一次公开达达展览在科瑞画廊（Galerie Corray）举行，展出了阿尔普、凡·里斯（Van Rees）、詹科和里希特（Hans Richter）的作品，还有一些黑人艺术，以及查拉作的题为“立体主义”“旧的和新的艺术”以及“当下的艺术”的演讲。不久后，巴尔和查拉盘下了科瑞画廊，并在3月17日正式将其变为“达达画廊”，并举办了《风暴》杂志中绘画作品的展出。巴尔写道，那是“去年酒馆想法的一种延续”。这次展览相当匆忙，从提议到开幕中间才三天时间。巴尔回忆说，共有四十人左右出席了开幕式，在开幕式上他宣布：“要云集一小群人，相互扶持并激发灵感。”

图 52　索菲·托依柏与让·阿尔普站在托依柏制作的木偶前，这些木偶曾在许多表演中露脸，1918 年苏黎世。

然而，达达作品的性质变了，从自发的表演到更有组织且不乏说教意味的画廊展览。巴尔写道，他们“打破了酒馆时期的原始作风，在伏尔泰酒馆和达达画廊之间的那段时间内，每个人都非常刻苦地收集新的印象和经验”。他们更加注重舞蹈了，可能是因为索菲·托依柏（Sophie Taeuber）（图 52）的关系，她之前和拉邦以及玛丽·魏格曼（Mary Wigman）都合作过。巴尔认为舞蹈是一种最亲密、最直接的艺术形式：“它很像文身艺术以及那些意在人格化的原始行为；舞蹈经常与这些原始活动不分彼此。”按照巴尔的话来说，索菲·托依柏的《飞鱼与海马之歌》是一支“充满耀眼的闪光以及坚不可摧的强度的舞蹈，如刀光剑影”。第二次《风暴》展览于 1917 年 4 月 9 日召开，在 10 日的时候，巴尔就已经在为第二次达达晚会做准备了。“我正与五名拉邦女士排练一支新舞，她们穿着长袍戴着面具装扮成黑人女人。舞蹈动作是对称的，充满了强

图 53 阿尔普、查拉和汉斯·里希特，1917 或 1918 年，苏黎世。

烈的节奏，我们对于丑陋和残缺进行了研究，然后对其模仿。”

巴尔回忆道，他们收取展览入场费，但哪怕如此，画廊对于前来观赏的人数来说还是太小了。达达画廊拥有三张不同的脸孔：白天它是女学生和上层阶级女士的教学场所；“晚上，在被烛光点亮的康定斯基厅里，它是秘密哲学俱乐部；而在晚会表演上，那些派对充满着智慧和狂热，是苏黎世前所未有的”。尤为有趣的是他们“对讲故事和夸张表演保持着无限充分的准备，这种准备成为一种原则。绝对舞蹈、绝对诗歌、绝对艺术——这些词的含义是：最微小的印象都足够激发出最不平凡的图像”。

达达画廊仅仅存活了 11 个星期。三次大规模展览、无数演讲（其中一次是巴尔作的关于康定斯基的讲座）、晚会，以及演出都计划精密，并具有教育性。1917 年 5 月，画廊为当地学校提供了免费下午茶；20 日，他们带领工人们参观了画廊，巴尔说那天只有一个工人出席了。与此同时，胡森贝克逐渐对这整个活动失去了兴趣，他宣称这一切都只是“一场艺术小生意，大家心里都明白，画廊的常客是一群喝茶的老年女士，她们通过做些所谓的‘疯狂事’来重新激发日益消亡的性能力”。对巴尔来说，这些活动则是对艺术和文学传统进行的一次重新审视，并为组织建立了一个正面的方向，但那不久后，他就永远告别了这个团体。

在达达画廊正式关闭之前，巴尔就离开了苏黎世，去了阿尔卑斯山区，而胡森贝克启程去了柏林。

胡森贝克在柏林

“我 1917 年回柏林的直接原因，”李卡德·胡森贝克写道，“是酒馆的关门。”回到柏林的 13 个月之间，胡森贝克保持着低调的生活，他写下并发表了关于苏黎世达达的回忆录《前进，达达：达达主义史》(1920年)，并在其中分析了一些待扩充的观念。比如说同时性，马里内蒂起先将其用在文学领域，但胡森贝克则坚持它的抽象特性。“同时性是一个概念，”他写道：

> 谈及同一时刻发生的不同事件，应把公式从 a=b=c=d 转化为 a-b-c-d，并试图将耳朵的问题转化为面孔的问题。同时性反对“已经成为”，支持“正在成为”。比如说，当我回想起昨天我往一个老太太的耳朵上揍了一拳并在一个小时后洗了手的同时，我听见电车急刹车发出的刺耳声以及隔壁屋顶上一块砖头砸落在地上的声音，在这一系列同时性事件中，我的眼睛（由内或向外）兴奋地去捕捉那转瞬即逝的生命之意义。

同样,“布伊主义”首先是被马里内蒂引入艺术的,它可以被形容为是“具有模仿效果的噪音”，可以在诸如“打字机、铜鼓、吱吱震动声、平底锅盖碰撞声的交响乐中听到”。

这些理论支持在进入柏林的环境之后都被赋予了新的意义。早期的那些表演都远去了。巴尔渴望远离喧嚣，于是他和艾米·亨宁斯搬到了提契诺的阿格努佐（Agnuzzo），特里斯坦 · 查拉留在了苏黎世，维持着达达杂志，并又写了一些宣言。柏林的那些波西米亚知识分子们和苏黎世的和平主义流犯们几乎是天壤之别，他们对“为艺术而艺术”（art for art’ s sake）的态度毫无热情，不久之后，他们就以自己的政治立场深深影响了达达主义艺术，这对后者来说是前所未有的。

起初，柏林达达的行为表演与它们的苏黎世前辈还是有一点相像的。西方咖啡馆（Café des Westens）里的文艺圈子迫不及待地想要亲眼目睹传说中的达达神话。于是，1918 年 2 月，胡森贝克做了他在柏林的第一次朗诵表演。和他一起演出的还有两位表现主义诗人：马克斯 · 赫尔曼–内斯（Max Herrmann-Neisse）和特奥多尔 · 多伊布勒（Theodor Däubler），以及他的老朋友，讽刺艺术家和激进分子乔治·格罗兹（George Grosz）。达达在柏林的首次亮相在 I. B. 纽曼的画廊里的一间小房间内举行，胡森贝克再次恢复了他“达达鼓手”的角色，胡乱挥舞着他的手杖，暴力、“傲慢、对后果毫不顾忌”；格罗兹朗读了他的诗歌：“你这婊子养的，拜金主义 / 吃面包的人们，肉 = 吃货 = 食素者！！ / 教授们，你们是屠夫的学徒，是皮条客！ / 你们这群乞丐！”格罗兹如今成为达达主义崇尚的无政府主义的忠实追随者，在诗歌朗读之后，他在一幅表现主义绘画上撒了尿。

胡森贝克又将话题转到了另一个禁忌：战争，为演出火上浇油。他叫着嚷着上一次战争还不够血腥。就在这时，一位装着木头假肢的老兵起身离场，以示抗议，而其他愤怒的观众也鼓掌支持他的举动。胡森贝克依旧不屈不饶，他当晚第二次朗读了他的《魔幻祈祷》（*Phantastische Gebete*），赫尔曼–内斯和多伊布勒也坚持着他们的表演。画廊的主管威胁说要报警，但被几个能说会道的达达艺术家即时劝住了。第二天，这场丑闻登上了日报的头条，自此，无数达达行为表演的幕布开启。

仅仅两个月后，于 1918 年 4 月 12 日，胡森贝克与换了一批成员的西方咖啡馆一群人一起呈现了第二次达达晚会，这些人包括了劳乌尔·豪斯曼（Raoul Hausmann）、格哈德·普莱斯（Gerhard Preiss）、弗朗兹·荣格（Franz Jung）以及乔治·格罗兹，那是一场精心策划的演出。不像第一次以即兴为主，这次，他们广传媒体稿，胡森贝克起草了《生活和艺术中的达达主义》，并怂恿大伙一起签署，他们还准备充分地向柏林的公众全面介绍达达主义观念。当晚由对表现主义的猛烈抨击拉开序幕，并以那些可以想象的的达达表演持续了整晚：格罗兹以超快的速度朗诵了他的诗歌；艾斯·哈特维格（Else Hadwiger）读了马里内蒂赞颂战争精神的诗；胡森贝克演奏了玩具鼓和拨浪鼓。面对如此充满活力的表演，观众里又一个穿着制服的退伍老兵当场痉挛发作。豪斯曼作了题为《绘画的新材料》的演讲，轰动不减。然而，他对高雅艺术的谩骂非常短命，管理人员因为担心挂在墙上的那些画作"遭到非命"，在豪斯曼演讲到一半的时候熄掉了全场的灯光。那天晚上，胡森贝克躲到了他的家乡勃兰登堡。

达达注定要征服柏林，将表现主义从城市中驱逐出去，并且不惜做抽象艺术的敌人。柏林达达主义者们在整个城市里传播他们的口号："达达一脚把你踢飞，你还特别高兴！"他们穿起古怪的制服：格罗兹打扮成死神（图 54）大摇大摆地走在选帝侯大街。他们还给自己取了"革命性"的别名：胡森贝克是"世界达达"(Weltdada)、"达达大师"(Meisterdada)；豪斯曼是"达达智者"(Dadasoph)；格罗兹依次为"柏夫"(Böff)、"达达将军"(Dadamarschall) 以及"政治宣传达达"(Propagandada)；格哈德·普莱斯则发明了"达达步"(Dada-Trott) 和音乐达达（Musik-Dada)(图 56)。

各类宣言像雨后春笋般问世，但达达主义的精神已经有所变化：柏林影响了达达，为其注入了比任何时候都要激烈的立场。除了激进的共产主义之外，达达主义者们还提出要"在各行各业进行大规模机械化，积极进取地裁员"，因为"只有通过裁员，个体才有可能解放，并获取生命的真理，而后习惯于经验"。另外，他们还"要求教堂演出布伊主义、

Preisausschreiben!

Wer ist der Schönste??

Deutsche Mannesschönheit 1

Die Sozialisierung der Parteifonds

DADA-TROTT

Der dadaistische Holzpuppentanz, vorgeführt vom Musikdada PREISS.

DADA-TROTT

Wenn Hausmann die unangenehmste Fresse des Dadaismus hat, so hat Picabia die angenehmste Dada-Visage. George Grosz

sodann

hui scheel war Hai X Dalypi Daripi ; aufatmen abbh Selter oder **Das Dadalyripipidon.**

Johannes B. Krystuus, der erste ungarische Dadaist.

Den Dadalyden lotselt Pipikotzmos,
Die Pipiratten späheln nach dem Dadalon
Sieh! Da & Pi, Dapi, Pida, Pidadapi.
Auch der Mestrieze Dapidapi frosig b reln.
Zuvörderst darfst dem Daad du fröhnen,
Junger Pipi (so pipida und dapipi dada).
Dem Dadaphon entströmeln sanft Jamben.
Wer könnte — ohne Dadanent des Pipidroms zu sein.
Darob: Das Ganze stillgestanden (Mittelding),
Datater: dat!
Sprecht Dadamuden.
Der Laubfrosch säugelt euch mit Pipirin?
Der du die Dha von Daad stets peinlich weißt zu scheiteln,
Auf, auf, an's Dadapult, sag's nicht dem Gnömmel-Bömmel.
Gewissenlose Pipidranten föteln,
Zumal Fritz Friedrich Sunlight (v. Sonderscheunochzagen),
Die mistverpichten Präpipister töteln.
Deromaleinst Milliarden Dadaisten ragen.

PROGRESS-DADA
WIELAND HERZFELDE

1 mm

图 54（左） 乔治·格罗兹装扮成“达达死神”，他在 1918 年穿着这么一套戏服走在柏林的选帝侯大道上。

图 55（右上） 约翰·哈特费尔德为《每个人都是自己的足球》第一期创作的封面，1919 年 2 月 15 日。

图 56（右下） 格哈德·普莱斯，又被称为是“音乐达达”，正在演示他的“达达步”，摘自《达达》杂志第三期。

同时性，以及达达主义的诗朗诵”，并号召“一次由 150 支马戏团组成的大规模达达宣传运动，为了启蒙无产阶级者”。晨会和晚会的进行遍布全城，有时候在奥地利咖啡馆进行，柏林的新来者们也纷纷加入日益凶猛的达达主义浩大队伍中。叶费姆·格利谢夫（Yefim Golyschef）刚从俄罗斯来，就为达达献出他的作品《三部分反交响曲》(《圆形断头台》)，而尤哈纳斯·巴德 (Johannes Baader) 也为达达贡献了他那一份疯狂——他曾被柏林警方诊断为疯子。

1918 年 5 月，柏林成千上万的墙和围栏上出现了巨大、精致绘制而成的“德国战后首次艺术复兴”宣传海报。5 月 15 日，“艺术大盛会”在选帝侯大街上宏伟的大师音乐厅（Meistersaal）开幕，盛会上包括了打字机和缝纫机的赛跑，还有“全国诗歌竞赛”：十二名诗人同时朗读他们的作品，由格罗兹当裁判，同样是以比赛的形式呈现。

达达的臭名前所未有地被广传,人们专程到柏林来体验第一手的“达达叛动”。观众们叫喊着要看格罗兹和梅林（Mehring）的《壁炉屏风后两个老头的私密对话》、格哈德·普莱斯的“达达步”、豪斯曼的“61 步”舞。柏林达达们还去了捷克斯洛伐克作了巡演，每一次演出都由胡森贝克那典型的挑衅演讲开场。

1919 年末，他们回到柏林的首场演出见证了戏剧编导厄文·匹斯卡托（Erwin Piscator）的登场。在讲坛剧院（Die Tribüne），匹斯卡托用胡森贝克的一张速写当场创作了第一幅摄影蒙太奇 (photomontage) 作品。表演时，台前，匹斯卡托在一座高耸的楼梯上指挥着一切，而台后，达达们冲着观众喊着粗鲁不堪的言辞。梅林的《只是经典——奥瑞斯提亚的大结局》是一部嘲讽当下经济、政治和军事事件的作品，于马克思·莱恩哈特的剧院“肖和豪什”(Schall und Rauch）上演。格罗兹为剧作设计了一座两英尺高的木偶,由哈特费尔德 (Heartfield) 和海克尔 (Hecker) 执行完成，剧中的很多技术革新都在日后被匹卡斯托和贝克特（Brecht）运用在他们的创作中。

图 57　第一次达达国际展览会开幕现场，1920 年 6 月 5 日于博夏特画廊。从左到右依次为：劳乌尔·豪斯曼、哈娜·霍赫 (Hannah Höch)（坐着）、奥托·博夏特、尤哈纳斯·巴德、卫兰·赫兹非德 (Wieland Herzfelde)、赫兹非德夫人、奥托·施马豪森 (Otto Schmalhausen)、乔治·格罗兹、约翰·哈特费德。左边的墙上是奥托·迪克斯的《战争伤残者》;后面的墙上是格罗兹的《德国，一个冬天的童话》(1917—1919)；悬挂在空中的是一个穿着制服的假人，就是这个作品后来导致了格罗兹和赫兹非德受到处罚。

图 58　库尔特·施维特斯。

einleitung:

Fümms bö wö tää zää Uu, 1
pögiff,
kwii Ee.

Oooooooooooooooooooooooooooooooo, 6

dll rrrrrr beeeee bö, (A) 5
dll rrrrrr beeeee bö fümms bö,
rrrrrr beeeee bö fümms bö wö,
beeeee bö fümms bö wö tää,
bö fümms bö wö tää zää,
fümms bö wö tää zää Uu:

erster teil:

thema 1:
Fümms bö wö tää zää Uu, 1
pögiff,
kwii Ee.

thema 2:
Dedesnn nn rrrrrr, 2
Ii Ee,
mpiff tillff too,
tillll,
Jüü Kaa?
(gesungen)

thema 3:
Rinnzekete bee bee nnz krr müü? 3
ziiuu ennze, ziiuu rinnzkrrmüü,

rakete bee bee. 3a

thema 4:
Rrummpff tillff toooo? 4

图 59　库尔特·施维特斯《乌苏纳特》剧本。

柏林达达逐渐疲竭，最终步入尽头。讽刺的是，1920 年 6 月在博夏特画廊（Burchard Gallery）举行的第一届达达主义国际展览会（图 57）却见证了他们的日薄西山。格罗兹和哈特费尔德在时事的威诱下越发政治化,他们加入了目标更为明确的“舒勒和匹斯卡托无产阶级剧团”；而豪斯曼离开了柏林，投身于汉诺威达达。另一方面，梅林回归到受欢迎程度不减的“文学酒馆”活动中。胡森贝克则继续完成他的医学学业，并于 1922 年去了德累斯顿担任一名神经精神病师的助手，后来他自己也成了一名精神分析师。

与此同时，德国、荷兰、罗马尼亚、捷克斯洛伐克等地区的很多城市都经历了外国达达主义和国内自建团体的夹击。库尔特·施维特斯(Kurt Schwitters)（图 58）于 1923 年来到荷兰并协助创建了“荷兰达达”；他还定期拜访包豪斯，以断音的方式表演他那首著名的《安娜·布鲁姆》(*Anna Blume*)，还有《乌苏纳特》(*Die Ursonate*)（图 59）。施维特斯还提议创立一种梅尔兹戏剧（Merz Theatre），并为此撰写了宣言《致第一世界中所有召唤梅尔兹舞台的剧院们》，呼吁“一切材料之间，一切人类、蠢货、蒸汽铁丝网、思想泵压机之间的原则性平等”。

在科隆，马克思·恩斯特(Max Ernst)与阿尔普和巴盖尔特(Baargeld)共同组织了展览“达达早春”(Dada-Vorfrühling)，于 1920 年 4 月 20 日开幕。前去参观的人们从“啤酒厅”的“小便池”入场，在那里，他们看到巴盖尔特的作品《液体质疑》(*Fluidoskeptrik*)。那是一座注满血红色液体的水缸，底下沉了一只闹钟，一顶女式假发漂在水面，水中还露出一只木头假手。恩斯特的作品旁用链条连着一把斧头，任何观众只要愿意，都可以拿起斧头摧毁艺术品。一个女子穿着第一次圣餐的庆祝服饰背诵了雅科布·冯·侯迪斯那些污秽的诗作。展览后来被警察临时叫停。1921 年，科隆达达也进入尾声，正如其他很多欧洲达达艺术家一样，恩斯特来到了巴黎。

图 60　作家阿瑟·克拉凡和世界拳击冠军杰克·强生交战的宣传海报，1916 年 4 月 23 日马德里。

纽约与巴塞罗那的达达

与此同时，特里斯坦·查拉掌舵着达达在苏黎世的最后几年。在那里，他成功地将达达从一系列毫无逻辑、毫无联系，并且以即兴演出为主的事件转化为一个拥有自己喉舌的艺术运动，它的喉舌就是杂志《达达》(1917 年 7 月发行了第一期)，之后查拉带着杂志一起搬去了巴黎。伏尔泰酒馆的一些原本更为保守的成员，诸如来自维也纳的医生瓦尔特·塞纳（Walter Serner），如今来到了前线。而另一方面，一些新成员，比如弗朗西斯·毕卡比亚（Francis Picabia），则在苏黎世作了短暂停留，只为与那些达达中坚分子混个脸熟。

毕卡比亚是出生在巴黎的富有古巴人，他居住于纽约、巴黎与巴塞罗那，他在 1918 年于苏黎世精英饭店（Hotel Elite）的一次香槟酒会上向达达团体介绍了他自己。由于他那黑色和金色的“机器绘画”于 1918 年 9 月在沃夫斯伯格画廊（Galerie Wolfsberg）展出，毕卡比亚在当时已经小有名气。他对苏黎世达达的风格了如指掌，特地为他的杂志《391》发表了一期苏黎世特刊。在纽约，他和杜尚成为了先锋艺术的领头羊，他们两个以及瓦尔特·阿伦斯伯格（Walter Arensberg）等人于 1917 年一起组织举办了意义重大的展览。展览名为“独立者”，就是在这次展上，杜尚试图展出他的作品《泉》——一个小便池。因此，毕卡比亚受到了苏黎世达达的簇拥，他出版过的一些诗歌和图画，颇为查拉所青睐：“笛卡尔万岁！来自纽约的反画家毕卡比亚万岁！”

《391》在巴塞罗那集结的艺术家中，有一位作家兼业余拳击手，名叫阿瑟·克拉凡［Arthur Cravan，原名法比安·洛依德（Fabian Lloyd）］，克拉凡当时已经因为他充满争议的作品《现在》（1912—1915）在巴黎和纽约受到了追捧。他自诩是法国拳击冠军、江湖骗子、赶骡人、舞蛇高手、酒店小偷，以及奥斯卡·王尔德的侄子，并曾于 1916 年 4 月 23 日在马德里挑战了真正的世界重量级冠军杰克·强生（Jack Johnson）（图 60）。克拉凡业余的身手以及他喝醉的状态使他在第一轮就被打晕，然而，这次简短的事件却在当地掀起一阵狂潮，卡拉凡的支持者们反应热烈。一年后，在纽约的独立展上，他因为当场侮辱一群社会人士而被逮捕。杜尚和毕卡比亚邀请他在开幕式作演讲，他一出场，显然醉眼蒙胧，不久后就冲着观众大骂下流话，然后开始脱衣服。而就在这时警察及时到场，把他拽进了监狱里，后来阿伦斯伯格将其保释。克拉凡的结尾也同样古怪：最后一次有人见到他是 1918 年，在墨西哥海边的一个小镇。他带着一些必需品乘上开往布宜诺斯艾里斯的小船，投奔他的妻子米娜·罗伊（Mina Roy）。船开走了，克拉凡自此了无音讯。

达达在苏黎世的谢幕

有了新的合作者，1918 年 7 月 23 日，查拉在苏黎世的麦斯大厅（Salle zur Meise）举办了“特里斯坦·查拉之夜”，当晚，他借机读了第一份真正的达达宣言：“让我们破坏让我们好好的让我们创造出万有新引力，NO = YES，达达什么也不是。”里面如此写道：“资产阶级沙拉正困在永恒的盆地，毫无生气，我真讨厌高雅品味。”这次事件不可避免又一次引发了暴乱，而更多达达事件接踵而至。

苏黎世的最后一次达达晚会于1919年4月9日在考弗莱顿大厅(Saal zur Kaufleuten）举行，由瓦尔特·塞纳制作，查拉精确协调，那次演出为日后转战巴黎的晚会表演作了形式上的范例。正如查拉毫无文采地形容当晚的状况："1500个人挤在已经被班波拉泡泡挤得沸腾的大厅。"汉斯·里希特和阿尔普为苏珊娜·皮罗提特（Suzanne Perrottet）和凯特·沃夫（Käthe Wulff）的舞蹈设计绘制了布景，由黑色抽象形状在约二码宽的长纸条上构成，"像黄瓜一样"。詹科为舞者们制作了巨大的野蛮人面具，而塞纳则用各种稀奇古怪的道具装扮自己，其中一个道具是个无头假人。

表演以凝重的氛围打头，瑞典导演维金·艾格林（Viking Eggeling）正经地做了一个关于基础"设计"（gestaltung）和抽象艺术的演讲，这反而激怒了那些为了好事的达达主义者们而来的观众，哪怕后来皮罗提特伴着勋伯格（Schoenberg）和萨蒂（Satie）的音乐翩翩起舞也无法安抚不满的人群。最后只有查拉的同时诗歌《男性的狂热》——由20人同时朗诵——才为观众提供了他们所期许的荒诞。"地狱之门被冲破，"里希特记录道，"尖叫、口哨、合唱、大笑，这些声音不和谐地与舞台上二十个人的大喊声混合到了一起。"随后，塞纳带着他的无头假人上台了，手里还握着一束假花。他开始念他的无政府主义式的宣言《最终决议》，当他念到"一位皇后就是一把扶手椅，一只狗就是一座吊床"时，观众哄然暴动，他们把假人砸烂。为了平息人群，表演不得不中断20分钟。后半段的节目则稍微安静些，五名拉邦舞者演绎了《黑色卡卡杜》（*Noir Kakadu*），他们戴着詹科的面具，穿着怪异的漏斗状戏服。查拉和塞纳又各念了一些诗。尽管表演和平收尾了，查拉写道，这次表演成功建立起了"观众的纯粹无意识回路，他们冲破了偏见教育的防线，充分体验了'新'的轰动"。他说，那是达达的最终胜利。

事实上，考弗莱顿大厅的演出只是标志了苏黎世达达的"最终胜利"。对于查拉来说，很显然，在连续四年的各种活动之后，为了继续维持其混乱无序的原则，达达有必要寻找一片崭新的土壤。那时，他为搬去巴黎作了一段时间的准备：在 1918 年的 1 月起他就和巴黎一个团体开始通信，这个团体包括了安德烈 · 布勒东（André Breton）、保罗 · 艾鲁雅（Paul Eluard）、菲利普 · 苏波（Philippe Soupault）、路易 · 阿拉贡（Louis Aragon）等，这些人日后创办了文艺杂志《文学》，查拉当时希望他们能够为《达达》第三期写些文章，并支持达达的活动。这些人中，只有苏波以一首小诗作了回复。尽管全体巴黎人员，包括皮尔·勒韦迪（Piere Reverdy）和让·考克托（Jean Cocteau）都给《达达》第四、五期（1919 年 5 月）寄了材料，但距离造成的不便已经显而易见，哪怕是热情似火的查拉都没法盯着这些巴黎艺术家，使他们积极参与进来。于是，1919 年，查拉启程去了巴黎。

第四章　超现实主义

第一次巴黎表演

查拉悄悄地抵达了巴黎，他的第一个晚上是在毕卡比亚巴黎居所的沙发上度过的。但他到来的新闻很快便传了出去，正如他所预料，他迅速成为了前卫艺术圈内的焦点。在赛塔咖啡馆（Café Certa）以及毗邻的小蟋蟀餐馆（Le Petit Grillon）中，他见到了之前一直通信联系的《文学》成员们，不久之后，他们便合力组织了达达在巴黎的第一次演出。1920年1月23日，第一次《文学》周五例会在圣马丁路上的宴会厅（Palais des Fêtes）中举行。安德烈·萨勒蒙为表演开场，背诵了他的一些诗歌；让·考克托朗读了马克斯·雅克布的诗作；而年轻的安德烈·布勒东（André Breton）则读了他最喜爱的勒韦迪（Reverdy）的作品。"公众满意极了，"里博蒙-德萨涅（Ribemont-Dessaignes）记录道，"这毕竟是非常'摩登'的——巴黎人就爱这一套。"然而后来的表演却让观众大跌眼镜。查拉读了一则"下流的"新闻报道，前言号称这则报道是一首"诗"，背景音乐是来自艾鲁雅和弗恩凯勒（Fraenkel）制造出的"地狱的钟鼓声"。戴着面具的人读着布勒东的一首杂乱无章的诗篇，随后，毕卡比亚在一块巨大的黑板上用粉笔作画，每画一部分就把前面画的擦掉了。

这次“早会”在混乱中结束。“但对达达艺术家他们来说，那是一次硕果累累的实验，”里博蒙–德萨涅写道，“而对公众来说，达达那具有毁灭性的特征一目了然。他们义愤填膺，他们乞求更加‘艺术’的施舍，不管是什么，只要那是所谓的‘艺术’，他们渴望图片和宣言呈现出来的那些效果；但当让·考克托开始朗诵马克斯·雅克布的作品时，他们明白了，一切都是徒劳。”尽管苏黎世和巴黎演出的成分几乎是相同的——对彬彬有礼的观众的冒犯——但达达又一次“成功了”。显然，查拉的迁移是有远见的。

两周后，1920年2月5日，人们蜂拥至独立沙龙 (Salon des Indépendants)，他们被一则宣称查理·卓别林会出现的广告吸引而来。不出意外，远在美国的卓别林对于他在巴黎的出场毫不知情，同样对这欺诈式宣传不知情的自然是公众，结果，他们不得不忍受三十八个人朗诵各色宣言。七个演员读了里博蒙–德萨涅的宣言，里面警告观众，他们那“败坏的、充满痛苦的牙齿、耳朵、舌头”将被拔掉，而他们“腐烂的骨头”将会粉碎。霰弹似的辱骂之后，阿拉贡一伙上台唱起来：“别给我画家、别给我音乐家、别给我雕塑家、别给我宗教、别给我共和主义者……我受够了这些蠢货，别！别！别！！！”里希特说：“这些宣言诵读起来就像是唱圣歌，灯光时不时被全部熄灭以调和暴动，当观众往舞台上投掷垃圾时，会议也不得不中止。”对于达达艺术家来说，这次聚会传达了令人兴奋的启示。

达达前的巴黎表演艺术

尽管巴黎公众显示出暴怒的情绪，但1920年代的观众对如此尖锐挑衅的事件也并不陌生。比如说阿尔弗莱·雅希的《尤布王》就早在二十五年前在表演艺术丑闻史上占有特殊的席位，更不用说，雅希毕竟是巴黎达达们心中的英雄。另外，法国作曲家埃里克·萨蒂的那些古怪的创作，诸如独幕喜剧《美杜莎的陷阱》以及他“家具音乐”(musique d’ameublement）的概念，都预见了达达的一些特征，而雷蒙·胡塞（Raymond Roussel）的作品里也似乎捕捉到了未来超现实主义的想象力。胡塞那臭名昭著的《非洲印象》（图 61）改编自他 1910 年的同名奇幻诗篇，其中在“无与伦比俱乐部”才艺竞赛上，“弹筝蚯蚓”首次登场——那是一条经过训练的蚯蚓，它能流出像水银一样的汗液，当汗液落在琴弦上时，乐器便发声。《非洲印象》是杜尚的最爱，这部作品在女性剧院（Théâtre Fémina）公演一周（1911 年）期间，他与毕卡比亚特地去观看了。

芭蕾舞《游行》也一样，这是由四个艺术家联合创作的作品，每个人都是他们各自领域的大师，这四个人是埃里克·萨蒂、帕博罗·毕加索（Pablo Picasso）、让·考克托以及雷欧尼德·马西（Léonide Massine），作品在 1917 年 5 月上演之后受到了来自媒体和公众不约而同的抵触。《游行》间接借用了雅希式的技巧，它为刚刚从惨烈战争中恢复过来的巴黎公众带来了纪约姆·阿波利奈（Guillaume Apollinaire）所形容的一种“新

图 61　雷蒙·胡塞的《非洲印象》中的一幕，剧作于 1911 年在女性剧院连续上演了一周。这一幕展示了“弹筝蚯蚓”的登场，它以其分泌物敲击琴弦来演奏“音乐”。

精神”。《游行》承诺要“以普世欢愉为基准，致力于为艺术与生活做出翻天覆地的革新”，阿波利奈在一则宣传册前言中写道。尽管演出场次不多，但这出芭蕾舞剧为战后行为表演打下了基调。

在创作《游行》时，萨蒂根据让·考克托的文字，花了一整年的工夫来谱曲。作品有“一个简略概括的情节，集聚了马戏团和音乐厅的吸引力”，剧本里写道。根据拉胡斯词典以及考克托的笔记，《游行》意味着“一个喜剧性的动作，类似于那种被安排在巡回马戏团入口处以吸引人群的演出”。故事情节正是围绕着这么一个主意：一个巡回剧团的游行被观众误以为是马戏团的正式演出。演员们极尽全力吸引观众，但他们就是不肯进到帐篷里面。毕加索画了一座垂帘，上面以立体主义风格描绘了城市景象，一座微型剧院位于画面中央。演出由萨蒂的“红毯序曲”开场，故事开始，马戏团第一经理穿着毕加索设计的十尺高的立体主义戏服登场（图 62），跟着主题简洁的韵律跳舞，没完没了地重复。马西自己扮演了一名中国魔术师，梳着小辫子，穿着朱红、鲜黄和黑色相间

图 62（左） 毕加索为《游行》中“第一经理”设计的戏服，1917 年。

图 63（右） 毕加索为《游行》中“美国经理”设计的戏服，1917 年。

的戏服。紧接着出场的是第二位经理，“美国经理”，他穿得像一座摩天大楼（图 63），此角色的标志性特征是“说话井井有条……像赋格曲一样严谨”。之后，伴随着谱子上形容是“悲伤”的爵士曲调，“美国小姑娘”翩翩起舞，她模仿着一系列赶火车、开车、阻止一起抢劫银行的动作。“第三经理”骑着马一声不吭，把人们带入了下一个表演，那是两个杂技演员在木琴瓦尔兹中打滚翻跟头。尾声重复了之前的一些主题情节，而正当“美国小姑娘”因为观众不肯走进马戏团帐篷而掉下眼泪时，幕布降下。

《游行》受到了激烈的抨击。保守的评论家们否定了整部作品：首先是音乐，由萨蒂指挥，并收编了一些考克托建议加入的“乐器”，比如打字机、警笛、飞机螺旋桨、摩斯电报机以及彩票转盘，尽管其中只有一部分真的派上了用场，但舞剧的配乐还是被认为是“不可接受的噪音”。萨蒂对一个评论家的回应是：“你是个蠢蛋，而且是个毫无音乐细胞的蠢蛋。”由此还导致了双方上法庭较量，以及之后漫长的减刑申诉。另外，评论家们还将矛头指向了那些巨大的戏服，他们觉得这些戏服对于一场传统芭蕾舞动作是个笑话。然而，《游行》的轰动为五十岁的萨蒂带来了显赫名声（正如《尤布王》为二十三岁的雅希带来了名声），并且它为阿波利奈和考克托等人日后的作品打下了基调。

阿波利奈与考克托

阿波利奈为《游行》写的前言准确预言了紧接而来的这种“新精神”；不仅如此，文章还暗示了这种“新精神”包含了一种名为“超现实主义”（surréalisme）的概念。在《游行》中，他写道，有“一种超现实主义，我已经能够看到以此为出发点的关于‘新精神’的一系列宣言”。受到如此氛围的影响，阿波利奈终于为他从 1903 年就开始创作的《忒瑞西阿斯的胸怀》（图 65）加上了开场白和第二幕的最后一个场景，也是在那一年，他结识了阿尔弗莱·雅希，然而直到 1917 年 7 月，《游行》上演的一个月后，《忒瑞西阿斯的胸怀》才正式于荷内·莫贝尔音乐厅

图 64 《埃菲尔铁塔上的婚礼》的舞台布景，1921 年。

图 65 (左下) 阿波利奈《忒瑞西阿斯的胸怀》中的一个场景，1917 年 6 月 24 日。

图 66 (右下) 考克托通过一台扬声机在他的作品《埃菲尔铁塔上的婚礼》中朗诵，1921 年。

(Conservatoire Renée Maubel）问世。在引子中，他扩展了超现实主义的概念："我发明了形容词'超现实的'……它能更好地定义当今艺术中的一个趋势。这个趋势哪怕不是最新的，但至少还未明文定性，还未成为一种艺术和文学上的信仰。"他还写道，这种"超现实主义"有意反抗戏剧中的"现实主义"。阿波利奈还解释说这个概念是从当下的气氛中自然发展而来的："当人类想要模仿行走时，他们发明了轮子，哪怕轮子和脚一点都不像。而如今超现实主义的发明也是同样道理。"

《忒瑞西阿斯的胸怀》借鉴了一些雅希的概念，比如只用一个演员来代表整个桑给巴尔民族。阿波利奈还在道具中加入了一只会"说话、唱歌、跳舞"的书报亭。这部作品主要吸引了那些在自我解放的过程中由于"不认可男性的统治地位"而不放弃生育权利的女性主义观众。"只因为你我曾在康奈迪克州做爱 / 不代表我有义务在桑给巴尔为你做饭"，女主人公特蕾莎冲着一只扩音器喊着。接着，她展开衣襟，她的乳房飞了出来——那是两只巨大的气球，一只红的一只蓝的，牵着气球的绳子系在她的身上。这些道具显而易见具有相当的性暗示，她随后决定要牺牲美貌，因为那"可能正是罪恶的来源"，于是，她拿出打火机把气球点爆了，以此象征摆脱了自己的乳房。之后，她长出了胡子，并宣称她已改名为阳性的"忒瑞西阿斯"。

《忒瑞西阿斯的胸怀》有一个富有远见的副标题，那就是"一部超现实主义戏剧"。阿波利奈谨慎地说："我只是从当代文学的各种运动中提炼一种属于我的趋势，我无意自成流派。"然而"超现实主义"这个名词正涵括了七年后的一个新流派。

过了仅仅四年，考克托在他的个人作品《埃菲尔铁塔上的婚礼》(1921年）（图 64,66）中将这种新兴美学进一步拓展。这部作品吸取《尤布王》和《忒瑞西阿斯的胸怀》以及很多之前作品的精华，再一次选择用一个人来代表一个人群，作为抗衡传统现实主义戏剧的最基本有效的方式。舞剧还采用了歌舞杂耍表演的习惯，每一幕开场时会有男女主持人出场为观众解释剧情。演员是“苏埃多瓦芭蕾舞团”(Ballets Suédois)的成员，他们根据指导穿得像扬声机一样，还戴着尖角来模仿扬声机的管嘴。背景是画出来的埃菲尔铁塔，按照考克托的话来说，作品会有“惊奇的效果，就像一滴诗歌在显微镜之下的样子”。这部“诗歌”在一个小孩对着整个婚礼开枪时落下帷幕——他只是为了要抢些马卡龙吃。

表演中背景音乐通常就是噪音。然而考克托为法国表演艺术创造出一种全新的多媒体形式，它跨越了戏剧、芭蕾、轻歌剧、舞剧和视觉艺术的边界。“这场革命把门砰一下推开了”，他写道，这使得“新一代得以继续实验，结合奇幻、舞蹈、杂技、哑剧、戏剧、嘲讽剧、音乐和演讲”。《埃菲尔铁塔上的婚礼》将音乐厅形式和荒诞性进行结合，把雅希“形而超学”的非理性发挥得淋漓尽致。与此同时，大量类似的演出迫使达达们不得不需要想一些新策略。

达达—超现实主义

《文学》杂志的主编们将杂志中大量篇幅都奉献给了这些当代事件，还有雅希和他的《尤布王》的 25 周年纪念。与此同时，他们还有一张自己的“反派名单”，雅克 · 瓦谢 (Jacques Vaché) 就是其中之一。瓦谢是布勒东的朋友，是个年轻的虚无主义士兵，他拒绝“产出任何作品”，他在给布勒东的信中表示，“艺术都是低能”，这也让他格外受到达达主义者们的青睐。他还写道，他拒绝在战争中死去，因为他只想在他愿意的时候死去，而且“会和别人一起死”。在停战协议公布之后不久，23 岁的瓦谢被人发现死了，他和一个朋友一起吞弹自尽。布勒东为瓦谢撰写的墓志铭中将他短暂的一生以及自我预谋的死亡拿来与几年前查拉的达达声明相比。他写道:“在雅克·瓦谢个人身上，查拉的主要论点得到了证实。瓦谢只将艺术推向单一极端，他的灵魂矢志不渝。”布勒东的最后一句是这样写的 :“确定一件已完成作品的性质，和在蛋糕和樱桃之间选一者作为甜点这件事相比，我觉得还是后者重要一些。”这句话准确概括了达达行为表演的精神。

久而久之，布勒东和他的朋友们不仅将达达晚会视作为传达观念的途径，还将其认作是再创雅希曾经实现的轰动丑闻的机会。由于对丑闻的追求，他们特地去攻击那些最可能受到他们辱骂影响的地方，比如 1920 年 2 月，他们来到了李奥·坡德（Leo Poldes）那排外的佛布格俱乐部（Club du Faubourg）。整体来说，这场演出是之前独立沙龙“惨剧”的放大版，在被他们的表演迷惑的观众中，有像亨利－马克斯（Henri-Marx）、乔治·皮欧什（Georges Pioch）、艾莎道拉·邓肯的弟弟雷蒙·邓肯（Raymond Duncan）这样的公众人物。佛布格·圣－安东民间大学（Université Populaire du Faubourg Saint-Antoine）是知识分子和富有精英们的另一个大本营，理论上代表了法国文化圈子里的“革命巅峰”。当达达们几个星期后在那儿演出时，里博蒙－德萨涅指出，这次聚会上，达达唯一的吸引这群“文化人”的地方就是它的混乱，以及“精神革命”。对他们来说，达达代表了对现有秩序的毁坏，这点是可以接受的。但不能接受的是，“在过去价值观的灰烬中却没有新的价值观产生”。

然而，这正是巴黎达达主义者们拒绝给出的东西：一张胜于过去的蓝图。然而，这个问题还是使新达达萌生了质疑。他们认为按照苏黎世的形式继续重复晚会显然是毫无意义的，一些人甚至觉得达达正在冒险，很可能“变为一种宣传，最终成为系统中的一部分”。于是，他们决定在同化性较小的观众面前呈现一次盛大演示。1920 年 3 月 27 日，在著名的作品大楼（Maison de l’ Oeuvre）的柏利欧兹大厅（Salle Berlioz）里，他们带来了一场精心策划的演出。里博蒙－德萨涅指出这场演出来自一种集体热情。“公众的态度前所未有地暴力，”他写道，“本来可以更温和的，但拉哈小姐（Mme Lara）演绎的阿波利奈的《忒瑞西阿斯的胸怀》使得场面失控。”由布勒东、苏波、阿拉贡、艾鲁雅、里博蒙－德萨涅、查拉等人组成的达达—超现实主义团体呈现了各自的作品，从很多角度来看，演出与一场宏大的杂耍节目不乏相似之处。

节目单里囊括了查拉在苏黎世的大获成功之作《安提匹林先生的首次天空之旅》、里博蒙-德萨涅的《无声的金丝雀》、保罗·德尔梅的《口技小调》、毕卡比亚的《黑暗中的食人宣言》,还有布勒东和苏波的《请》——这是最早几个用到"自动写作"(automatic writing, 又称"无意识书写")技法的作品之一，这种技法后来成为超现实主义艺术家最青睐的创作方式。《请》是一部三幕剧，每一幕和其他两幕都没什么关系，第一幕简短地讲述了保罗（恋人）、瓦伦蒂娜（他的情妇）和弗朗索瓦（瓦伦蒂娜的丈夫）的故事，这三人因为"一杯茶中的牛奶烟团"而用一把枪结束了他们的关系——保罗朝瓦伦蒂娜开了枪。根据剧本上的信息，第二幕发生在"下午四点的办公室里",而第三幕发生在"一间咖啡馆,下午三点"。第三幕包括了诸如此类的台词："汽车是安静的，即将下血雨。"并以这句收场："别坚持了，宝贝，你会后悔的，我有梅毒。"而整部剧本的最后一行写着："《请》的作者拒绝把第四幕印出来。"

嘉沃音乐厅，1920 年 5 月

在柏利欧兹大厅的演出意在为达达活动指明一个新方向，而对于那些担忧达达行为表演将会不可避免地被标准化的人来说，这次尝试并没能抚慰他们。毕卡比亚的抵触尤其激烈，他反对一切和官方沾上关系的艺术，无论是纪德——"如果你大声朗读纪德十分钟你的嘴会发臭"，还是保罗·塞尚——"我憎恨塞尚的绘画，它们让我生气"。查拉和布勒东是团体中最具权威性的两位，他们都将达达的命运视为自身命运，然而在当时，他们两个也开始意见不合：达达的出路在何方，如何摸索出路？但他们仍旧得以维持团体的运作,一直到下一个"达达突击"的计划成形，那是 1920 年 5 月 26 日在豪华的嘉沃音乐厅 (Salle Gaveau) 举行的"达达狂欢"(图 67—69)。

大批观众来到现场，他们要么是被之前的达达表演吸引，要么想来看看艺术家们是否会像演出广告上说的那样，在台上把头发剃了。虽然

SALLE GAVEAU

45-47, Rue la Boëtie

FESTIVAL DADA

Mercredi 26 Mai 1920 à 3 h. après-midi

PROGRAMME

Tous les Dadas se feront tondre les cheveux sur la scène !

1. le sexe de dada
2. pugilat sans douleur PAR PAUL DERMÉE
3. le célèbre illusionniste PHILIPPE SOUPAULT
4. manière forte PAR PAUL ELUARD
5. le nombril interlope MUSIQUE DE GEORGES RIBEMONT-DESSAIG…
6. festival manifeste presbyte PAR FRANCIS PIC…
7. corridor PAR LE DOCTEUR SERNER
8. le rastaquouère ANDRÉ BRET…
9. vaste opéra PAR PAUL DRAU…
10. la deuxième aventure de monsieur Aa l'antipyrine PAR … TZARA
11. vous … PAR ANDRÉ BRETON ET PHILIPPE SOUPAULT
12. la nou… américaine PAR FRAN… PICABIA
13. ma…este barcaral PAR GEORGES RIBEMONT-DESSAIGNES
… jeu d'échecs PAR CÉLINE ARNAULD
danse frontière PAR GEORGES RIBEMONT-DESSAIGNES
16. système DD PAR LOUIS ARAGON
17. …suis des javanais PAR FRAN… PICABIA
18. poids public PAR PAUL ELUARD
19. vaseline …

POUR LA LOCATION

à la MAISON GAVEAU

au SANS PAREIL

à la MAISON DES AMIS DES LIVRES

PRIX DES PLACES

图 67 (上) 嘉沃音乐厅里的“达达狂欢”。

图 68 (左下) 达达狂欢的节目单，1920 年 5 月 26 日于巴黎的嘉沃音乐厅。

图 69 (右下) 在达达狂欢上，布勒东背着毕卡比亚创作的标语牌。

剃头这一出从头到尾都没有发生，但各式各样的节目和奇异的戏服还是满足了观众对于娱乐性的胃口。布勒东出场了，他的左右两边太阳穴上各绑了一把手枪，艾鲁雅穿着女士芭蕾舞短裙，弗恩凯勒系着围裙，另外，所有人都头戴一顶漏斗形状的“帽子”。除了这些道具是事先准备的以外，演出并没有经过排练，所以好几次节目单上的表演都延迟了，因为当演员们想要表达他们的概念的时候，总被观众的喊叫打乱。比如说，为了呈现查拉的《凡士林交响曲》，二十人组成的乐团遇到了极大的困难。布勒东自己承认说他对音乐极度恐惧，他当时就对查拉的的交响表示反感。据说，嘉沃家族听到乐队用精良的乐器来演奏流行狐步曲《鹈鹕》时也暴怒了。随后上场的是苏波，在名为《著名的幻想家》的节目中，他放飞了五颜六色上面写有各种名人的姓名的气球。保罗·德尔梅带来了他自己的诗歌《达达的性别》。查拉的《安提匹林先生的第二次旅行》恶评如潮，鸡蛋、牛肉片、番茄像雨点一样落在演员的头上，而布勒东和苏波的短剧《你忘了我》（图 70）也受到了同样待遇。那天晚上在优雅的音乐厅中爆发的疯癫成了一则丑闻，这当然被作者们视作为巨大成就。然而这时候，达达已经不如从前那样热情，成员们同床异梦。

图 70　达达狂欢《你忘了我》中的一幕，其中有保罗·艾鲁雅（站着）、菲利普·苏波（跪着）、安德烈·布勒东(坐着)和提尔多·弗恩凯勒(系着围裙)。

图 71（对页）　达达远足，目的地圣胡里安教堂，1920 年。左至右依次为：让·阔帝 (Jean Crotti)、一个记者、安德烈·布勒东、雅克·希高、保罗·艾鲁雅、乔治·里博蒙-德萨涅、本雅明·贝瑞、提尔多·弗恩凯勒、路易·阿拉贡、特里斯坦·查拉和菲利普·苏波。

达达远足和巴莱斯审判

艺术家们慢慢从嘉沃音乐厅狂欢中恢复过来，他们约在毕卡比亚家及咖啡馆见面，讨论例行晚会如今遇到的瓶颈和解决方法。很显然，对于公众来说，他们无论如何都愿意接受演出每晚在嘉沃音乐厅“重复一千遍”，然而里博蒙-德萨涅坚持说：“他们不应该心安理得地接受震惊并视之为艺术，我们应该不惜一切代价阻止它发生。”于是，他们组织了一趟“达达远足”（图 71），于 1921 年 4 月 14 日来到了一座鲜为人知的废弃教堂“圣胡里安”（St Julien le Pauvre）。安排的导游是布菲（Buffet）、阿拉贡、布勒东、艾鲁雅、弗恩凯勒、胡萨尔（Huszar）、贝瑞（Péret）、毕卡比亚、里博蒙-德萨涅、希高（Rigaut）、苏波和查拉，但不满达达活动许久的毕卡比亚在远足的那天退出了。这次远足的宣传海报被贴满了全城，上面号称达达艺术家们将治愈“某几位向导的无能”，并提供一系列精选地点供游览，“尤其是那些没有任何理由存在”的地点。他们保证，参与者将“在毁灭性作品中，猛然意识到人类的进程”。另外，海报还包含了类似于以下的警句:“清洁是穷人的奢侈品，脏一点！”“像理发一样理你的鼻子！”

尽管海报承诺这是一场由巴黎最著名的年轻人们领队的非凡之旅，但可能由于下雨的关系，几乎没有观众前来，让人沮丧。“结果就像每一次达达演出散场之后一样——集体情绪低落”，里博蒙-德萨涅说。幸而，这低落不久后就消散了，他们决定不再做远足活动，而是安排了《达达审判莫里斯·巴莱斯》（图 72），于 1921 年 5 月 13 日在丹东路上的知识界音乐厅（Salle des Sociétés Savantes）进行。他们攻击的对象，著名作家莫里斯·巴莱斯（Maurice Barrès），在仅仅一年前还多少是法国达达们的理想人物。起诉中说，做了反动报刊《巴黎回声》（*L' echo de Paris*）的喉舌之后，巴莱斯成了一名叛徒。法庭代表包括了首席法官布勒东，他由弗恩凯勒和德尔梅协助，他们都戴着白帽子，系着围裙。里博蒙-德萨涅是检察官，阿拉贡和苏波为辩护律师，查拉、希高、贝瑞、朱塞培·翁加雷蒂（Giuseppe Ungaretti）等人为证人，他们都戴着深红色帽子。巴莱斯则由一个裁缝用木质假人代替，他们起诉被告“侵犯了头脑安全”。

这次审判暴露了团体内部埋伏已久的敌对情况，查拉和布勒东、毕卡比亚和达达主义者们之间的矛盾逐渐深化。事实上，达达自身正接受

图 72 《达达审判莫里斯·巴莱斯》，1921 年 5 月 13 日。

着审判，支持和反对达达的人都借由这次机会表达了自己的立场。布勒东非常严肃地操作着一系列程序，并斥骂查拉这位“证人”，因为他说了以下证词:“我们除了是一群傻瓜什么也不是，所以，我们其中的差别——有人是大傻瓜有人是小傻瓜——是毫无意义的。”布勒东愤怒地回答道：“这位证人究竟是想要继续表现得如此低能，还是想被扔出去？”而查拉唱了一首歌来报复。毕卡比亚只短暂地露了面，他早在两天前就发表了他与达达的绝交书，里面写道：“资产阶级是永恒的，而达达如果命太长的话，也将殊途同归。”

新方向

审判之后，毕卡比亚、查拉和布勒东之间的关系日益紧张。这场战争的局外人，苏波、里博蒙-德萨涅、阿拉贡、艾鲁雅和贝瑞组织了一次达达沙龙及展览，并在 1921 年 6 月于蒙戴聂画廊（Galerie Montaigne）开幕。布勒东和毕卡比亚拒绝和这次活动有任何瓜葛。他们还邀请了杜尚参加这次展出，但后者的答复是一则从纽约发来的电报:“去你们的！”

查拉仍带来了他的新作《气体心脏》进行首演，这是一部复杂的模仿秀，但什么也不模仿。里面的角色有头颈、眼睛、鼻子、嘴巴、耳朵和眉毛，每个角色穿着索尼娅·德劳内（Sonia Delaunay）设计的精致的纸板戏服。查拉为表演做引子时说：“这是本世纪唯一也是最伟大的三幕恶作剧。它只可能迎合那些被工业化了的笨蛋、那些还相信这世上有天才的人。”剧本写道，头颈整场戏都在舞台的前半部分，而鼻子面对着观众。其他角色则想来就来，想走就走。演出以眼睛单调干枯地唱着“雕像，珠宝，烤肉”开场，一遍又一遍，然后是“雪茄，青春痘，鼻子 / 雪茄，青春痘，鼻子……”这时候嘴巴发言了：“这段对话延迟了，不是吗？”随后，“整张脸”都重复这句话，像回声一样长达几分钟。演出中间，突然一只被放置于观众席上空的喇叭响了，朝着舞台说道：“很精彩，你们的戏，但没人明白你们要说什么。”三幕都像这样充满着古怪而让人毫无头绪的句子，但意图不总是一致。每幕结束时，“整张脸”合唱：“躺下吧 / 躺下吧 / 躺下吧！”一般来说，这样的言语表演结束后总会发生大争吵，布勒东和艾鲁雅总是联合起来攻击查拉。

与此同时，布勒东在筹办着他自己的节目，那是原本定于 1922 年开幕的“为了决心给予指示，为了守护现代精神”的“巴黎代表大会”。这次事件集合了巴黎和其他地方的所有不同艺术趋向，不同的团体由各种新兴杂志的艺术家编辑们所代表，他们是《新精神》的奥藏方（Ozenfant）、《冒险》的韦塔克（Vitrac）、《法语新评论》的波朗（Paulhan）和《文学》的布勒东。演讲者包括了雷杰（Léger）和德劳内，当然还有达达主义者们。这次“代表大会”的失败标志了布勒东、艾鲁雅、阿拉贡、贝瑞与达达的终极决裂。因为查拉反对这整个计划，认为与纯粹主义和奥菲主义同台有悖于达达立场。在活动被正式取消之前，杂志上已经刊登了关于这次代表会该不该发生的争辩。布勒东犯了一个错误，他在一份“大众报纸”上公然斥责查拉是“来自苏黎世的多管闲事者”以及“炒作家”，这引发

图 73　索尼娅 · 德劳内为特里斯坦 · 查拉《气体心脏》设计的戏服，作品于米歇尔剧院的“长胡子的心”晚会上第二次登台亮相，1923 年 7 月 6 日至 7 日。

了达达的集体退出，并把态度发表在一份名为《长胡子的心》的宣言中。

同名晚会于 1923 年 7 月举行，那引发“巴黎代表大会”流产的敌对双方再一次交火。在奥希克（Auric）、米尧（Milhaud）和斯特拉文斯基的音乐，德劳内和凡都斯伯格（van Doesburg）的设计以及希勒（Sheeler）、里希特和曼·雷（Man Ray）的电影之后，查拉第二次呈现了他的《气体心脏》（图 73），而就是在这个表演上，骇人的事发生了。布勒东和贝瑞在座位上大声抗议，随后他们直接冲上舞台和演员们肉搏。皮耶·德马索（Pierre de Massot）从交战中逃了出来，一只胳膊被打断，而艾鲁雅因为跌进了布景道具里，收到了警察 8000 法郎的罚单。

在查拉仍旧坚定地捍卫并维护达达的同时，布勒东鸣响了它的丧钟。“虽然达达曾经辉煌，”他写道，“但它几乎没留下什么遗憾……离开一切，离开达达，离开你的妻子，离开你的情妇，离开你的希望与恐惧……上路吧！”

超现实主义研究所

1925 年，随着《超现实主义宣言》的发表，超现实主义运动正式启动。那年 12 月，团体发表了他们自己的刊物《超现实主义革命》的第一期。他们有自己所属的场地：位于格热内尔路 15 号（rue de Grenelle）上的超现实主义研究所——“一间为无法分类的想法和持续的反叛提供居所的浪漫客栈。”阿拉贡说。他们把一个女人挂在一间空房间的天花板上，“每天，身藏重大秘密的人们前来拜访”。这些访客，他说，“协助一起建设这座令人生畏的机器，来扼杀‘是’，只为满足那些‘不是’”。他们发了媒体稿，里面包括了研究所的地址，而且广告中特别说道，研究所“汲取生活之精华”，愿意接待每一个秘密携带者：“发明家、疯子、革命者、生错年代的人、梦想家……”

“自动性”（automatism）这个概念是布勒东早前对超现实主义的定义中的核心部分：“**超现实主义**，阳性名词，纯粹心灵自动性，是一种表达思想最真实运作的意愿，无论是用口头、书面还是任何一种形式。”另外，定义还指出，超现实主义是基于这样一个信念：“在至今一直为人忽视的各种联系中存在着更高层次的现实，在无所不能的梦境中，在不经意的思想把戏中。”

这些定义首次为之前几年看起来毫无逻辑的行为表演背后的主题做出了某种解释。随着《超现实主义宣言》的发表，那些作品可被视为艺术家以词组和行为的形式，给予了梦境中那些无序排列重叠的影像以野马脱缰般的自由。事实上，早在 1919 年，布勒东已经“痴迷于弗洛伊德”以及无意识的研究。1921 年，布勒东和苏波写下第一首超现实主义“自动”诗歌《磁场》。尽管当时的巴黎人仍用“达达”这个词来形容他们的作品，但回过头看，1920 年代早期的一些作品已经有了明确的超现实主义特征，应被归为超现实主义作品。

有些遵循了达达同时性和偶然性原则的作品，也同样符合超现实主义的梦境概念，其中一些情节非常直观。比如阿波利奈的《蓝天》，于 1918 年他去世后的第二周上演，讲述了三个宇航员的故事，他们发现各自的理想伴侣其实是同一个女人，之后自相残杀。查拉 1924 年的《云手帕》说了一位诗人与一个面包师的妻子通奸的故事，作品的灯光是由舞蹈家洛依·福勒设计的。阿拉贡的《镜子衣柜》（1923 年）是以典型的“自动书写”风格创作的，描写了一个嫉妒心极强的丈夫，故事中唯一的起伏就是他妻子不断让他去打开衣橱的门，她的情夫藏在里面。另一方面，还有无数的表演直接阐释了超现实主义关于非理性和无意识的概念。罗杰·吉尔贝-乐康特 (Roger Gilbert-Lecomte) 的《蹼足尤利西斯的奥德赛》直接排除了表演的可能性，因为剧本里面插入了大段大段“须无声朗读”的文字。韦塔克的《画家》（1922 年）没有任何剧情，在里面，一位画家把一个孩子的脸涂成红色，然后又把孩子母亲的脸涂成红色，再是他自己的脸。每个角色都哭着下场，带着标志性红脸。

图 74 (上)　让·博兰和艾迪·邦斯朵夫在毕卡比亚《今晚停演》中的一个场景，1924 年，图片还展示了背景墙上的大银盘，每只上都插着一只超亮的电灯泡。舞剧的作曲是埃里克·萨蒂。

RELACHE

Relâche, rose de feuille — feuille de
guêpe, cul de lampe, etc.....
Relâche est un passage à niveau, un
table — ou l'amant-chaise! Et puis
l'aime; la vie sans lendemain, la vie
rien pour hier, rien pour demain
Les phares d'automobiles, les colliers
des femmes, la publicité, la musique,
Labit noir, le mouvement, le bruit,
plaisir de rire, voilà Relâche.
Relâche a été fait comme l'on abat
maquillé les cartes.
Relâche a les plus belles jambes du
jarretières noires et blanches. Relâche,
ni en arrière, ni à gauche ni à droite.
pas tout droit; Relâche se promène dans la vie

rose; guêpe de taille — taille de
passage à nivache; Relâche est lamen-
Relâche est la vie, la vie comme je
d'aujourd'hui, tout pour aujourd'hui,
de perles, les formes rondes et fines
l'automobile, quelques hommes en
le jeu, l'eau transparente et claire, le
neuf dix-sept fois de suite sans avoir
monde, ses bas sont champagne, ses
c'est le mouvement sans but, ni en avant
Relâche ne tourne pas et pourtant ne va
avec un grand éclat de rire, ERIK SATIE,

BORLIN, ROLF DE MARÉ, RENÉ CLAIR, PRIEUR et moi avons créé Relâche un peu comme Dieu créa la vie
Il n'y a pas de décors, il n'y a pas de costumes, il n'y a pas de nu, il n'y a qu'espace, l'espace que notre
imagination aime à parcourir; Relâche est le bonheur des instants sans réflexion; pourquoi réfléchir,
pourquoi avoir une convention de beauté ou de joie?
Il faut risquer les indigestions si l'on a envie de manger!
Pourquoi ne pas se ruiner? Pourquoi ne pas travailler quarante-huit heures de suite
si c'est notre plaisir? Pourquoi ne pas avoir quinze femmes et pourquoi une
femme n'aurait-elle pas cinquante-deux hommes si cela peut lui plaire?
Relâche vous conseille d'être des viveurs, car la vie sera toujours
plus longue à l'école du plaisir qu'à l'école de la morale, à
l'école de l'art, à l'école religieuse, à l'école
des conventions mondaines

FRANCIS
PICA-
BIA.

图 75 (下)　《今晚停演》节目单上的一页，文字和图画：毕卡比亚。

《今晚停演》

当超现实主义的特征在1920年代中期的表演中得到稳固时，超现实主义者、达达主义者和反达达主义这三者之间的矛盾仍未平息。比如说，为了将毕加索拉到他们的阵营中，超现实主义者们在《391》和《巴黎》期刊上发表文章，高度赞赏毕加索为芭蕾舞剧《水银》设计的舞台和戏服。但在同一篇文章中，他们也借机批评了毕加索与萨蒂的合作，因为后者是他们强烈反对的对象。他们并没有直接给出对萨蒂音乐的评价(这很可能是因为布勒东的"音乐恐惧症")，但萨蒂与毕卡比亚这个达达弃子兼超现实主义新敌人的亲密关系使得事情更加恶化。毕卡比亚和萨蒂则以他们合作的芭蕾舞剧《今晚停演》(图75)来反击。这部作品的产生不仅归功于毕卡比亚"对'新'和对愉悦的感知，以及对'为了喜爱某件事物，人们必须去思考和了解'这一点的遗忘"，而且还部分归功于不同个体之间的竞争与不和。

毕卡比亚对于超现实主义者们的骂声不甚在意，继续热切地倾慕萨蒂的才华。他甚至将《今晚停演》的诞生归功于萨蒂。"虽然我曾下决心不写芭蕾舞剧，"他写道，"埃里克·萨蒂说服了我，对我来说，他为舞剧作曲这个事实就是我决定创作的最好的原因。"毕卡比亚对于结果也非常满意，舞剧的其他参与者：杜尚、曼·雷、年轻的电影导演雷内·克莱尔（René Clair）以及苏埃多瓦芭蕾舞团总指导侯夫·德玛雷（Rolf de Maré）组成了一支"梦之队"。

芭蕾舞的开幕式原定于1924年11月27日召开，但是作品的首席舞者让·博兰（Jean Borlin）病了，于是一块上面写着"Relâche"的牌子挂在了香榭丽舍剧院的门上，Relâche在戏剧术语中本来就是"今晚没有表演"的意思。于是，大批前来观看的观众以为这又是一出达达恶作剧，但是对于12月3日再次回到剧院里的那些观众来说，等待着他们的是一场头晕目眩的奇观。首先，他们观看了一部简短的电影序篇，对于之后将要上演的内容进行暗示。随后，面对他们的是一面挂满金属圆盘的巨型背景幕布，每个圆盘上都反射着一只强烈的灯泡（图 74）。萨蒂的序曲改编自一首著名的学生歌曲《卖郁金香的人》，很快观众席就响起了合唱。从那时起，笑声、质疑声，伴着平淡但富有感染力的音乐演奏和“芭蕾”滑稽戏，一直持续到了演出结束。

第一幕包括了一系列同时事件：舞台前方一个人（曼·雷）来回踱步，并时不时对舞台的地板进行测量。一个消防队员一支接着一支地抽着烟，不断地将水从一只桶里倒进另一只。一个穿着晚礼服的女人慢悠悠地从观众席走上台，身后跟着一群戴着高帽穿着燕尾服的男人，他们紧接着把衣服脱了，礼服里面穿着一件套塑身衣（这些是苏埃多瓦芭蕾舞团的演员）。然后是中场休息，但这绝对不是一个平凡的中场休息。场内放映了毕卡比亚的电影《间奏曲》，影片由他编剧，年轻的摄像师雷内·克莱尔拍摄（图 77—79）。电影开始了，一个男舞者穿着薄纱裙翩翩起舞，镜头是隔着一块玻璃板由下往上拍的；接着又从上往下拍了两个下象棋的人（他们是曼·雷和杜尚，还有裁判萨蒂），位于当晚演出的同一个剧院的屋顶上。随后，一支葬礼队伍带着观众穿过月亮公园来到埃菲尔铁塔边（图 80），人们跟着一辆骆驼拉着的灵车，上面挂了面包、火腿、广告招贴及毕卡比亚和萨蒂的名字首字母组成的图案；萨蒂的编曲精确地配合了每个镜头的长度。慢镜头的游行以棺材从骆驼车上掉下、尸体笑着从里面走出来而终结（图 81），一位演员从写着“剧终”的白纸后面跳出来，紧接着，《今晚停演》的第二幕开始了。

舞台上挂着“埃里克·萨蒂是世上最伟大的音乐家”的横幅，还有“如果您还不满意的话可以去售票处买一些哨子”。博兰、艾迪·邦斯朵夫（Edith Bonsdorf）以及一些群众舞者“忧伤而压抑”地跳着，谢幕的时候，萨蒂和其他主创人员开着一辆迷你五马力雪铁龙上台答谢。

这一晚无可避免地以混乱告终。媒体如此攻击五十八岁的萨蒂：“再见了，萨蒂……”这个丑闻一直陪伴他直到近一年后他的去世。毕卡比亚欣喜若狂。“《今晚停演》就是生活本身，”他写道，“是我爱的生活，

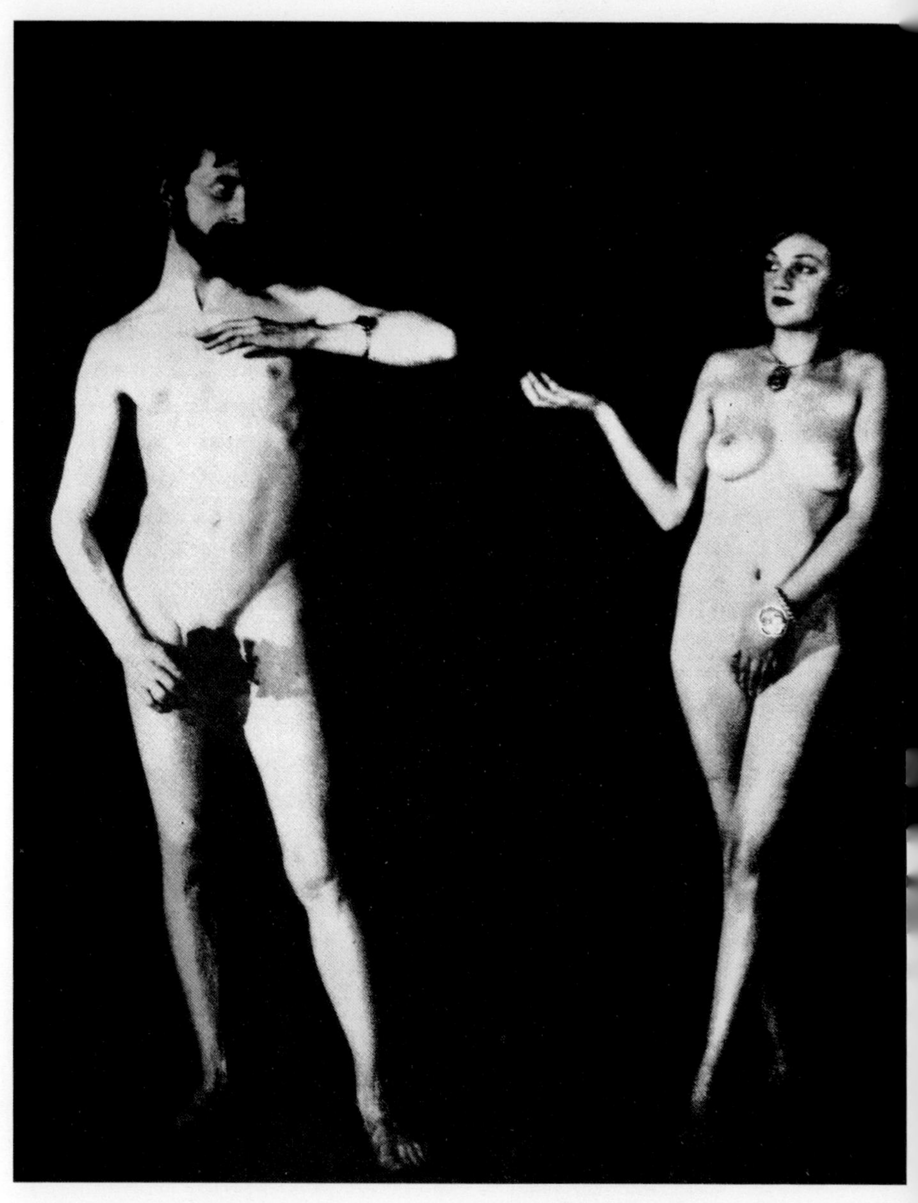

图 76　杜尚在毕卡比亚和雷内·克莱尔的作品《电影评论短剧》中饰演亚当，这部短片在 1924 年 12 月 31 日香榭丽舍剧院的新年晚会上和《今晚停演》一起展出。

图 77—79　雷内·克莱尔《间奏曲》中毕卡比亚跳舞的剧照。《间奏曲》在《今晚停演》的场间休息时播放，杜尚和曼·雷也在剧中现身表演下象棋。

图 80 《间奏曲》剧照，剧中的高潮场景是一部灵车被骆驼拉着行驶到了埃菲尔铁塔下。

图 81 《间奏曲》剧照，让·博兰饰演棺材中的尸体。

为了今天，而非昨天或明天。”尽管“文化人和清教牧师会说，这不是芭蕾，这仅仅是苏埃多瓦芭蕾，毕卡比亚在嘲讽这个世界”，但它是“一次绝对胜利！《今晚停演》不是给书呆子看的，那是肯定的……也不是给伟大的思想家、艺术学校的领导看的，他们只会像火车站站长一样，把一辆辆火车派遣到大轮船上，这些大船随时欢迎‘聪明’艺术的热爱者的加入”。费尔南德·雷杰 1923 年为苏埃多瓦芭蕾舞团的作品《世界产物》带来了非凡的装饰和服装设计，他宣称《今晚停演》是“一次突破，意味着传统芭蕾的断裂”。“情节和文学都下地狱吧！《今晚停演》给了很多人当头一棒，不管这些脑袋是否已经空空如也。”总之，雷杰赞扬《今晚停演》填补了芭蕾和音乐剧之间不可逾越的鸿沟。“作者、舞者、特技、银幕、舞台，所有这些用来‘呈现表演’的形式都结合了起来，有组织地形成了一个总体效果……”

超现实主义的爱与死

《今晚停演》的成功并没有阻止超现实主义的进程。尽管《间奏曲》比“芭蕾”本身更具有梦魇式闹剧的元素，而且这些元素被超现实主义者们在接下来的行为表演和电影中都充分挖掘了，然而萨拉库(Salacrou)、多玛勒（Daumal）和吉尔贝-乐康特创作的超现实主义“朗诵剧本”(play for reading）却掉入了一个死胡同，因为它们根本无法被搬上舞台。安东宁·阿妥德（Antonin Artaud）立即提供了一个解决困境的方法：他和罗杰·韦塔克于1927年共同创立了阿尔弗雷·雅希剧院，为了纪念伟大的革新者，为了“回归一种戏剧形式，在这种戏剧中，绝对自由存在于音乐、诗歌、绘画，在此之前这自由都被剥夺了”。

阿妥德1927年的《血如泉喷》几乎没有跳出“朗读剧本”的分类。短小的剧情（少于350个单词）里基本都是电影般的影像：“一场龙卷风将两个爱人分开了，随后两颗星星坠落到了一起，之后我们见到人的躯干从上空掉落；手、脚、头皮、面具、柱子……”骑士、护士、神父、妓女、年轻男人和年轻女孩都参与到一系列没有联系的情感交流，构成了一个激烈而恐怖的幻想世界。突然妓女咬了“上帝的手腕”一口，大量“血液如泉涌”，喷到舞台的另一边。这部作品尽管短小，而且剧本中描写的这些场景基本无法在舞台上实现，但它反映了超现实主义热衷的梦中世界以及对记忆的着迷。当超现实主义拉着你的手触摸死亡时，布勒东写道：“它会为你戴一副手套，然后将它埋葬于深邃的M中，那是记忆的开头字母。”同样的M，稍被扭曲了之后，出现在罗杰·韦塔克的《爱的奥秘》中，作品由阿妥德制作，于同年发表。“世上是有死亡这回事的。”

剧中的女主角莉亚在第五部分的最后总结道。“是的，”帕特里克回答说，“心已被染红，一直延伸到舞台的尽头，在那里，有人即将死去。”随后，莉亚朝着观众席开了一枪，假装杀死了一名观者。这无疑是一部“超现实主义戏剧”，韦塔克的作品不仅完全符合超现实主义“自动书写”的风格，还具有自己清醒明朗的标志。

在后来很长一段时间内，这种明朗的感觉都在布勒东和无数超现实作家、画家和导演的作品中占了主导地位。然而在 1938 年，当超现实主义已经显示出其在政治、艺术和哲学生活中的统领地位时，第二次世界大战的爆发使得团体活动和行为表演无法继续下去。在布勒东出发去美国之前，以一种临终告别的态度，超现实主义者们在巴黎的美术画廊举办了国际超现实主义展览。这次盛大的闭幕展览收录了来自十四个国家六十名艺术家的作品，目录册描写展览的房间写道：“天花板上覆盖了 1200 袋煤、旋转门、马自达车灯，回声，来自巴西的气味，诸如此类。”展览中还呈现了萨尔瓦多·达利 (Salvador Dali) 的《下雨的出租车》和《超现实主义大道》，以及海伦 · 瓦内尔（Helen Vanel）的舞蹈《未完成的动作》，表演在一座种满了荷花的水塘边进行。

展览接下来又在伦敦和纽约巡展，然而，超现实主义的行为表演标志了一个时代的结束，同时也标志了另一个时代的开始。在巴黎，从 1890 年代起，雅希和萨蒂的创新就已剧烈地改变了“戏剧”的发展进程，同时为“新精神”提供了摇篮。胡塞、阿波利奈、考克托以及其他“进口”的和本地的达达和超现实主义艺术家们一次次创造了历史的节点，而这些名字只是无数使巴黎这个文化之都繁荣昌盛多年不衰的非凡人物中的几个。超现实主义将心理研究带入艺术，于是，人的心灵这篇广阔的未开垦之地成了行为表演探索的新素材。事实上，因为对语言的重视，超现实主义表演对戏剧界的影响大过对日后行为表演发展的影响。机会、同时性、惊奇，这些达达和未来主义的基本信条，后来是“二战”后一些艺术家直接或者间接探索的主题。

第五章　包豪斯

1920 年代德国表演（行为）艺术的发展，在很大程度上要归功于包豪斯的奥斯卡 · 施莱默（Oskar Schlemmer）的先锋性创新，他在包豪斯工作期间对表演艺术进行了开拓性发展。他于 1928 年写道："现在，我必须宣告戏剧在包豪斯已死！"施莱默说这话是在德绍市议会（Dessau City Council）公布了一条新法令之后，新法令禁止在包豪斯举行任何派对，"包括我们已经策划好的新派对，即使那将是一个非常有意思的派对"。他的话语充满反讽，因为那时他已经在课堂里开始排练他的派对舞台演出了。

1921—1923 年的舞台实验工作室

1919 年 4 月，包豪斯以一种非常独特的方式成立了教授艺术的教学机构，它不同于未来主义（Futurist）的反抗、叛逆，也不同于达达主义（Dada）的挑衅滋事，格罗皮厄斯（Gropius）在浪漫的包豪斯（Romantic Bauhaus）宣言中号召所有艺术形式在"社会主义大家庭中"统一起来。宣言所表达的小心谨慎的乐观主义为战后分裂、贫穷的德国文化复苏带来了希望的曙光。

图 82　由玛格丽特·施莱尔（Margarete Schreyer）为戏剧《受难》（*Crucifixion*）所做的木刻乐谱，1920 年汉堡印制。

来自世界各地的具有不同感悟力的艺术家和工艺技师，如保罗·克利（Paul Klee）、艾达·科克维尔斯（Ida Kerkovius）、约翰·伊顿（Johannes Itten）、甘特·斯托兹（Gunta Stölzl）、瓦西里·康定斯基（Wassily Kandinsky）、奥斯卡·施莱默（Oskar Schlemmer）、里欧纳尔·斐宁格（Lyonel Feininger）、艾尔玛·布舍尔（Alma Buscher）、拉兹洛·莫霍利-纳吉（László Moholy-Nagy）和他们的家庭（在此只列举几个），这些人开始陆陆续续地到达魏玛这座城市，居住在庄严雄伟的王公艺术学院里（Grand Ducal Fine Arts Academy），或者歌德（Goethe）与尼采（Nietzshe）生前住所的周围。作为包豪斯的导师，这些人承担了很多研究领域或者创作方面的工作，如金属、雕塑、纺织、橱窗设计、墙壁绘画、制图和彩色镶嵌玻璃等方面，与此同时，在这个保守的小镇上，他们自己内部之间也形成了自给自足的社群。

舞台工作作为艺术学院在表演方面首先要开设的课程，在包豪斯成立后的第一时间里也为此展开了讨论，并且他们把它作为重要的跨学科课程来进行讨论。表现主义画家、戏剧家洛塔尔·施莱尔（Lothar Schreyer）和一名柏林《狂飙》（*Sturm*）的剧组成员来到包豪斯，指导早期包豪斯的表演课程。从他们探索合作的一开始，施莱尔就和他的学生们遵循着他的座右铭“舞台上的作品就是艺术”这一原则，为他自己的作品《儿童之死》(*Kindsterben*) 和《人类》(*Mann*) 建造了多座小雕像。他们也为作品《受难》（*Crucifixion*）的排演设计了一套比较复杂的方案，由玛格丽特·施莱尔（Margarete Schreyer）木刻（图 82）完成。这个方案详细地指导表演者用词的语调、重音、每个动作的方向与重点以及每个表演者应该采用什么样的情感表达等。

但是施莱尔的舞台工作却鲜有创新的思想，他的这些早期作品实际是五年前慕尼黑（Munich）和柏林（Berlin）表现主义戏剧的延伸，是已经流行过的旧东西。他们模仿宗教戏剧，语言被减少到只保留情感紧张时的口吃，动作简化成哑剧的手势，并且只使用强化音乐剧内容的声音、色彩和灯光。他最终导致的结果就是使得“情感”（feelings）这样的戏剧形式成为那个时期戏剧交流的主要形式,它与包豪斯将艺术与“纯粹”形式的技术结合起来这一目的是矛盾与不一致的。事实上也的确如此，在学院举办的第一次公开展览，“1923 包豪斯周”，便是以“新的统一：艺术与技术”为主题，这就使得施莱尔的表演实验在学院里显得多少有些怪异。在为展览做准备的几个月中，在学生及工作人员持续的不满中，反对施莱尔引发了严重的意识形态争战。这样看来施莱尔的离开是不可避免的，那年秋天他离开了包豪斯。

指导包豪斯舞台的工作马上就被移交到了奥斯卡·施莱默（Oska Schlemmer）手里，因为基于之前施莱默在绘画、雕塑方面的声誉及他早期以淳朴的斯图加特艺术风格所创作出的舞蹈作品，包豪斯曾经邀请过他。施莱默利用“包豪斯周”这次机会，通过一系列的表演与示范向观众展示他的舞台设计。在“包豪斯周”的第四天,即 1923 年 8 月 17 日，他让演员们改变了舞台形式表演《人形橱柜Ⅰ》(*The Figural Cabinet I*)（图

84，85)，这出戏剧在他来的前一年曾在包豪斯晚会上公演过。

施莱默把这种表演描述为“半摄影艺术**半形而上学抽象物**(metaphysics abstractum)”，他使用即兴歌舞表演的方式戏仿在当时流行的“进步之信念”。它是意义与无意义的混合体，被贴上了“色彩、形状、自然和艺术，人和机器，声学和力学”的标签，施莱默把“这次导演”归功于“卡里加里”(参见电影《卡里加里博士的小屋》，1919 年)、美洲以及他自己。“小提琴身体”“多变的人”“元素精灵”“上等公民”“问号”“方格图案”“乐观小姐红”与“土耳其人”这些形象或以全部示人，或以一半示人，或以其四分之一部分示人，它们被一只看不见的手操纵着运动，“行走、站立、悬浮、滑行、打滚或者嬉闹，足足有一刻钟”。根据施莱默所说，这些作品具有“巴比伦式的混乱，充满了各种方法与手段，在形式、风格和色彩方面形成了视觉盛宴”。《人形橱柜Ⅱ》(*The Figural Cabinet Ⅱ*) 是《人形橱柜Ⅰ》精心设计的多样化演变，他们将金属人形吊在线上，让它们从舞台后景冲到前景，再从前景冲回到后景，循环往复。

这次演出由于其精准的机械设置和全部形象化的设计，既反映了艺术感性的一面，又反映了包豪斯技术理性的一面，其精确性使得演出大获成功。施莱默善于把他的绘画天赋（他早期关于表演形象的设计已在他的绘画中有所体现）应用到舞台表演艺术方面进行标新立异，这种能力在倡导跨界创作的艺术学院里受到高度赞赏。施莱默本人也拒绝接受各艺术类别之间的界限一说，他的舞台实验表演很快成为包豪斯所有艺术活动中的焦点，与此同时他作为包豪斯舞台艺术总监的地位已经根深蒂固。

包豪斯节

包豪斯作为一个艺术群团体凝聚在一起，他们一方面遵循包豪斯宣言和格罗皮厄斯（Gropius）的新视觉教学艺术方针，另一方面组织了很

图 83　奥斯卡·施莱默（Oska Schlemmer），《元或哑剧场景》（*Meta or the Pantomime of scenes*）中的场景，1924 年。

多社会活动，这些活动使得魏玛（Weimar）这座城市变成了活跃的文化中心。“包豪斯节”很快就出名了，并吸引了魏玛当地（以及稍后的德绍）的派对参加者前来参加聚会。同样，魏玛周围的其他城市，如柏林，他们的派对参加者也被包豪斯所吸引。这些聚会的主题被精心策划准备，比如“元”[①]“胡子、鼻子和心脏节”或者“白色节”（派对要求每个人须穿着有圆点、方格的或者条纹图案的服装），而这些往往是由施莱默和他的学生进行设计或者搭配。

这些派对活动为一些有新表演想法的社团提供了实践机会，比如《人形橱柜》（*The Figural Cabinet*）的表演就是为这类节日晚会精心策划的结果。另一方面，1924 年《元或哑剧场景》（*Meta or the Pantomime of scenes*）（图 83）在魏玛一个租来的大厅里进行表演，它就是那年夏天

① 译注：指元叙述、元话语和元科学。

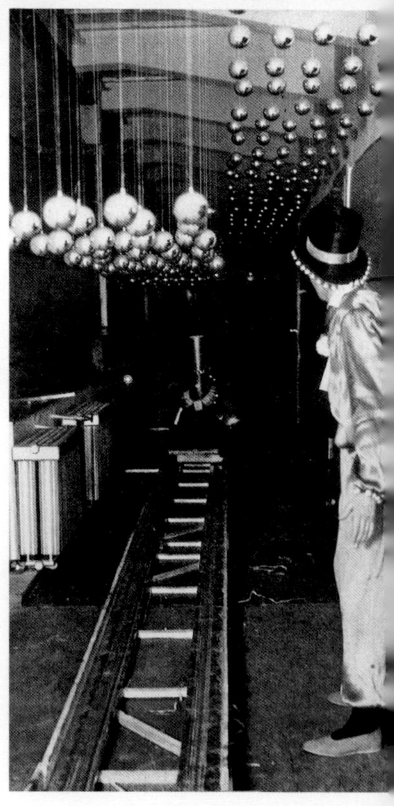

图 84（上） 马凯特（Maquettes）为《人形橱柜 I》（*The Figural Cabinet I*）设计的草图，由卡尔·施莱默完成，1922 年 3 月。

图 85（左下） 施莱默（Schlemmer），《人形橱柜 I》（*The Figural Cabinet I*）（由卡尔·施莱默制作）1922 年第一次在包豪斯晚会上表演，再次在 1923 年的“包豪斯周”及 1926 年的“包豪斯舞台”巡演中上演。

图 86（右下） 金属节，1929 年 2 月 9 日，一个斜坡滑道连接着两座包豪斯建筑，身穿演出服装的人正准备坐上可以带他到节日主客厅的滑道。

要在艾尔玛小木屋（Ilm Chalet）进行节日晚会表演的雏形。在舞台化表演方面，简单的情节“从所有附加意义上解放出来”，只以带有导引性的海报标语牌的方式进行界定，如“入口”“中场休息”“激情”“高潮”，等等。演员们围绕沙发、楼梯、梯子、门、单双杠等道具表演规定动作。在艾尔玛小木屋晚会的表演上有同样的指示指导演员动作。

从魏玛骑车即可到达艾尔玛小木屋，正是在这里促成了包豪斯团队尝试他们的组合。从柏林来参观的一个记者这样描述艾尔玛小木屋晚会："多么具有想象力和品味高雅的名字啊！使得小木屋熠熠生辉！”但就是这个庄严的维多利亚小客厅，相较于柏林国家艺术协会年度舞会（State Art Society Annual Dance）的任何时尚装饰，它具有更多“艺术的与年轻的力量”。包豪斯爵士乐队（Bauhaus jazz band）演奏的《摇摆香蕉和爪哇女孩》(*Banana Shimmy and Java Girls*)是他听过的最棒的爵士乐，并且他们的哑剧表演和戏剧服装无与伦比。另一个非常有名的包豪斯舞会是在 1929 年 2 月举行的“金属节”（Metallic Festival）（图 86）。就像这一主题所暗示的，整个学校用金属色或者金属物进行装饰，他们把那些受邀之人的名字印在简洁的金属色卡片上，让他们通过一个斜坡滑道入口进入学校。沿着这些细节之处，来宾在包豪斯的两座建筑之间的走廊中加速，伴随着很多铃铛的叮当响声和“四片”乡村乐队喧闹的花腔演奏，在节日晚会的主客厅那里，他们接受欢迎与问候。

事实上是施莱默赋予了这些早期包豪斯节日活动的表演独创性。“从它存在的第一天开始,包豪斯就感受到了创造性戏剧的活力,”他写道,“因为从第一天开始，戏剧本能就出现了。它出现在我们生机勃勃的晚会里，出现在即兴创作中与我们制作的富有想象力的面具和服装里。”另外，施莱默指出这种戏剧本能上具有明显的反讽和诙谐特征。“无意识地嘲讽任何事物可能是达达主义的遗迹，它抨击一本正经或道德戒律。”而且，他写道，奇形怪状又得以繁荣。“在滑稽小品和在嘲笑当时戏剧陈旧的形式中，它发现了其营养所在。尽管它具有基本的负面特征，但它在认同戏剧的起源、条件以及规则方面却具有积极的特征。”

这种同样对“陈旧形式”的忽略，意味着舞台创作室从不把那些没有资格的要求强加给那些学生去表演，而这些也超出了学生们的意愿。很少有例外，那些加入了施莱默课程的人并没有被培训成职业舞蹈者，同样，那也不是施莱默要做的。但是多年后，通过导演和展示自己的大量作品，他却真的在自己作品中参与跳舞。其中的舞蹈学生之一，安德烈·魏宁格（Andereas Weininger）也成了著名包豪斯爵士乐队的领队。

施莱默的表演理论

在施莱默的表演与节日晚会中，他以反讽或常常是荒诞的方式进行呈现，与此并行的是他创建了更多的特殊表演理论。这些表演理论被保留在他舞台工作的各种声明中、他的私人写作里以及他从 1911 年到去世前的日记里，可以说，施莱默的表演理论对包豪斯的贡献是独一无二的。在这些材料里，他非常痴迷地分析理论和实践问题，这也是教学计划的核心部分。施莱默用神话中阿波罗与狄奥尼索斯经典神话的对立的形式来表述这些问题。理论与阿波罗 (Apollo) 相关——他是上帝的智慧之神，

图 87　《手势舞蹈》(*Gesture Dance*) 场景，施莱默 (Schlemmer)、斯德霍夫 (Siedhoff)、凯明斯基 (Kaminsky)。

而狂欢之神狄奥尼索斯（Dionysus）则作为实践的象征。

施莱默自己在理论与实践之间的交替转换反映了他清教伦理观。他认为着色和素描是他工作的某个方面，需要最严格的智力，而他从实验戏剧中则获得的纯粹的喜悦，他写道，就是由于这个原因，他不停地质疑。在他的绘画作品里,就像在他的戏剧实验里一样,空间是其基本研究。绘画描述了二维空间的元素，而戏剧则提供了可以“经历”其中的空间。

尽管被两种介质——戏剧与绘画的特殊性所困扰，施莱默还是坚持认为它们之间是互补的：在他的作品中，他清晰地把绘画描述成理论研究，而表演则是其经典“实践”的对应物。他这样写道：“舞蹈起源于酒神狄奥尼索斯，完全是非理性的。”但这仅满足了他一个方面的气质。他说：“在我心中有两种精神在斗争，一是以绘画为主导的，更确切地说是哲学—艺术的，另外一种则是戏剧性的。或者说白了，这两种精神一个关乎伦理精神，一个关乎美学精神。”

在 1926—1927 年，一出名为《手势舞蹈》（*Gesture Dance*）（图 87，88）的表演中，施莱默设计了一种舞蹈范式来说明这些抽象理论。他首

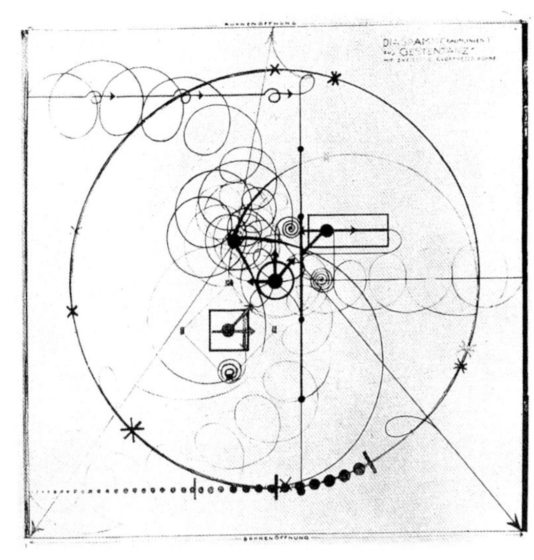

图 88　施莱默（Schlemmer），《手势舞蹈》（*Gesture Dance*）的图解，1926，伴随着舞台两端的开启，施莱默复杂的标记系统，用来设计和记录每个实际表演动作。

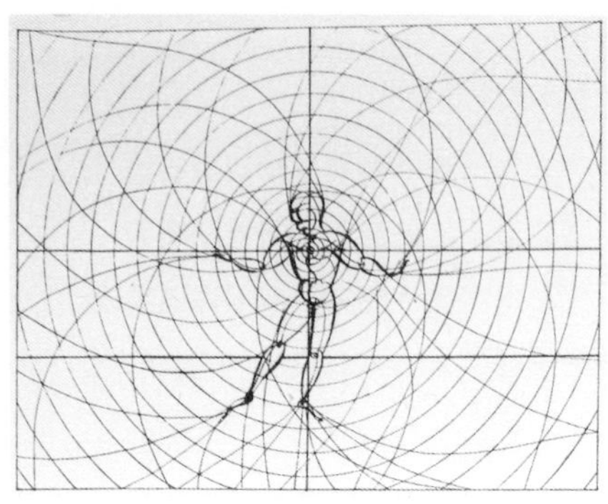

图 89 (左) 施莱默 (Schlemmer),《人与艺术人形》(*Mensch and Kunstfigur*) 中的速写,1925 年。

图 90 (右) 施莱默 (Schlemmer),《平面几何与空间描绘图中的人》(*Figure in space with Plane Geometry and Spatial Delineations*),由沃纳·谢尔德豪夫 (Werner Siedhoff) 表演。

图 91 《空间舞蹈:空间描绘图》(*Dance in space : Delineation of space with Figure*),多重曝光摄影,力士·费格宁 (Lux Feininger) 拍摄,包豪斯舞台图片说明,1927 年。

先准备了一个符号系统，以图形方式描述运动的线性路径和舞者的前进运动方向。遵循这些指导,三个穿着红黄蓝三原色的人物,完成复杂的“几何”手势和平庸的“日常行为”，比如“指出打喷嚏、粗俗的笑和柔听”，这“总是意味着相对孤立的抽象形式”。这种范式是有目的的说教，同时它也显示施莱默有条不紊地从一个介质过渡到另一个介质：即从二维空间的平面（符号和绘画）到可塑体（浮雕和雕塑），到活生生的人体动态造型。

因此准备一出表演要涉及不同的阶段：词语或被抽象化的印刷标牌、表达和以绘画形式呈现的物体本身，这些成为用来表示真正空间层次和时间变化的一种手段。在这种情况下，符号连同绘画一起参与了施莱默的空间理论,即在真实空间的表演为完成他的理论提供了“实践”的可能。

表演空间

对视觉平面和空间深度的反思在包豪斯施莱默时期是一个复杂的问题，它使得那时在那儿工作的人为之全力以赴。施莱默认为“空间——作为建筑中的统一元素”是包豪斯所有工作人员的多元杂糅兴趣的共同特征。“感受体积”的观念或“感觉体积”的存在使得1920年代关于空间的讨论具有独特的特征，这种“空间感”是他的每一部舞蹈作品的起源（图89)。他解释说：“由于平面几何，由于对直线、对角线、圆及曲线的追随，一个立体的空间，可以由舞者在垂直线之间的移动表演出来。”如果人们想象“空间中充满了弹性物质，舞者运动的形体被作为一种消极的形式僵化”,他们就可以**感觉到**从“平面几何”到“立体空间”的关系。

1927年在包豪斯的示范讲座中，施莱默与学生演示了这些抽象理论：首先，正方形地板被平分轴和对角线分开，由一个圆圈来完成（图90)。然后一根拉紧的线穿过空荡荡的舞台，定义“体积”或空间的立体性。在这些线的指导下，舞者在“空间的线性网内”运动，其运动由已经按照几何划分的舞台支配。第二阶段，用添加服装的方式强调身体的多个部位，

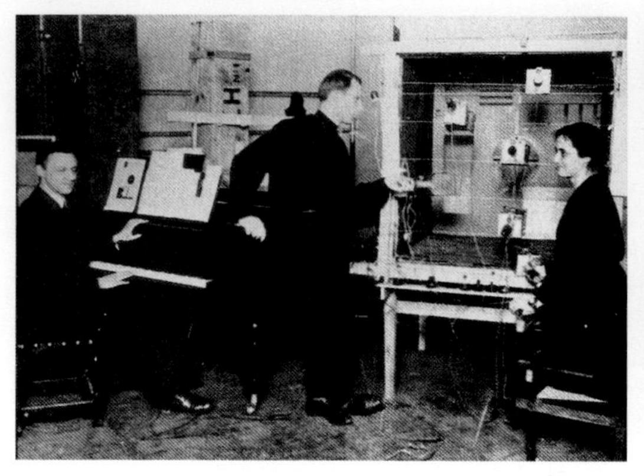
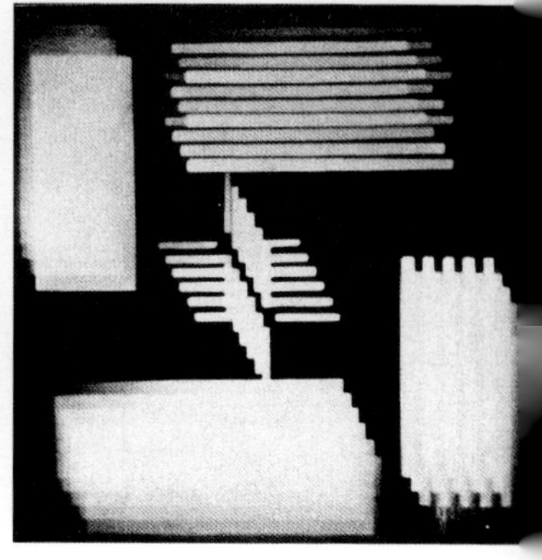

图 92（左） 路德维希·赫希菲尔德–麦克（Ludwig Hirschfeld-Mack）的《反射光组合物》（*Reflected Light Compositions*）的放映室，1922—1923 年，赫希菲尔德–麦克（Hirschfeld-Mack）在钢琴旁。

图 93（右） 赫希菲尔德–麦克（Hirschfeld-Mack），《交叉组成》（*Cross Composition*），反射光的组合物，1923—1924 年。

达到手势、表征以及彩色戏服的抽象色彩的和谐统一。因此，这些示范引领观看者从“数学舞蹈”看到“太空舞蹈”，看到“手势舞蹈”，最终通过对面具和道具的运用，在戏剧与马戏团的多种元素结合中达到高潮。

不同的是，学生路德维希·赫希菲尔德–麦克（Ludwig Hirschfeld-Mack）和库尔特·施韦特费格（Kurt Schwerdtfeger）独立于舞台创作室之外，他们在《反射光组合物》（*Reflected Light Compositions*）（图 92，93）中尝试使用“平面化”的空间。这个“光剧”开始是作为 1922 年的一个包豪斯节的实验，他们说：“起初，我们只是为灯节计划了一个相当简单的影子秀。意外的是，在给一个乙炔灯换灯时，纸屏幕上的阴影重影了，因为许多不同颜色的乙炔光亮，‘冷’色和‘暖’色的影子变得清晰可见。”

下一步是将光源多元化处理，增加彩色玻璃的层数，使其投射到后面的一个透明屏幕上，然后产生出运动的、抽象的图案。不时地，参与玩游戏的人跟随着那些难以理解的分数，这些分数表明光源、序列颜色、变阻器设置以及速度和方向的“溶解”和“淡出”。这些游戏的元素呈现在一个特殊的装置上，伴随着赫希菲尔德–麦克（Hirschfeld-Mack）的钢琴演奏。他们相信这些步骤是“架在困惑的民众和理解抽象派绘画及其他新思潮画派之间的桥梁”，这些步骤将会帮助那些困惑的人理解新思潮艺术与抽象派绘画。这些光戏剧在 1923 年的包豪斯周上第一次公开展示，随后在维也纳和柏林展出。

机械芭蕾

“人与机器”是包豪斯对艺术与技术理解范畴内的一种思考，它也是之前俄国结构主义和意大利未来主义表演者们要思考的问题。舞台创作室的服装设计在设计中将人体扭曲变形成机械对象。在曼达·冯·克里比格（Manda von Kreibig）表演的《板条舞蹈》（*Slat Dance*，1927 年）里，抬起四肢和弯曲身体的动作只能从绑在舞者身上又长又薄的平板上的投影中看到。在卡拉·格劳希（Carla Grosch）完成的《玻璃舞蹈》（*Glass Dance*，1929 年）（图 94）里，她穿着带玻璃棒裙箍的裙子，头上戴着

图 94 施莱默（Schlemmer），《玻璃舞蹈》（*Glass Dance*），1929 年。

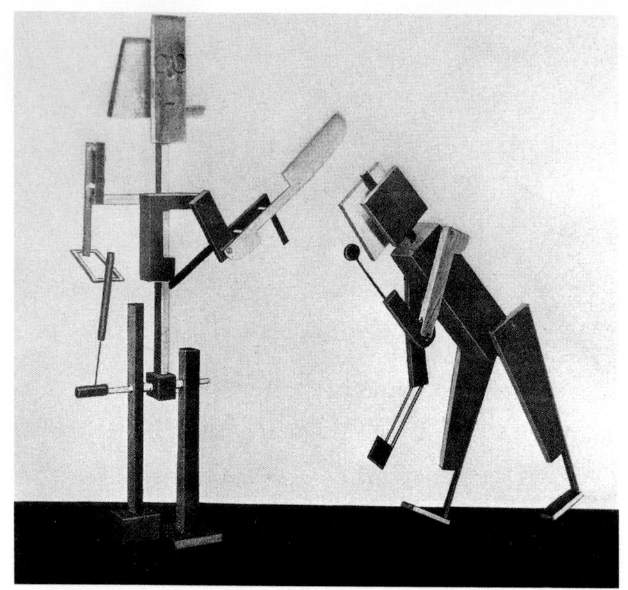

图 95 库尔特·施密特 (Kurt Schmidt) 和 T. 赫格特(T. Hergt)(执行总监)，木偶戏《驼背小人历险记》(*the Adventure of the Little Hunchback*) 中的“医生”和“仆人”的美术人型，1924 年。

图 96 桑迪·沙文斯基(Xanti Schawinsky)，《马戏》(*Circus*) 中的场景，沙文斯基扮演驯兽员，冯·弗里契 (von Fritsch) 扮演狮子，1924 年。

玻璃球体，手里还拿着半球形玻璃物体，这出剧同样限制舞者的运动。戏服有被羽绒填满的“软体人形”服装，也有被同心圈裹住身体的服装，在这种情况下，精心设计的戏服所具有的限制完全改变了传统的舞蹈动作。

施莱默以这种方式强调舞者的“物质性”，并且每次表演都达到了他所要的“机械效应”，而不是像木偶一样。“舞者们与其说是木偶，不如说他们是机器人，由线绳操控着移动，或者较好一点的是由精确的自动机械控制，几乎没有人工进行干预，至多被遥控器操控。”施莱默在他充满激情的日记中写道。海因里希·冯·克莱斯特（Heinrich von Kleist）在他的文章《在木偶剧里》（*Über das Marionettentheater*，1810 年）也提到，一位芭蕾舞大师穿过公园时看了一下午木偶戏，此事激发了他的所谓的木偶理论。克莱斯特这样写道：

> 每个木偶都有一个运动焦点、重力中心，当这个重力中心移动时，四肢无需多加处理就可以随着移动，四肢下垂以呼应重力中心的运动。身体重力中心由一条直线指导，而四肢则进行曲线运动，用来补充和延伸简单的基本运动。

1923 年前，木偶、由机械操纵的人、面具和几何图案的戏服已经成为许多包豪斯表演的核心特征。库尔特·施密特（Kurt Schmidt）创作了《机械芭蕾》（*Mechanical Ballet*），在这出剧里，抽象的、移动的人物由字母 A、B、C、D、E 来命名识别，他们由“看不见”的舞者进行表演，营造一种正在跳舞的机器人的错觉。施密特的作品《人 + 机器》（*Man + Machine*，1924 年）同样强调几何图案和机械方面因素的运动，他的另外一部作品《驼背小人历险记》（*Die Abenteuer des kleinen and Buckligen*，1924 年）（图 95），同样也是基于冯·克莱斯特的想法，由艾尔丝·斐林（Ilse Fehling）导演，却导致其变成了灵活柔韧的提线木偶剧。桑迪·沙文斯基（Xanti Schawinsky）将木偶动物加到他的作品《马戏》（*Circus*，1924 年）（图 96）中：身穿黑色的紧身连衣裤，沙文斯基以看不见的方式扮演驯兽师训练冯·弗里契扮演的纸板狮子（其尾部

图 97　施莱默（Schlemmer），哑剧《楼梯笑话》的场景，1926—1927 年，由希尔德布兰特（Hildebrandt）、希德霍夫（Siedhoff）、施莱默与魏宁格表演。

有交通信号）。在一个距离学院步行半小时的舞厅的舞台上为包豪斯群体和客人进行表演。这部作品其实是“一种形式和绘画概念。它是一种视觉戏剧，是运动的绘画与建筑在现实中的呈现，是思想的颜色，是形式、空间以及他们内部的戏剧性相互作用”，沙文斯基写道。

非常典型地，施莱默的作品《楼梯笑话》（*Treppenwitz*，1926—1927 年）（图 97）近乎荒诞，它是一出在楼梯上的哑剧，包括作为音乐小丑这样的人物[①]。魏宁格穿着一件带有大漏斗的加了衬垫的白色戏服，

① 由安德烈亚斯·魏宁格（Andreas Weininger）扮演。

并且完全改变了他的左腿形状；一把小提琴挂在他的右腿上，手里拿着手风琴、造纸机和一把只有辐条的雨伞。由于在准备这部作品时手忙脚乱，魏宁格不得不在表演自己木偶模样的姿势时用安全别针使得这些东西固定在一起。

然而，这个马戏团艺术家成为包豪斯表演者的最爱之一。施莱默 1924 年在柏林遇到的拉斯泰利（Rastelli），他曾经表演过的精彩九球杂耍很快就成了包豪斯的标准练习。学生们要练习杂耍的特殊技能，与此同时发展杂耍中特有的平衡与协调能力。最终，逐渐升温的意大利杂耍练习取代了通常在把杆前训练舞蹈姿势的练习。

绘画与表演

绘画和表演之间的关系是包豪斯表演方面的永恒主题。在毕加索（Picasso）1917 年《游行》（*Parade*）的芭蕾作品中，他把人物分成两部分，他们的上半身被巨大的结构覆盖，下半身穿着传统的芭蕾裤或连裤袜、芭蕾鞋。再者，这些形象是从毕加索的立体主义绘画发展而来的。施莱默已经意识到了他改用毕加索的绘画形式到自己的人物身上比较庸俗。

在一部独特的作品《面具合唱》（*Chorus of Mask*，1928 年）的演出中，施莱默尝试在表演中使用间接的绘画跨界形式。这种主要以即兴表演方式进行的演出，其出发点源于 1923 年的一幅画《晚餐聚会》（*Tischgesellschaft*）。画面被“明亮的蓝色地平线”再现出一种独特的氛围。“在昏暗的舞台中间放着一张长长的空桌子，几把椅子和几个玻璃杯。一个巨大的人体阴影出现在地平线上，大约是正常人的三倍大小，然后缩小到正常人的尺寸。一个戴着古怪面具的人走了上来并坐在桌子旁。这个场景一直持续到这张诡异的桌子被十二位戴着面具的人物围坐满。三个人物从上面降落下来，是不知从哪里来的三个人：‘无限高的人’‘非常矮的人’和‘贵族装扮的人’。然后恐怖的、严肃的酒神典礼就开始庆祝了。狂欢派对之后他们就会来到舞台较靠前的部分。”因此，施莱默为了给观众一个直角的感觉，根据面具人的出场，根据尺寸安排他们在桌子旁的位置，以此重新建构绘画的氛围和深层透视。

与施莱默不同，瓦西里·康定斯基（Wassily Kandinsky）早在1928年就已经开始把绘画作为表演的“角色”。在德绍的弗里德里希剧院（Friedrich Theatre）上演的《展览中的画》（*Pictures at an exhibition*），康定斯基用它来图解自己同胞穆捷斯特·穆索尔斯基（Modest Mussorgsky）的“音乐诗”。穆索尔斯基说，他音乐作品的灵感则是来源于一次自然水彩画展。因此，康定斯基使用运动的色彩形式和光线投影，设计视觉上的对等物来呼应穆索尔斯基音乐的乐句。十六张图片中除了两张图片外，整个设置都是抽象的。康定斯基解释说，只有少数形状是“模糊的客体”。因此，他不以“编程”的方式行进，而是“用听音乐时出现在意识中的形状”行进。他说，这部作品的主要手段是这些形状本身、带颜色的形状、强化绘画的灯光颜色、建构起来的每一张图片、链接音乐以及“必要时的解构”。例如，在第四幅图片中，“古城堡”只有三根垂直拉向舞台后面的长带子可见，舞台后面的黑色毛绒幕帘挂好后，营造了一种无形的纵深度。这些带子消失了，被舞台右侧的大红背景和左侧的大绿背景所替代。伴随着《宽广大地》（*Poco Largamente*），现场变得越来昏暗，到了钢琴演奏部分，就完全陷入了黑暗。

“三人芭蕾”

施莱默的《三人芭蕾》（*Triadic Ballet*）（图98，99）在演出方面远远超过其他作品，为他赢得了国际声誉。早在1912年他就一直有各种想法，最终，在1922年的斯图加特国家剧院（Stuttgart Landestheater）的表演中第一次将其实现。这种夸张的形象实际上是解释施莱默表演观的百科全书，十年期间一直在上演。“为什么是‘三’？”导演解释道：“三——是从三和音来的，因为是三位舞者、交响乐曲结构的三部分以及舞蹈、服装与音乐的融合。”伴随着欣德米特（Hindemith）的钢琴演奏，“刻板的舞蹈风格对应机械仪器”，音乐为服装和精确的机械人体轮廓提供相似物。此外，洋娃娃般的舞者对应于音乐盒里的音乐，从而使“观念与风格统一”。

《三人芭蕾》(*Triadic Ballet*) 持续几个小时，是一种“形而上的评论”，让三个舞者在十二个舞蹈里展示十八套戏服。舞蹈的质感追随交响乐的元素：例如，他把演出的第一部分定为“谐谑曲”的特征、第三部分为“英雄交响曲”的特征。他对“地板几何图形”的兴趣决定了舞者的路径。“例如，一个舞者从舞台前台到脚灯的位置，只能按直线运动。然后才是对角线、圆圈或者椭圆等。”这部作品用一种惊人的实用方法进行：“首先要考虑的是戏服、雕像，然后搜寻到最适合前者的音乐。音乐和雕像指导跳舞，这就是过程。”施莱默解释说。此外，那舞蹈动作应该“开始于某人的生活，站在那儿或者走来走去，而将跳跃和舞蹈留到后面”。

毫无意外的是，这部作品是“对立平衡”的结果，是抽象概念和情感冲动的平衡。这当然非常符合包豪斯独特的艺术一技术旨趣。施莱默终于将剧场创作室改变了方向，从最初在罗塔·施赖尔（Lothar

图 98(左) 施莱默(Schlemmer) 在他的《三人芭蕾》(*Triadic Ballet*) 中扮演“土耳其人”，1922 年。

图 99(右) 施莱默(Schlemmer) 为《三人芭蕾》(*Triadic Ballet*) 所做的设计。1922 年与 1926 年。

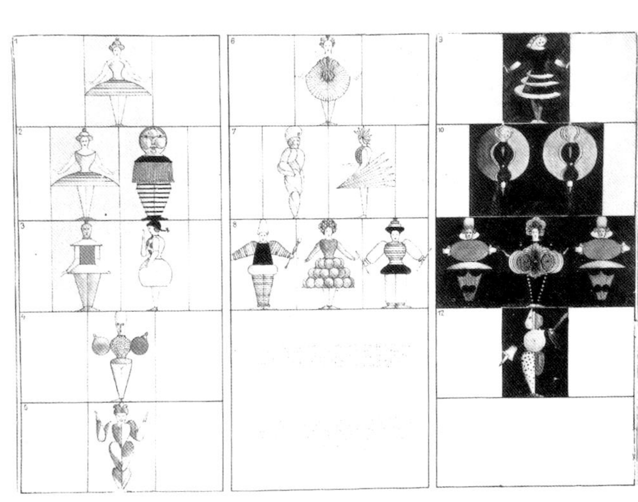

Schreyer）的带领下的表现主义倾向转向了更符合包豪斯的感觉上。有人这样说，来包豪斯的学生将会“治愈表现主义”。要想治愈他们可能曾经拥有的表现主义，只能通过施莱默介绍，了解更多的“形而上舞蹈”哲学概念或者他对各种戏剧的热爱——日本戏剧、爪哇木偶剧和各种马戏艺术表演者。除了艺术体操与“他们发展的合唱团运动”，学生们也分析了瑞士鲁道夫·冯·拉班（Rudolf von Laban）的动作表情和标注系统、拉班女门徒玛丽·威格曼(Mary Wigman),以及俄国结构主义者的作品(在柏林就可以看到，只有两个小时火车的车程)。

包豪斯舞台

在魏玛期间由于学校里没有实际的剧院，施莱默和他的学生就在创作室里直接研究表演，把每次实验都作为一次对“运动和空间元素”的研究。1925 年包豪斯迁往德绍,那里格罗皮厄斯已经设计好了新建筑群,戏剧工作室的重要性已足够授权某些专门部门进行剧院设计。即使这样,在一个立方形的礼堂里仍然保留了可以简单升降的舞台，以适应不同的照明、屏幕和梯状结构的方式来建构，施莱默、康定斯基、桑迪·沙文斯基和约斯特·施密特（Joost Schmidt）及其他人需要实现他们的作品。

尽管德绍的舞台简单有效，但基于大家都想像在包豪斯一样，尽可能多地进行实验表演，所以不同成员与学生都设计了自己理想的舞台版本。沃尔特·格罗皮厄斯（Walter Gropius）撰写了关于舞台空间构造的问题，对包豪斯的工作有特别意义。“如今的纵深舞台就像窗户一样，能够让观众看到了舞台的另一番世界。或者舞台用幕帘将自己同观众离间开来,它几乎完全抛开了过去的中央舞台。”格罗皮厄斯解释说,早期的“中央舞台”，与观众形成了不可分割的统一空间，并把他们拉入了戏剧情节。此外，他还指出，“画框”式的纵深舞台展示了一个二维空间问题，而中央舞台则展示了三维空间：中央舞台不是改变平面动作，而是提供了一个动作空间，在其中身体以雕塑形式移动。1926 年，格罗皮厄斯为导演欧文·皮斯卡托设计的“总剧院”，由于财政困难没能建成。

约斯特·施密特（Joost Schmidt）1925 年的机械舞台打算给包豪斯自己使用。它扩展了法卡斯·莫尔纳（Farkas Molnar）上一年的想法，具有多功能结构。莫尔纳的 U 形剧场由三个舞台组成。前后排列，分别为 12 米 ×12 米、6 米 ×12 米和 12 米 ×8 米大小。此外，莫尔纳也为观众提供了第四个舞台，计划让它悬挂在中央舞台之上。第一个舞台被设计在观众席中间，观众可以从三面看到舞台表演；第二个舞台的高度、深度和侧面是可变化的；第三个大致符合“画框”原则。尽管他们的设计具有与众不同的非凡创造性和灵活性，但无论是施密特的还是莫尔纳的设计最终都没有被实际建成。

安德烈亚斯·魏宁格（Andreas Weininger）的球形剧院被设计成房间里的“机械剧院”。围坐在球形剧院的内壁周围，根据魏宁格的说法，观众将会发现他们自己身处在“一种新的空间关系中”，在表演动作与“一种崭新心理的、光学的和声学的关系中”。另一方面，海因茨·勒夫（Heinz Loew）的机械舞台被设计在前部，而“传统剧院的设计则要小心翼翼地藏于观众的视点之外。有点自相矛盾的是，这常常使得后台活动成为剧院更为有趣的方面”。因此，勒夫提出，未来剧院的任务将会是“开发个人技术同开发演员一样重要，他的工作将使装置设备进入观众的视野，毫不掩饰，并且作为最终目的”。

弗雷德里克·基斯勒（Frederick Kiesler）

1922 年在柏林当弗雷德里克·基斯勒在库达姆大街剧院（Theater am Kurfürstendamm）为卡雷尔·恰佩克（Karel Čapek）的《罗素姆的全能机械人》（*Rossum's Universal Robots*）（图 100）展示他巨大的背景时，这些设置甚至引起了警察的注意。虽然他没有直接与包豪斯联系，但基斯勒的“空间舞台”和作品《罗素姆的全能机械人》，却在包豪斯享有声誉。另外，1924 年他在维也纳组织了第一届国际戏剧音乐节（the First International

图 100　弗雷德里克·基斯勒 (Frederick Kiesler) 为卡雷尔·恰佩克 (Karel Čapek) 的《罗素姆的全能机械人》(*Rossum's Universal Robots*) 设置，柏林，1922 年。这套设置包括可移动的浮雕墙、"电视" 板(由镜子构成) 和电影放映——这是第一次将电影和现场表演结合在一起。

Theatre and Music Festival)，其中包括众多的主要欧洲演员与导演的作品及讲座，这些人中也有包豪斯人。

为恰佩克的戏剧，基斯勒介绍了"机械时代"的美学精髓：即在未来社会，戏剧本身就是批量塑造人物的最有效方法。在发明家的实验室和工厂里，人们都在生产线上，同样，工厂的监控装置为工厂的登记簿服务，只允许那些"理想的参观者"进入这个秘密组织，所有这些都可以用基斯勒的运动舞台来阐释。"戏剧《罗素姆的全能机械人》是我第一次在剧院的场合里使用动画图片而不是画好的背景。"基斯勒解释说。对于工厂登记簿的筛选装置，基斯勒在舞台道具中间做了一个大的方形窗户，像一个巨大的电视屏幕；这扇窗户还可以通过远程控制，当他在办公桌上按下按钮，"窗户就会打开，观众从后台的反光镜装置上可以看到两个人"。随着镜子中人物的变小，从外面观看到的人然后才会被允许进入舞台，"所有的人就从小投影图像走出，走向舞台，以真人大小向观众靠近"。

当导演想给他的参观者展示自己机器人工厂的现代性时，一块在舞台后面的巨大隔板就会打开，会呈现出一幅运动的图片（从舞台后面投射到环形屏幕上)。观众和参观者就可以看到一个巨大工厂的内部以及正在忙碌的工人。这种错觉让人印象深刻,“因为照相机走进了工厂内部,所以观众也有了台上演员走进运动图片中的景色的印象”。另一个特点是一系列闪烁霓虹灯的抽象设计,它象征着发明者的实验室。工厂的控制室是一个八英尺高的霓虹光圈,聚光灯从那里可以照进观众席中。

基斯勒想在整个剧目中不同的舞台上使用投影设备,以便保持活力,这种想法超越了主要“办公室”的操控能力。因为担心引起火灾,柏林警察们被激怒后采取了行动,所以每天晚上,当胶片开始放映时,他们就发出火灾警报,这不是基斯勒想要的。经过几次这样的中断,基斯勒屈服于警察们的抗议,在投影幕布前修了一个水槽。因此,胶片就被投射在了不停流水的水墙上,却产生了“美丽的半透明效果”。对于基斯勒来说,这种意外给整部作品也做了贡献:“从开始到结束,整部由演员表演的戏剧都在运动,侧墙也在移动。创造空间张力是戏剧化的概念。”

与此同时,莫霍利-纳吉(Moholy-Nagy)在包豪斯将“整体戏剧”规划为“伟大的动态过程,这个过程可以最大化地减少大众争端,或者减少媒介作为质量与数量上的张力进入基本形式的积累”。他在文章《马戏团、剧院与多样性》(*Theatre, Circus, Variety*)(1924 年)中写道,“没有什么可以阻挡使用复杂的设备,如胶片、汽车、电梯、飞机以及其他机械设备,光学仪器、反光器材等也同样”,“现在到了诞生出一种舞台活动的时候,它将不再让群众是沉默的观众,而是让他们同舞台表演融合在一起”。因为意识到这种过程,他总结道,“配备所有现代理解与沟通手段的千眼功能监视是必须的”。正是这种视觉艺术,使得包豪斯的艺术家们紧密地参与进了舞台空间设计。

包豪斯巡演公司

从1926年起,包豪斯在德绍(Dessau)这些年的表演获得了国际声誉。这可能是因为格罗皮厄斯(Gropius)对包豪斯剧场的大力支持以及学生

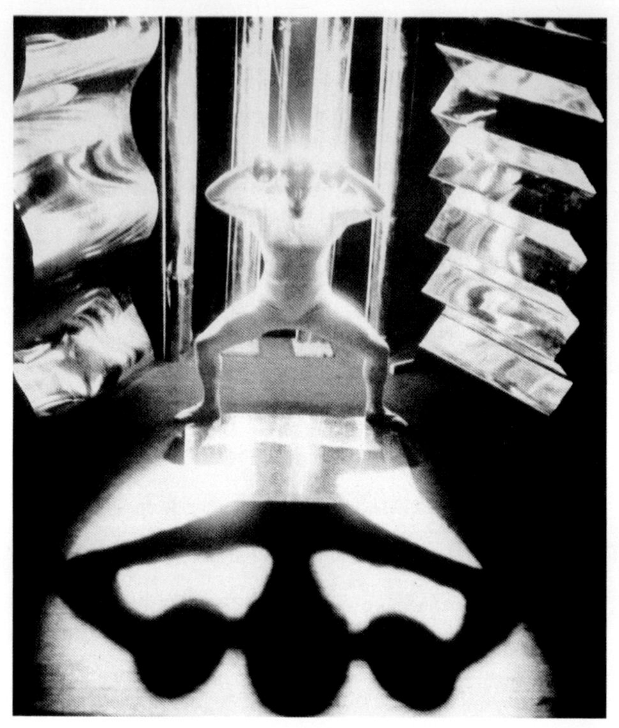

图 101 施莱默 (Schlemmer)，《金属舞蹈》(*Metal Dance*)，1929 年。

们的积极参与。他们如此重视和鼓励戏剧实验，以至于施莱默在他 1927 年的演讲中说：“我们要致力于成立演员巡回演出公司，哪里希望看到他们的作品，他们就去哪里表演。”当时这种愿望已是路人皆知的，于是施莱默和演出公司在欧洲众多城市间巡回演出，其中有柏林、布雷斯劳 (Breslau)、法兰克福 (Frankfurt)、斯图加特 (Stuttgart) 和巴塞尔 (Basle)。他们的全部剧目基本上是包豪斯三年表演的汇总，《空间之舞》(*Dance in Space*)、《平板舞蹈》(*Slat Dance*)、《形式之舞》(*Dance of Forms*)、《手势舞蹈》(*Gesture Dance*)、《金属舞蹈》(*Metal Dance*)、《铁箍之舞》(*Dance of Hoops*) 和《面具合唱》(*Chorus of Masks*) 等，此处仅举几例。

1929 年 4 月 30 日的《巴塞尔民族报》如此报道《金属舞蹈》(*Metal Dance*)（图 101）：“帷幕升起，黑色的背景幕布和黑地板出现。舞台深处的一处洞穴亮起来，它不比一扇门大，由高度反射的、边上有褶皱的锡质金属板制成。一个女人从里面走出来，穿着白色紧身衣。头和两只手被发光的银色球体连在一起。金属一样爽快、光滑和耀眼的音乐驱使人物行动果断干脆……整个表演非常简短，然后幽灵般淡出。”

《空间舞蹈》(*Dance in space*) 在光秃秃的舞台上上演，黑地板上画了大的白色正方形轮廓。正方形里画满了圆圈和对角线。舞者身穿黄色紧身衣和金属球形面罩跌跌撞撞地穿过舞台，并沿着白色直线进行跳跃。第二个面具人出现，身穿红色紧身衣，穿着同样几何形状的衣服，但却迈着大步向前走。最后第三个人出现，穿着蓝色紧身衣，平静地穿过舞台空间，对地板上的示意图指示视而不见。它基本上代表了三种典型的人类行走状态，也符合施莱默习惯上对三的使用。它显示了三种颜色的特性及其在形式上的象征：“黄色——足尖跳跃；红色——阔步向前；蓝色——沉稳的步伐。”

在包豪斯表演的回顾展中，第八个舞蹈是《积木游戏》(*Game with Building Blocks*)(图 102)。在舞台上有一面砌起来的墙，三个人从它的后面爬了出来。他们一块一块地将墙体拆除，并把每块砖拿到舞台的另

图 102 施莱默 (Schlemmer)，1926 年，《积木游戏》(*Game with Building Blocks*)，主演沃纳·谢尔德豪夫 (Werner Siedhoff)，包豪斯舞台，1927 年。

图 103　舞台工作室成员身着面具和戏服在德绍演播室的屋顶上，1926 年。

一区域。他们用砖匠连续扔砖的节奏把每一块砖扔给下一个人，最后他们在舞台上建起一座中央塔，围着它跳舞，一出舞蹈表演就诞生了。

《舞台两翼的舞蹈》（*Dance of the Stage Wings*）由多个一前一后放置的隔离物组成。在两个隔离物之间的空间里会以零碎的节奏短暂出现头、手、脚、身体和词语，如“肢解的、疯狂的、毫无意义的、愚蠢的、平庸的和神秘的”，同瑞士记者解释的一样。“这是极端愚蠢的，非常可怕”，但对记者来说最重要的是，作品揭示了“‘舞台两翼’现象的全部意义和愚蠢性”。虽然承认舞蹈短暂的结局有许多故意设置的荒诞性，但记者依然热情地总结了他的评价：“那些试图发现现象背后‘东西’的人，将会什么也找不到，因为其背后没有东西可以去发现。所有东西都在那儿，就在人们感觉到的那儿！没有情感被‘表达’，更没有情感被激起……整个过程就是一个‘游戏’，一个自由和解放的‘游戏’……纯粹的绝对形式。就像音乐是……”

这种良好的反应导致巡演公司 1932 年到巴黎国际舞蹈大会(International Dance Congress) 上展示《三人芭蕾》(*Triadic Ballet*)。但这也是他们的最后一次演出。包豪斯在格罗皮厄斯任期的第九年解体；与众不同的导演的需求、汉斯·迈耶 (Hannes Meyer) 反对施莱默舞蹈创作的“形式与个性”及新普鲁士政府实施的审查制度：所有这些使得施莱默的梦想变成了昙花一现。

1932 年在德绍的包豪斯最终关闭了。它那时的导演密斯·凡·德·罗 (Mies van der Rohe) 试图在柏林一个废弃的电话工厂里，将学校作为一个私人机构进行运行。但那时，包豪斯舞台已经在表演历史上牢牢地确立了其重要意义。表演已经成为拓展包豪斯“所有艺术作品”原则的一种手段，所以他们精心设计舞蹈动作与作品，它将美学的和艺术的想法直接转化成生活艺术和“真实空间”。尽管包豪斯经常是戏谑的和讽刺的，它从来不像未来主义者、达达主义者或超现实主义者那样故意挑衅或蓄意政治化。但却像他们一样，包豪斯强调表演的重要性，他们把表演作为自身的一个媒介。随着第二次世界大战的临近，表演活动越来越少，不但在德国，在许多其他欧洲中心国家也是这样。

第六章　现场艺术：从 1933 年到 1970 年代

伴随着欧洲战争流亡者的到来，美国纽约 1930 年代末期开始出现了行为表演艺术。到 1945 年为止，它本身就已成为一种艺术活动，并得到了艺术家们的认可，超越了早期行为表演艺术的激进行为。

北卡罗莱纳（North Carolina）的黑山学院（Black Moutain College）

1933 年秋天，二十二名学生与九名教师，搬进了一个巨大的白色圆柱形建筑，校园俯瞰黑山镇的三英里远近和周围的山谷、山脉。尽管资金极少，这个小社区还是很快吸引了艺术家、作家、戏剧家、舞蹈家和音乐家前来，他们来到了南部的边区村落，导演约翰·赖斯（John Rice）设法制订了临时课程。

为了找一位艺术家来确立多样化课程的核心焦点，赖斯邀请约瑟夫·阿尔伯斯（Josef Albers）和安尼·阿尔伯斯（Anni Albers）加入学校。在包豪斯被纳粹关闭前，阿尔伯斯曾任教于那里，他迅速提出原则性与创新性必须结合的想法，这个想法具有他在包豪斯那些年的特征。“艺术与‘如何’相关，而不是与‘什么’相关；不是与文字内容相关，而是与实际内容相关。‘如何去表演’就是艺术的内容。”他向来听讲座的学生解释说。

尽管没有明确的宣言或它结束的公开声明，作为一个跨学科教育的藏匿处，这个小群体渐渐获得了声誉。他们昼夜工作在公司里，所以很容易将简短的即兴表演变得更娱乐。但在 1936 年，阿尔伯斯邀请他的包豪斯前同事桑迪·沙文斯基（Xanti Schawinsky）来帮助扩展艺术师资队伍。考虑到自己自由设计的项目,沙文斯基很快列出了他的“舞台研究”项目大纲，其很大程度上是对早期包豪斯实验表演的拓展。“这门课程并不打算作为对当代戏剧任何一种分支的训练。”沙文斯基解释道。它更像是一种对基本现象的综合研究:“空间、形式、色彩、光线、声音、运动、音乐和时间等。”沙文斯基在这里的第一次舞台演出来源于他在包豪斯时的剧目《光谱化学分析戏剧》(*Spectrodrama*)，它“是一种旨在艺术与科学之间交互变化的教育方法，并把剧院作为实验室和动作、实验的场所”。

创作团队由各学科的学生组成，“他们从不同角度处理流行概念和现象，创作舞台作品，表达他们的想法”。

以光和几何形式的视觉互动为重点,《光谱化学分析戏剧》(*Spectrodrama*)吸收了早期赫希菲尔德-麦克反射光的实验经验。如这样的场景：一个黄色正方形“向左移动并消失，揭开了三个连续的白色形状——三角形、圆形和正方形”，这样的表演是包豪斯典型的夜场演出。“我们的作品关乎形式和图像的概念，”沙文斯基解释说，“它是视觉戏剧。”“第二部演出的是《死亡之舞》（*Danse Macabre*，1938 年）（图 104），观众穿着斗篷、戴着面具，同另一部圆形作品相比，它不那么具有视觉奇观性。这两部作品与沙文斯基的课程联系在一起，把表演作为重点介绍给各种艺术学院成员间的合作。沙文斯基 1938 年离开这里，加入了芝加哥新包豪斯，但很快这里又来了一些做短暂访问的艺术家和作家，包括奥尔德斯·赫胥黎（Aldous Huxley）、弗尔南多·莱热（Fernand Léger）、莱昂内尔·费宁格（Lyonel Feininger）和桑顿·王尔德（Thornton Wilder）。两年后，学校迁至伊甸湖，

图 104　桑迪·沙文斯基的《死神之舞》(*Danse Macabre*)，于 1938 年在黑山学院上演。

离北卡罗莱纳州的阿什维尔（Asheville）不远，并且在 1944 年成立了一个暑期学校，打算吸引大批不同学科的创新艺术家。

约翰·凯奇（John Cage）和摩斯·康宁汉姆（Merce Cunningham）

在黑山学院作为一所实验性学校逐渐增加知名度的同时，在西海岸的纽约，年轻的音乐家约翰·凯奇和舞蹈家摩斯·康宁汉姆也开始以想法独特在他们的小圈子里崭露头角。1937 年，凯奇曾一度在加利福尼亚的波莫纳学院（Pomona College）短期学习美术，与勋伯格一起作曲，他用名为《音乐的未来》(*The Future of Music*) 的宣言来表达他对音乐的观点。基于这一想法，他说："无论我们在哪里，我们听到的大部分是噪音……不论是一辆 50 英里时速的卡车、雨声，还是两个电台之间的静电干扰，我们发现噪音是迷人的。"凯奇试图"捕获和控制这些声音，使用它们，但不是作为声音效果，而是作为乐器"。被"声音图书馆"囊括进来的还有电影摄影棚里的声效，后者使"声音图书馆"成为可能，例如，"制作和表演十五分钟的汽车爆炸声、风声、心跳声和滑坡声"。1942 年，

图 105 约翰·凯奇的纽约首演，1943 年于现代艺术博物馆。

一位《芝加哥每日新闻》的评论家这样评价有上面这样想法的音乐会，在文章标题写道："人们称之为噪音，但他称之为音乐。"这位评论家指出，"音乐家"们用下列物品进行演奏：啤酒瓶、花盆、牛铃铛、汽车闸鼓、餐铃和雷板进行演奏，并且"用凯奇先生的话说，'我们可以把手放在任何地方进行演奏'"。

尽管当时的媒介对凯奇的这些作品有令人困惑的反应，但是凯奇第二年还是接到了纽约现代艺术博物馆（the Museum of Modern Art）的邀请，邀请他举办音乐会（图 105）。颚骨"砰"的一声重响，然后是中国汤碗叮当作响，牛铃铃声来袭，根据《生活周刊》(*Life*) 杂志记载，一位额头很高的观众"专心地倾听而没有一丝一毫看起来被噪音干扰的结果"。众所周知，纽约的观众对这个实验音乐会要比 30 年前的观众更有宽容度，30 年前，他们愤怒地抨击那些未来主义者（Futurist）为"噪音音乐家"。事实上，凯奇的音乐会迅速成为他这次及早期的实验音乐的严肃的分析本体，而且凯奇本人对于这一主题本身也著述颇丰。根据凯奇的理论，为了理解大约发生于 1935 年的"音乐复兴的感觉和新发明的可能性”，应该对路易吉·鲁索罗的《噪音的艺术》(*The Art of Noises*) 和亨利·科威尔《新音乐资源》(*New Musical Resources*) 进行研究。他还提到了他的读者，如，麦克卢汉（McLuhan）、诺尔曼·欧·布朗（Norman O. Brown）、富勒（Fuller）和杜尚（Duchamp）——“创作音乐的方法之一：研究杜尚”。

在理论层面，凯奇指出，那些打算面对“整个声音领域”的作曲家，一定要为这样的音乐设计出全新的音乐标记法。他在宣言里提出他发现了东方音乐为“即兴节奏结构”的模式，虽然很大程度上是基于“不成文”的哲学理念，但却使得凯奇一直坚持这个偶然发现的和不确定的概念。“一块主要由无目的组成的不确定碎片，”他写道，“尽管这听起来可能像是一个已经完全确定的，但从反音乐的结果看来，它会导致两种表演方式不同。”从根本上来说，不确定性将“灵活性、流畅性等”都考虑进去了，它致使凯奇提出了“无目的音乐”这个概念。这样的音乐，他解释说，可以使得欣赏者能够听清楚“他正在听的片段，这是他自己的活动，或者也可以说，这段音乐是欣赏者自己的，而不是作曲家的”。

这种理论和态度反映了凯奇对佛教禅宗和一般意义上的东方哲学的深切关注，同时，他的这些理论与摩斯·康宁汉姆（Merce Cunningham）当时的理论并行。后者如凯奇一样，早在50年代就将偶然性与不确定性作为一种可以达到新舞蹈实践的手段。作为玛莎·格雷厄姆（Martha Graham）公司的首席舞者，康宁汉姆在那里跳了几年后，很快就放弃了格雷厄姆风格的戏剧性和线性叙事，以及把音乐作为节奏指引。就像凯奇在我们周围的日常环境音响中发现音乐一样，康宁汉姆也指出行走、站立、跳跃以及全方位可能的自然运动，都可将其视为舞蹈。“对我来说，舞者可以做他们日常做的动作。这些日常生活中被接受的运动，为什么不能在舞台上出现？”

尽管凯奇已经指出“每个大组合里的小单元都是整体特征的一个缩影”，康宁汉姆还是强调“场景中的每个元素”。他说，把每种情况都当成其具体情况，这是必要的，这样的话就会使得每个动作都是其本身。这种对于既定情况的尊重，通过对偶然性的运用加强了，如在《十六支独舞和三支伴舞》(*Sixteen Dances for Soloist and Company of three*，1951 年）这部作品（图 106）里，“印度古典戏剧的九种永恒情感”是通过掷硬币来决定的。

到 1948 年为止，两位舞者和音乐家在近十年的时间里已经合作了几个项目，他们都被邀请加入过当年的黑山学院（Black Mountain College）的夏季学校，威廉·德·库宁（Willem de Kooning）和巴克明斯特·富勒（Buckminster Fuller）也在其中。他们一起重新改编了埃里克·萨蒂（Erik Satie）的《美杜莎的诡计》(*The Ruse of the Medusa*)（图 107）中的“在巴黎的设置，昨天”。演出由伊莲·德·库宁（Elaine de Kooning）扮演

图 106（左） 摩斯·肯宁汉姆在作品《十六支独舞和三支伴舞》(*Sixteen Dances for Soloist and Company of three*）中，1951 年。

图 107（右） 埃里克·萨蒂的《美杜莎的诡计》(*The Ruse of the Medusa*）于 1948 年在黑山学院被改编。巴克敏斯特·富勒（左）扮演巴龙·美杜莎，摩斯·康宁汉姆扮演“机械猴子”。

女主角、富勒扮演巴龙·美杜莎（Baron Médus）、康宁汉姆扮演“机械猴子”并作为编舞以及威廉·德·库宁作为舞台设置。演出由海伦·利文斯顿（Helen Livingston）和亚瑟·佩恩（Arthur Penn）导演，这部作品介绍了萨蒂“戏剧”鲜为人知的荒诞和对于黑山人民来说他的古怪音乐想法。然而，这时凯奇不得不为萨蒂的戏剧想法被认同而努力，就像他很快就会为他自己的想法争取一样。他的“捍卫萨蒂”讲座伴随着 25 个半小时系列音乐会，在晚餐后，每周三个晚上，他在讲座中陈述道，“我们不应该在材料上妥协”，并且他在自己的作品中表现了这一看法：他的“定制的钢琴”琴弦上挤满了奇怪的材料——橡胶带、木勺子、纸屑和金属——以创作出紧凑的“打击交响乐”的声音。

1952 年，凯奇将这些实验进行得更远，直至他著名的无声作品。《4 分 33 秒》是一个“三种运动中的碎片，其间没有故意产生的声音”；它完全放弃了音乐家的所有干预。该作品的第一个诠释者，戴维·都铎，他坐在钢琴前 4 分 33 秒，默默地移动他的手臂三遍；在这段时间内，观众们明白他们听到的一切都是“音乐”。“我最喜欢的一部作品，”凯奇之前写道，“就是如果我们安静下来，所听到的那首。”

黑山学院 1952 年的无题事件

同一年，凯奇和康宁汉姆因为另一个夏季学校再次回到了黑山学院。那个夏天，在大学餐厅里进行的表演晚会为 1950 年代晚期和 1960 年代的无数事件开了先河。在真正演出前，凯奇朗读了黄檗禅宗学说的宇宙意识（Huang Po Doctrine of Universal Mind），它以其奇异的方式预测事物。凯奇对禅宗的评论被弗朗辛·迪普莱西–格雷（Francine Duplessix-Gray）注意到了，然后是一个年轻的学生：“在佛教的禅宗里，没有什么是好的或坏的……丑的或美的，艺术它不应该有别于生活，而应该是生活中的一个情节。像所有生命一样，有其意外性、偶然性、多样性、无序性和暂时的美丽。”他们为表演所做的准备降到了最低：给表演者都发

图 108　黑山学院 1952 年夏季召开的《无名事件》的座位安排示意图。

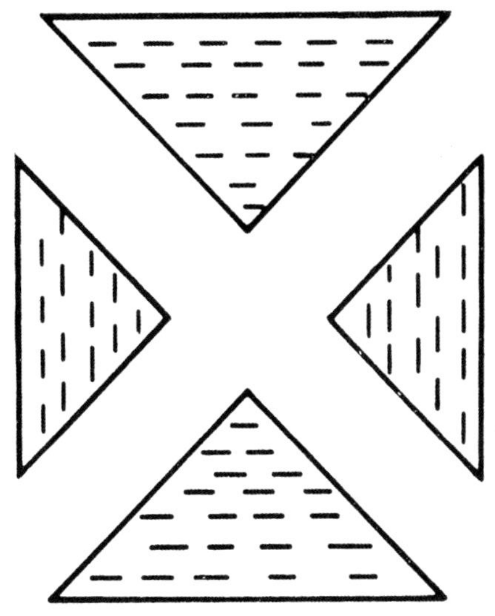

了表示“时间表”的“成分”，并且每个人都要按成分表上的暗示填写私人动作、非动作和沉默的时刻。表演结束前这些是不能显示的。这样的话，在突发性动作和它的下一个动作之间就没有必然的“因果关系”了，根据凯奇的看法，“之后发生的一切都在于观察者本人”。

观众坐在正方形舞台上的表演区域内，这里被对角线斜过道分成四个三角形（图 108），每个人拿起放在椅子上的白色杯子。来访学生罗伯特·罗森伯格（Robert Rauschenberg）画了一幅白色的画，悬挂在头顶上方。凯奇穿着黑西装打着领带站在台阶上朗读一段“音乐和佛教禅宗关系”的文本和麦斯特·埃克哈特（Meister Eckhart）的文章摘录。然后,他按照提前安排好的“时间表”表演一个“无线电曲目”。与此同时，罗森伯格（Rauschenberg）在一个坏了手柄的留声机上演奏老唱片，戴维·都铎（David Tudor）演奏“定制钢琴”。稍后，都铎走向两只水桶，把水从一个桶里倒到另一个桶里。与此同时，查尔斯·奥尔森（Charles Olsen）和玛丽·卡洛琳·理查兹（Mary Caroline Richards）站在观众中间朗读诗歌。康宁汉姆和其他人跳着舞穿过斜过道，后面被一条兴奋的狗追赶着，罗森伯格放映“抽象”的幻灯片（由彩色明胶夹在玻璃间），并把电影短片投射到天花板上展示第一学校的厨师，然后，当短片逐渐从天花板上移动到墙上时，画面上是日落的内容。在一个角落里，作曲家杰·沃特（Jay Watt）用异国乐器进行演奏，还演奏了“吹口哨、婴儿尖叫和由四个白衣男孩服务的咖啡”。

乡下观众很高兴。只有作曲家斯特凡·沃尔普（Stefan Wolpe）走出来反对这种形式，所以凯奇宣布当天的晚会成功。“无政府主义”事件；“漫无目的的，我们不知道其中将会发生什么”，它为未来的合作提供了无限可能性。它也为康宁汉姆的舞蹈公司找到了一位新的服饰和服装设计师——罗伯特·罗森伯格。

新学校

尽管它位置遥远和观众有限，但无题事件的新闻还是传到了纽约，在 1956 年开始的新学校社会研究里，它成为凯奇谈论的焦点，学生们也追随他的实验音乐创作课程。这些小班级里有画家、电影人、音乐家和诗人，其中有艾伦·卡普罗（Allan Kaprow）、杰克逊·麦克劳（Jackson MacLow）、乔治·布莱希特（George Brecht）、阿尔·汉森（Al Hansen）和迪克·希金斯（Dick Higgins）。普通学生的朋友，如乔治·西格尔（George Segal），拉里·潘氏（Larry Poons）和吉姆·戴恩（Jim Dine）也参加了这门课程。他们每个人的作品里都以不同的方式吸收了达达主义和超现实主义的偶然性概念和“无目的性”行为。有些画家的作品超越了传统的画布格式，代之以超现实氛围展览，罗森伯格的“组合”和杰克逊·波洛克（Jackson Pollock）的行为绘画。他们大多深受凯奇的课程和报道的黑山事件影响。

现场艺术

现场艺术是环境和拼贴逻辑的下一个步骤，它直接反映了当代绘画的情形。对卡普罗来说，环境既是“对绘画多层态度的空间表征”，也是“表演锡兵戏剧、故事和音乐结构”的手段，在这些方面，卡普罗曾经使用单一的绘画方式进行表现。克拉斯·奥尔登堡（Claes Oldenberg）的现场表演既反映了他的雕塑对象，同时又反映了他创作的绘画。这种现场艺术表演为他把如下无生命的实物，如打字机，乒乓球桌、衣物、冰激凌蛋卷、汉堡、蛋糕等改变成运动的物体提供了方法。吉姆·戴恩的表演是对日常生活的延伸，但不是对他的绘画的延伸，即使他承认它们的确是他“绘画的内容”。雷德·格鲁姆斯（Red Grooms）在马戏团和游乐场为他的绘画和表演找到了灵感，罗伯特·怀特曼（Robert Whitman）认为他的现场艺术表演主要是戏剧活动，尽管他最开始是画画的。“这需要时间”，他写道，并且对他来说，时间就是一种像油彩或石膏一样的物质。而另一方面，阿尔·汉森（Al Hansen）转向行为表演，是因为反对“对传统形式的戏剧完全没有任何兴趣”的表演。他说他最感兴趣的一部作品是那部“封锁了观察者，并且将不同的艺术形式重叠和穿插使用”的作品。尽管他承认这些想法源于未来主义、达达主义和超现实主义，但他还是提出了一种新的戏剧形式，即“人们使用拼图的方法把多个部分组合在一起”。

“在 6 部分里的 18 个偶发艺术”（18 happenings in 6 parts）

1959 年秋天在纽约鲁本画廊（the Reuben Gallery）（图 109）卡普罗进行了《在 6 部分里的 18 个偶发艺术》表演，它是最早为更广范围的公众提供参与行为表演的机会之一，几个艺术家已经私下里为他们的各种各样的朋友表演过这种行为表演。决定此时是“增加”观察者的“责任”后，开普罗发出了邀请，邀请中包括“你将成为正在发生的行为表演的一部分，并同时体验他们”的声明。第一次声明后不久，受邀的人就收到了一些神秘的塑料信封，里面有一些纸片、照片、木头、绘画碎片和切出的数字。他们还提供了一个模糊的想法：“这部作品有三个房间，每个房间的尺寸和感觉都不一样……有些客人也会参与表演。”

那些来鲁本画廊的人发现二楼上的阁楼被一些塑料墙拆分开了。在建构的三个房间里,椅子被摆成圆形和长方形,使得观众面对不同的方向。彩灯串起来通过不同的空间；在第三个房间里，用板条将“控制室”隐藏起来，这里是表演者出入的地方。落地大镜子立在第一和第二个房间里折射复杂的环境。每位出场的观众都带着一个节目单和三张钉在一起的小卡片。“表演分为六个部分,”注释上说明，“每个部分包含着马上要发生的三个事件。每个开始和结束的部分都会被听到。”观众被警告要谨慎地按照指示进行：在第一二部分期间他们可能坐在第二个房间里，在第三四部分期间，他们可能要移到第一个房间，等等。每次移动都是在铃响的时候进行，每次摇铃的精确时间间隔是 2 分钟时长，两个 15 分钟的时间间隔将会分开较大的部分。“**在每一部分之后是没有掌声的**，但你可以在第六部分之后鼓掌，如果你希望的话。”

观众（节目单里指明他们作为演职员的一部分）在铃响之时就坐。扩音器中的声音宣布演出开始：人们排成一列，沿着狭窄的临时房间的过道僵硬地行进，一个房间中一个女人安静地站了十秒，然后左臂抬起，前臂指向地板。幻灯片在相邻的房间里放映。然后两名表演者朗读手上的标语牌：“时间就是本质……我们已经知道时间……在精神上……”或者在另一个房间里:“我打算聊聊昨天的一个主题,所有最亲爱的你们——艺术……但是我无法开始。”长笛、夏威夷四弦琴和小提琴在演奏，画家们在镶嵌于墙里的未涂底漆的画布上画画，留声机放在手推车上正在播放着；最终，在 90 分钟内同时表演了 18 个艺术行为后，4 个 9 英尺长的卷轴在男女演员间的水平轴上翻转，他们背诵着单音节词汇——“但……”“好……”如承诺的一样，铃响两次就结束了。

观众们一头雾水，试图从这些零碎的事件中进行揣测。因为卡普罗曾警告说，“表演并不意味着可以用公式清晰表述，就像艺术家所关心的那样”。同样，术语“偶发”是无意义的：它只是打算象征“一些自发的、偶然发生的事情”。然而，在开放前，整部作品精心排练了两周，并且在一周的节目表演中也认真日常排练。此外，表演者们都有由卡普罗精确标明的记忆粘贴图纸和时间分配表。因此，每个运动结果都是被认真操控的。

更多的纽约偶发艺术

《18 个偶发艺术》（*18 Happenings*）（图 109）很明显缺乏意义，这一点被那个时代的其他表演作品所折射。大多数艺术家为了他们作品的主题和表演发掘自己的私人“意象”。卡普罗的作品《庭院》（*Courtyard*，1962 年），发生在格林威治村一个废弃旅馆的庭院里，内有一座 25 英尺高的的纸“山”、一座“倒立的山”、一个穿晚礼服的女人和一个骑自行车的人，所有这些都有特定的象征内涵。例如，“梦想女孩”是“一些古老原型象征的化身，她是自然女神（自然母亲）和阿佛洛狄特（Aphrodite，

图 109　艾伦·卡普洛的《在 6 部分里的 18 个偶发艺术》，1959 年，图为鲁本画廊中三间房间构成的环境中的一间。

美国小姐)”。罗伯特·怀特曼（Robert Whitman）在《美国月亮》(*The American Moon*，1960 年）中的同心隧道代表了“时间胶囊”，表演者通过同心隧道被带到了中心空间的“虚无”里，并在层层粗麻布和塑料帘子中迷失方向。对奥尔登堡（Oldenburg）来说，个体的行为表演可能是“现实主义”的，因为它通过图片瞬间固定行动的“碎片”，就像《城市快照》(*Snapshots from the City*，1960 年）一样，出现了拼贴的城市景观：一条内置的街道，舞台上静止的、靠在粗糙纹路墙面的人物，闪烁的灯光以及地板上可见的物体；或者它可能是一个真正“梦想”事件的变形，如《自体》(*Autobodys*，洛杉矶，1963 年）一样，它由电视上肯尼迪总统葬礼队伍中缓慢移动的黑色汽车的画面激发灵感。

很多演出迅速地跟风：在卡普罗作品《庭院》展示六周后，雷德·格鲁姆斯（Red Grooms）的《燃烧的建筑》(*the Burning Building*）在德兰西街博物馆(Delancey Street Museum,实际上是在格鲁姆斯的顶楼上)演出，汉森在普拉特学院（the Pratt Institute）演出他的《嗨—嗬 哔啵啵》(*Hi-Ho Bibbe*),卡普罗的《大笑》(*The Big Laugh*）和怀特曼的《小型火炮》(*Small Cannon*）在鲁本画廊演出。一场多种行为表演的晚会计划于 1960 年 2 月在华盛顿广场的贾德森纪念教堂（Judson Memorial Church）举行，这里开始对艺术家们的演出敞开欢迎之门。《射线枪透视器》(*Ray Gun Spex*）大约聚集了二百人，由克拉斯·奥尔登堡、怀特曼、卡普罗、汉森和希金斯、戴恩及格鲁姆斯组织。教堂的画廊、接待室、健身房和大厅都为奥尔登堡的《城市快照》(*Snapshots from the City*）和汉森的《死于急性酒精中毒的 W.C. 菲尔兹的安魂曲》(*Requiem for W.C. Fields Who Died of Acute Alcoholism*）占用了——后者把一首诗歌和 W.C. 菲尔兹的“电影环境”剪报，投射在了汉森胸部的白衬衫上。教堂的主健身房被一些帆布平底鞋覆盖着，一只巨大的皮靴走来走去，作为卡普罗作品《可口可乐！可口可乐！雪莉炮弹吗？》(*Coca Coca, Shirley Cannonball?*）的一部分。为了作品《微笑的工人》(*The Smiling

图 110 吉姆·戴恩的《微笑的工人》，1960 年于纽约贾德森教堂，照片拍下了他喝颜料的情境，之后他将在写着“我爱我所是的”的画布上撞出一个大洞。

Workman)（图 110），吉姆·戴恩（Jim Dine）展示了自己的喜好：穿着红色长袍，手和头发都染成了红色，一张巨大的黑嘴，当他在一块大帆布上画完“我爱我所是的……”的时候，他喝起了桶里的颜料。晚会上迪克·希金斯用德语计数，直到所有人都离开才结束。

尽管这些作品的灵敏度和结构不尽相同，但他们还是都被新闻媒介放在了“行为表演”的总标题下，紧随卡普罗的《18 个偶发艺术》（*18 Happenings*）之后。没有艺术家愿意同意团体这一说法，并且他们中的许多人都有澄清的欲望：没有“行为表演”群体的形成，没有统一的集体宣言、杂志或宣传发行。但不管他们喜欢还是不喜欢，“行为表演”这个术语保留了下来。它涵盖了广泛的活动，但它未能区分作品间的不同创作意图，也没有区分那些对卡普罗的“行为表演”定义持支持和反对的意见，在卡普罗看来一些事件作为行为偶发艺术只能被表演一次。

事实上，迪克·希金斯、鲍勃·瓦特（Bob Watts）、阿尔·汉森、乔治·马库尼亚斯（George Macunias）、杰克逊·麦克劳（Jackson MacLow）、理查德·马克斯菲尔德（Richard Maxfield）、小野洋子（Yoko Ono）、拉·蒙特·扬（La Monte Young）和艾莉森·诺尔斯（Alison Knowles）在火星咖啡馆（the Café A Gogo）、拉里·潘氏缩影咖啡馆（Larry Poons' s Epitome Café）、小野洋子位于钱伯斯街（Chambers Street）的顶楼上以及上城区的 A/G 美术馆进行他们与众不同的演出，所有这些都在一个通用的名字"激浪派"(Fluxus）之下，它是 1961 年由马库尼亚斯创造出来的一个术语，作为上面提到的一些艺术家作品选集的标题。激浪派团体很快就获得了自己的展览空间——激浪大厅（Fluxhall）和激浪商店(Fluxshop)。然而，瓦尔特·德·玛利亚（Walter de Maria)，特里·詹宁斯（Terry Jennings)、特里·赖利（Terry Riley)、丹尼斯·约翰逊（Dennis Johnson)、亨利·弗林特（Henry Flynt)、雷·约翰逊（Ray Johnson）和约瑟夫·伯德（Joseph Byrd）被展示的作品，这些词都不能对其进行归类，尽管印刷媒体和评论家倾向于将他们划入激浪派。

舞者如西蒙福蒂（Simone Forti）和伊冯·雷内（Yvonne Rainer)，他们曾经在加利福尼亚与安·哈普林（Ann Halprin）一起工作，也曾经把哈普林的一些激进创新带到纽约。他们打算把纽约这个时期的表演加入多样性元素。这些舞者反过来也会强烈地影响之后出现的许多表演艺术家，如罗伯特·莫里斯（Robert Morris）和罗伯特·怀特曼（Robert Whitman)，最终后者与他们一起合作。

这些不同活动的唯一共同点就是都在纽约市，其闹市区的顶楼、流动画廊、咖啡馆和酒吧，为 1960 年代早期的表演者提供了场所。然而，除了美国之外，欧洲和日本的艺术家们同时期也发展了表演艺术本体的规模与多元化。到 1963 年时，许多人如罗伯特·菲力欧（Robert Filiou)、本·沃捷（Ben Vautier)、丹尼尔·斯佩里（Daniel Spoerri)、本·帕特森（Ben Patterson)、约瑟夫·博伊斯（Joseph Beuys)、埃米特·威廉姆斯（Emmett Willianms）、白南准（Nam June Paik）、托马斯·施密特（Tomas Schmit）、沃尔夫·福斯特尔（Wolf Vostell）和让-雅克·拉贝尔（Jean-Jacques Lebel），他们既参观纽约，同时也送出他们在欧洲业已完成的具有与众不同想法的作品。日本艺术家如小杉武久（Takehisa Kosugi）、久保田成子（Shigeko Kubota）和一柳慧（Toshi Ichiyanagi）从日本来到纽约，日本大阪（Osaka）的具体艺术协会（Gutai Group）的金山明（Akira Kanayama）、元永定正（Sadamasa Motonage）、向井秋三（Shuso Mukai），村上三郎（Saburo Mirakami）、岛本昭三（Schozo Shimamoto）和白发一雄（Kazuo Shiraga），这些艺术家与其他人在来纽约之前已经表演了他们自己颇为壮观的作品。

“我就是我”和“你”

越来越多的行为表演节目遍布纽约。“我就是我节”（the Yam Festival）从1963年5月开始持续了一年。它包括各种各样的展览，如阿尔·汉森的《拍卖》（*Auction*），艾丽森·诺尔森（Alison Knowles）的《我就是我帽子的销售》（*Yam Hat Sale*），福斯特尔的《起飞》（*Décollages*），还包括在新布伦斯维克省（New Brunswick）的乔治·西格尔（George Segal）农场一整天的游览。迈克尔·科比（Michael Kirby）的《第一与第二荒野，内战游戏》（*The First and Second Wilderness, a Civil War Game*）于1963年5月27日在他市中心的顶楼开始，这里的空间被界定成两部分，分别标明是“华盛顿”和“里士满”，两英尺高的纸板士兵在啦啦队员和观众的欢呼声中战斗，与此同时比赛分数由穿着比基尼的女人登上梯子标记在大比分板上。

表演音乐会在卡耐基演奏厅（Carnegie Recital Hall）举行，在这里1963年8月夏洛特·摩尔曼（Charlotte Moorman）举办了首届先锋节（Avant-Garde Festival）。卡耐基演奏厅从最初的音乐节目，很快扩展到了艺术家们的表演，卡普罗以及麦克斯·纽菲德（Max Neufield）、

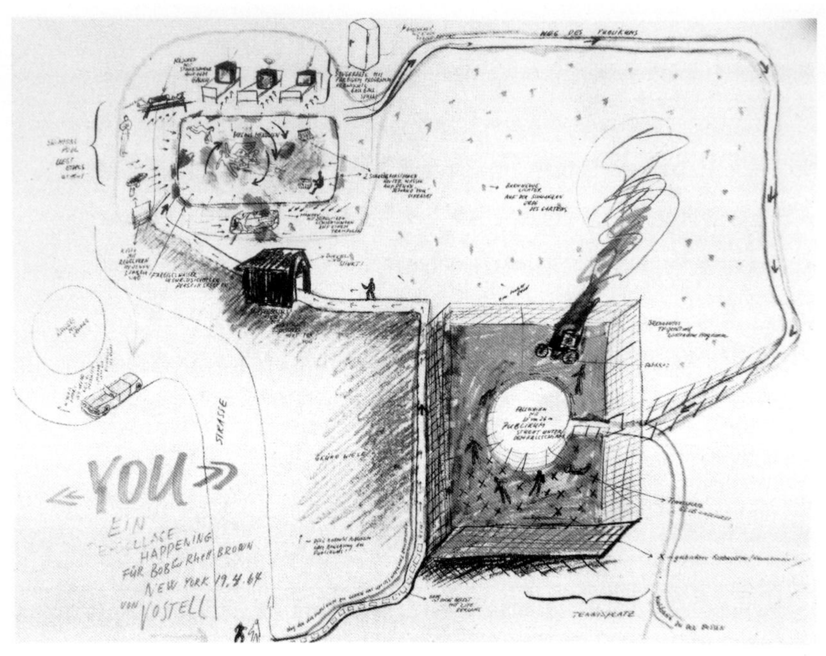

图 111　沃尔夫·福斯特尔 1964 年的作品《你》的平面示意图，在纽约乡村的德尔福特 - 布朗的家庭农场举行，为全天活动。

白南准（Nam June Paik）、罗伯特·戴尔福德–布朗（Robert Delford-Brown）、莱特·埃森豪威尔（Lette Eisenhauer）和奥尔加·阿多诺（Olga Adorno）等人把施托克豪森（Stockhausen）的《原型》（*Originale*）改编成了管弦乐。这里也有各种持不同意见者，如亨利·佛林特（Henry Flynt）、乔治·马库尼亚斯（George Macunias），艾–欧（Ay-O）、斋藤贵子（Takako Saito）和托尼·康拉德（Tony Conrad），他们批评这些表演，认为外国进口的就是“文化帝国主义”。

1964 年 4 月，在当地人和外国人之间的分裂还在持续时，福斯特尔在罗伯特和瑞德·戴尔福德–布朗（Rhett Delford-Brown）纽约（Great Neck）郊区的家中展出了《你》（*You*）（图 111）。《你》是关于“反拼贴”的偶发艺术，它在游泳池、网球场和果园里及周围进行表演，四百磅的牛骨头在这些地方四处散落着。一条狭窄的小径，“非常狭窄，每次只能有一个人通过”，到处都是《生活杂志》（*Life*）的彩色广告，并用扬声器同每一个经过的人打招呼："你，你，你！"声音在三个主要活动地点之间回荡。在游泳池的深水处有水、几部打字机、塑料袋和充满亮黄色、红色、绿色和蓝色染料的水枪。"躺在水池底并建起一座巨大的坟墓。躺在那里的时候，你要决定是否用带颜色的水枪射击其他人"，这些参与者都被指导过。水池边有三台彩色电视机放在一个医院的病床上，每部电视都显示着不同的变形的棒球比赛画面；莱特·埃森豪威尔（Lette Eisenhauer）穿着肉色衣服，躺在一对充气牛肺之间的蹦床上；一个裸体女孩躺在桌子上拥抱真空吸尘器罐。"电视节目在播放时把你自己绑在床上……解放自己……当电视燃烧时，请戴上防毒面具，并尝试尽可能地对别人友好"，扩音器里的声音在继续着。

福斯特尔（Vostell）后来解释说《你》（*You*）是旨在带着公众进行"于讽刺中，以混乱的形式，与生活中的不合理要求进行面对面"，"用最荒诞和最厌恶的恐怖场景来唤醒公众的意识……并且最重要的是，公众从我的图像和偶发作品中得到了什么，看到了什么结果"。

"地点的元素"

类似的团体表演活动在全纽约非常繁荣，从中央公园一直到第 69 大道的军械库，凯奇、罗森伯格、怀特曼和其他人 1966 年曾在这里举办过庆祝"艺术与技术"（Art and Technology）的展览。这一活动的实际场地是非常重要的：奥尔登堡指出，"这些作品展示的场所，作为庞然大物，是效果的一部分，并且通常是决定该活动的第一要素（手上的材料是第二要素和表演者是第三要素）。举行展览的空间"可以有任何程度的延伸，一个房间或一个国家"，于是有了这样的场景作品，如奥尔登堡的《自体》（*Autobodys*，1963 年在某个停车场）、《印第安人》（*Injun*，1962 年在某个达拉斯农场）、《冲洗》（*Washes*，1965 年在某个游泳池）和《电影院》（*Moviehouse*，1965 在某个电影院）。1961 年奥尔登堡就已经在第二东大道的一家商店里展出了他的作品《商店的日子》（*Store*

图 112　罗伯特·罗森伯格，《鹈鹕》，1963 年，罗森伯格和亚历克斯·海穿着溜冰鞋，卡洛琳·布朗以脚尖跳舞，演出在华盛顿的一个溜冰场举行。

Days），及射线枪火星着陆公司（Ray Gun Mgs. Co），这个场地也作为他作品的展示厅、工作室、表演空间，而且他的作品也在此进行买卖，从而也为艺术家“克服与金钱或买卖有关的罪恶感”提供了一种手段。

肯·杜威（Ken Dewey）同安东尼·马丁（Anthony Martin）、拉蒙·森德（Ramon Sender）一起合作了作品《城市规模》（*City Scale*，1963 年），作品由晚上在城市一端填写政府表格的观众开始，然后他们被引领着穿过街道并经过一系列事件和场所：一个在公寓窗口没穿衣服的模特、停车场中的一场车之芭蕾、商店橱窗里的歌手、荒废公园里的气象气球、餐厅、书店，当第二天太阳升起时，电影中的“芹菜人”出现并以此作为简洁的结尾。

华盛顿的一座溜冰场成为罗森伯格表演《鹈鹕》（*Pelican*，1963 年）（图 112）的场所，这是他的第一次演出，是在为康宁汉姆（Cunningham）

的公司即兴制作了大量的不同凡响的布景装置和演出服装后。《鹈鹕》(*Pelican*) 从两名表演者罗森伯格 (Rauschenberg) 和亚历克斯·海 (Alex Hay) 开始，他们穿着旱冰鞋，背着背包，跪在一个移动木板推车上，他们用双手推车前行到中央表演区。两名滑旱冰者围绕穿芭蕾舞鞋的舞者卡洛琳 · 布朗 (Carolyn Brown) 匀速滑行，卡洛琳则缓慢地表演出一系列动作点。然后两名滑冰者的背包打开变成了降落伞，从而大大地减缓他们的动作。与此同时，舞者卡洛琳加速她的程式化舞蹈动作。场地的诸多元素，以及一些物品如降落伞、芭蕾鞋、溜冰鞋决定了表演的本质。

罗森伯格后期作品《地图室 II》(*Map Room II*) 在电影人的实验电影院里展出，这部作品同样也反映了他的关注点，"我需要的首要信息是它在哪儿发生，什么时候发生……这些与它所采用的形式及活动种类息息相关"。所以，在电影院里他想在"传统舞台上使用一块狭窄的舞台"，这个舞台也延伸到了观众席，他创作了一些元素的拼贴，如轮胎和一张旧沙发。参与的舞者有特丽莎·布朗 (Trisha Brown)、黛博拉·海 (Deborah Hay)、史提夫 · 帕克斯顿 (Steve Paxton)、露辛达 · 蔡尔兹 (Lucinda Childs) 和亚历克斯 · 海 (Alex Hay)，他们是康宁汉姆以前的学生，也深深影响了罗森伯格许多作品风格的形成。这些舞者将道具转化成抽象形式的移动。例如，罗森伯格的目的是舞蹈服装"要与该物体匹配紧密，这样才会使得整合发生"，使得在无生命的物体和运动的舞者之间无差异。

电影人的实验影院也为同一时代的风格迥异的作品提供过场地，如奥尔登堡《电影院》(*Moviehouse*) 和怀特曼《修剪平坦》(*Prune Flat*) (图 113)。奥尔登堡使用布景，以及让表演者用吃爆米花和打喷嚏等多种典型动作，激发座位上和过道里的观众参与活动，怀特曼则对"观众与舞台的间离更感兴趣"，他说，"这是我努力保持甚至是需要加强的"。与怀特曼的早期作品相比，如《美国月球》(*The American Moon*, 1960 年)、《水》(*Water*, 1963 年) 和《花》(*Flower*, 1963 年)，在观众席的布景方面，《修剪平坦》更具有戏剧性。他最初打算将该布置作为一个平面空间，但后来

图 113 罗伯特·怀特曼，《修剪平坦》，1965 年于纽约的电影人实验影院上演。照片上是近期同一作品的再现。

怀特曼决定将人的影像投向自身，加以紫外线照明“让人物扁平”，也使得人物与屏幕有一些距离，让他们看起来“神奇而美妙”。当一些图像投影直接投射到人物身上时，其他人物则创造出了电影般的背景，影像投影和舞台上的人常常互相变位。例如，电影画面上的两个女孩穿过屏幕时，这两个女孩此时也正在穿过舞台；电子公司闪烁的警示灯，其复制品偶然也成为电影片段的一部分。其他的将电影图像变成活人的转换，则是通过对镜子的运用来完成，表演者通过照镜子来观看自己同银幕上的形象是否相匹配。因此，时间和空间成为该作品的核心特征，因为电影初始的部分已经成为“过去”，舞台上正在对过去的动作进行扭曲和重复。

卡洛里·舍尼曼（Carolee Schneemann）于后一年在纽约的贾德森纪念教堂（Judson Memorial Church）展出了《肉的欢乐》（*Meat Joy*）（图 118），他把身体本身转换成一个移动的“美术”拼贴。它是一个与“阿尔托（Artaud）、麦克卢尔（McClure）和法国肉店”相关联的“肉身庆祝”，作品使用动物尸体的血，而不是用油彩涂抹扭曲的裸体或半裸体身体。“从

图 114　约翰·凯奇，《变奏曲 V》，1965 年，这是一场没有乐谱的声音—视觉演出。照片后方是摩斯·康宁汉姆（编舞）和巴巴拉·劳埃德。坐在前方的是（左至右）凯奇、都铎和穆马。

材料里提取实质……意味着任何的特定空间、特殊的带到巴黎的残渣（在巴黎这个活动也展览过）和任何‘被发现的’演员……这些都构成此作品的潜在成分。”舍尼曼（Schneeman）写道，“我发现的将会是我需要的，二者均以表演者和‘强加给空间关系的隐喻’为名。”

同样在 1964 年，约翰·凯奇（John Cage）展出了《变奏曲 IV》（*Variations IV*），被一位评论家描述为“厨房水槽奏鸣曲，一部集大成的、里程碑式的现代音乐”。他的《变奏曲 V》（*Variations V*）（图 114）1965 年 7 月在纽约爱乐大厅展出，是他与康宁汉姆（Cunningham）、巴巴拉·劳埃德（Barbara Lloyd）、戴维·都铎（David Tudor）和戈登·穆马（Gordon Mumma）一起合作的作品；剧本是在表演之后，为了可能的重演偶然写出来的。电光管网格交叉穿过表演空间，当被舞者的动作激活时，光网格就会产生相应的灯光和音响效果。同一年凯奇的《洛扎特混合》（*Rozart Mix*）也展出了，由“12 台磁带播放器、几位演员、一个指挥和 88 次重播磁带”组成。

新舞蹈

风格上不断演变，所有学科的艺术家互相交流思想与感知，这些构成了此一时期的表演特征，这些对 1960 年代早期的舞者的影响是至关重要的。这些人如，西蒙尼·福蒂（Simone Forti,)、伊冯·雷内（Yvonne Rainer）、特丽莎·布朗（Trisha Brown）、露辛达·蔡尔兹（Lucinda Childs）、史提夫·帕克斯顿（Steve Paxton）、戴维·戈登（David Gordon）、巴巴拉·劳埃德（Barbara Lloyd）和黛博拉·海（Deborah Hay）等，在这里只提几个，他们开始于传统舞蹈，稍后和凯奇、康宁汉姆一起工作，很快他们就发现在艺术世界里他们更能找到有共鸣和理解力的观众。

不管是受了康宁汉姆对材料和偶然性探索的启发，还是受自由多元的偶发艺术和激浪派的影响，这些舞者开始在他们的作品中进行类似的实验。他们对种类各异的运动和舞蹈可能性的引用，反过来增加了艺术家们表演的激进色彩，使得他们远远超过了其最初的"氛围"和类似的戏剧舞台造型。原则上，舞蹈者通常如同艺术家一样分享相同的关注点，如拒绝将艺术活动从日常生活中独立出来，以及后来将日常行为和对象整合起来作为表演素材。然而在实践中，他们对空间和身体追求完全的原创态度，这是追求更多视觉导向的艺术家们之前从未曾考虑过的。

旧金山舞蹈者工作室公司

虽然 1950 年代的未来派和达达主义的行为表演是那个年代大家最熟知的表演派别，但他们并不是唯一的派别。"舞蹈作为一种生活方式，可以对日常活动加以使用，如走路、吃饭、洗澡和触摸"，这种观点有其历史渊源，他们首先出现在舞蹈先锋派舞者的作品里，如洛伊·富勒（Loie Fuller）、伊莎多拉·邓肯（Isadora Duncan）、鲁道夫·冯·拉班（Rudolf von Laban）和玛丽·魏格曼（Mary Wigman）。舞者工作室公司于 1955 年在旧金山城外成立，安·哈普林（Ann Halprin）将重拾早期的想法。她与各种人合作，如舞蹈家西蒙·福蒂（Simone Forti）、特丽莎·布朗

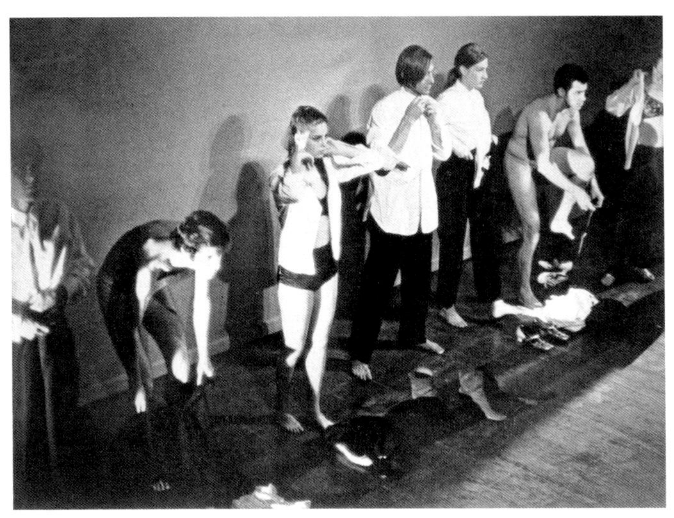

图 115 安娜·哈尔普林，《游行和变化》，1964 年。

(Trisha Brown,)、伊冯·莱纳（Yvonne Rainer）和史蒂夫·帕克斯顿（Steve Paxton），音乐家特里·赖利（Terry Riley）、拉·蒙特·杨（La Monte Young）和华纳·杰普森（Warner Jepson），以及建筑师、画家和雕塑家，还有在任何领域内未经训练的人，她鼓励他们在露天场地上探索不同寻常的舞台艺术思想。正是上述这些舞者，他们在 1962 年成为贾德森纽约舞蹈团充满创造力和活力的核心成员。

用即兴表演的方法去“发现我们的身体能做什么，而不是去学习别人身体的模式或技术”，哈普林（Halprin）体系“把一切都放到了图示上，他把每一个动作的可能组合都解剖开来并将其画到纸上，并给出特定的编号”。自由联想成为这些作品的重要组成部分，《美国鸟类或没有围墙的花园》(*Birds of America or Gardens Without Walls*）显示了“舞蹈非再现性的方面，因此它不受音乐或诠释想法的限制”，它的运动按其自身内在的原则进行发展。道具如长竹竿等为新运动的发明提供了另外的范畴。《五腿凳》(*Five-Legged stool*, 1962 年)、《曝光》(*Esposizione*, 1963 年）和《游行和变化》(*Parades and Changes*，1964 年）（图 115），所有这些作品都围绕着特定目的的运动而进行，如把四十个葡萄酒瓶拿到舞台上、把水从一个瓶子倒到另一个瓶子里、更换衣服等，不同的设置，如在《游行和变化》里的“监狱小号”里，他让每一个表演者用一系列独立的动作表达他们自己对光、材质及空间的感官反应。

贾德森舞蹈团

舞者工作室公司的成员 1960 年到达纽约的时候，他们将哈普林的个体对空间运动感觉的迷恋转化为公共表演，并在鲁本画廊（Reuben Gallery）和贾德森教堂（the Judson Church）进行这些行为表演的公演。次年，罗伯特·邓恩（Robert Dunn）在康宁汉姆工作室开设了作曲课程班，这个班级同样由这些舞蹈演员组成，他们中的一些人正在跟康宁汉姆学习。邓恩将“作曲”同编舞或技术分开，并鼓励舞蹈艺术家通过偶然程序组织材料，同时用凯奇的偶然乐谱与萨蒂的古怪音乐结构进行试验。书面文本、指示（如，在地板上横画一条线，这个动作持续了整个晚上）和安排游戏，这些都成为探索过程的一部分。

渐渐地，这个班级建立了他们自己的剧目：福蒂做很简单的身体动作，极为缓慢或重复多次；雷内（Rainer）表演《萨蒂之匙》；史提夫·帕克斯顿纺一个球；特丽莎·布朗在掷骰子的过程中发现了新动作。到 1962 年晚春为止，为第一次开演唱会准备的材料已经足够了。七月，当三百人来到酷暑的贾德森教堂时，一场三小时的马拉松式演出正在等着他们。节目由伊莲·萨默斯（Elaine Summers）和约翰·麦克道威尔（John McDowell）导演的十五分钟电影开始，紧接着是鲁思·爱默生（Ruth Emerson）的《肩膀》(*Shoulder*)、雷内的《3 人 6 臂舞蹈》、戴维·戈登(David Gordon）的令人毛骨悚然的《假人舞蹈》(*Mannequin Dance*)、史提夫·帕克斯顿的《变形》(*Transit*)、弗莱德·赫尔科（Fred Herko）的《每周一次或两次，我穿上运动鞋去住宅区》(*Once or Twice a Week I Put on Sneakers to Go Uptown*)（穿溜冰鞋进行表演)、底波拉·海的《雨之皮毛》(*Rain Fur*) 和《5 件事》(*5 Things*)（她经常用膝盖蹒跚而行）及许多其他作品。这个晚上大获成功。

舞者工作室拥有一个常规场地以及一个现成可用的音乐会演奏空间，贾德森舞蹈团（Judson Dance Group）就此成立了，并且在接下来的一整年里他们的舞蹈节目不断地进行演出，包括特丽莎·布朗（Trisha Brown）、露辛达·蔡尔兹（Lucinda Childs）、莎莉·格罗斯（Sally Gross）、卡罗尔·舍尼曼（Carolee Schneemann）、约翰·麦克道威尔（John McDowell）和菲利普·考内（Philip Corner）及其他人的作品。

1963 年 4 月 28 日，伊冯·雷内（Yvonne Rainer）推出了她的 90 分钟作品《领域》(*Terrain*)，由五部分（“对角线”“二重奏”“独舞环节”“戏剧”和“巴赫”）构成，六位舞者进行表演，他们身着黑色紧身衣和白色衬衫。舞者根据字母或数字的指导表演完之后，他们开始用身体创作各种动作形式。开始表演的是“独舞”这个段落，舞蹈者一边表演事先准备好的动作，一边朗读斯宾塞·霍尔斯特（Spencer Holst）的散文。当他们不表演的时候，舞者们随便地聚在街垒周围。最后一部分“巴赫”，是前面 67 个“舞句”的 7 分钟动作摘要。

《领域》（*Terrain*）说明了雷内想法的一些基本原则：“不要大场面、不要艺术技巧、不要变形、不要不可思议的虚构、不要明星形象的魅力与超然性、不要英雄、不要反英雄、不要垃圾图像、不要表演者和观众的参与、不要风格、不要阵营、不要移动，也不要被移动。”她补充说：“挑战可能要被这样定义，如何在膨胀的戏剧性与非戏剧性之间的空间里进行运动，前者承担巨大的心理‘意义’和意象负担，后者是指非戏剧性的氛围效果、非语言类戏剧（如跳舞和某些‘偶发艺术’）以及观众对戏剧的参与或攻击等。”正是这种对于过去和当下的激进回绝，吸引了很多艺术家前来参与合作，他们与这些新舞者及他们的创新表演直接合作。

舞蹈和极少主义

1963 年前许多参与了行为活动的艺术家们都积极参与了贾德森舞

图 116　罗伯特 · 莫里斯 (Robert Morris),《场所》(*Site*), 1965 年首次上演。

蹈团（Judson Dance Group）的音乐会。如罗森伯格（Rauschenberg）负责《领域》的灯光，他用相同的演员创作了许多自己的演出，这就使得一些人很难辨清他的作品是“舞蹈”还是“偶发艺术”。西蒙娜 · 福蒂（Simone Forti）和罗伯特 · 怀特曼一起工作了很多年，她与伊冯 · 雷内同罗伯特 · 莫里斯也一起合作过，如福蒂（Forti）的《跷跷板》(*See-Saw*, 1961 年)。舞者领导的表演超越了此前的偶发艺术和他们的抽象表现主义绘画起源，如雕塑家莫里斯就是例证，他将表演创作视为自己对“运动中的身体”感兴趣的一种表达。与早期任务型活动不同的是，他能操控对象，所以他们“不能控制我的行动，也不会颠覆我的表演”。

这些对象对他来说是一种手段，使他可以“关注一系列具体时间问题及单位空间内的替代形式问题等”。所以在《船夫转换》(*Waterman Switch*)（1965 年 3 月，与切尔兹和雷内合作）里，罗森伯格强调“物体的静态元素与动态元素的共存”：在一个场景里他将迈布里奇(Muybridge）的幻灯片投射在一个裸体搬石头的男人身上，一个裸体男性跟随此幻灯片进行同样动作的活体表演，并用幻灯机的一束光进行照明。同样地，在《场所》(*Site*，1965 年 5 月，与凯洛琳·舍尼曼一起)（图 116）里，空间又一次“被减少为只与上下文有关”，用系列白板做成一个三角形空间布局……“将其固定在最大化舞台正面方向”。表演者穿着白色衣服，戴着由贾斯伯·约翰斯（Jasper Johns）设计的橡胶面具，面部特征被精准地再现出来，莫里斯通过将木板移置到不同的位置来操控空间体积的大小。当他做这些动作的时候，他让一个女人以马奈 (Manet) 的名画《奥林匹亚》中的姿势出现并斜倚在沙发上；让人们忽略其轮廓优美的身材，由在木板上工作的锯子声和锤子声相伴奏。莫里斯继续操控面板，以此暗示静止身体的体积和被建构的活动板之间的关系。

与此同时，那些对“极少主义”雕塑越来越关注的人，希望它能完全解释不同的表演感觉。雷内为 1966 年的《心灵是一块肌肉》(*The Mind is a Muscle*）写的剧本序言里，使用了“在量化的极少主义舞蹈活动中的某些‘极简主义者’的准调查”。“在极简主义舞蹈活动 (Quantitatively Minimal Dance Activity) 中的‘极简主义’倾向准调查……”并提到了“所谓的极简主义雕塑和新近舞蹈的一对一关系”。虽然她承认这样一个调查图表本身是有问题的，但是极简雕塑家的雕塑对象，如“艺术家手的角色”“朴素”“字面意义”“工厂制造”，它们为“措辞”“非凡的行动”“事件或语调”“像活动一样的工作”或“发现”等舞者动作提供了一种有趣的对比。实际上，当雷内说她想利用身体的时候，她强调舞者身体的客观性，她说，“这样的话，身体就可以像物体一样被处理，拾起、携带，并且物体和身体之间可以互换”。

所以，当梅瑞狄斯·蒙克（Meredith Monk）1969 年在古根海姆博物馆（Guggenheim Museum）推介她自己的演出《果汁》(*Juice*）时，她就已经汲取了许多偶发艺术的创作方式（作为在许多早期作品中的参与者），同样也汲取了贾德森舞蹈团的新探索。《果汁》是一部“由三部分构成的清唱剧”，其第一部分动用了八十五名演员在巨大的螺旋空间的古根

图 117　梅瑞狄斯·蒙克（Meredith Monk），《采石场》（*Quarry*），1976 年首演。

海姆博物馆进行表演。观众坐在博物馆的圆形地板上，舞蹈表演者在他们头上四十英尺、五十英尺和六十英尺间隔的地方创建了可移动的舞台造型。《果汁》的第二部分在一个传统的剧院里表演，第三部分则在一个没有家具的阁楼里。时间、地点和内容的隔离，不同空间以及变化的情感的隔离，这些后来被蒙克合并在大型歌剧表演中，如《女童教育》（*Education of a Girl Child*，1972 年）和《采石场》（*Quarry*，1976 年）（图 117）。

欧洲表演的发展在 1950 年代后期与美国基本同步，这种表演手段被艺术家们作为一种可行的媒介而接受。在世界大战后仅十年，许多艺术家无法接受当时非常受欢迎的与政治无关的抽象表现主义内容。当如此多的现实政治问题需要面对时，艺术家只在僻静的工作室内绘画会被认为是对社会不负责任的。这种政治意识形态鼓励了达达主义的宣言与立场来攻击已成形的艺术观。在 1960 年代初期，一些艺术家走上街头，他们在阿姆斯特丹、科隆、杜塞尔多夫、巴黎的大街上和舞台上表演激进的激浪派风格（Fluxus-style）的行为表演。而另外一些人则具有更多的反思与内省，他们在创作作品时试图捕捉艺术家的“精神”，以此作为社会中精力充沛的催化力量。这个时期欧洲的三位艺术家的作品最能说明这种态度，他们是法国的伊夫·克莱因（Yves Klein）、意大利的皮耶罗·曼佐尼（Piero Manzoni）和德国的约瑟夫·博伊斯（Joseph Beuys）。

伊夫·克莱因和皮耶罗·曼佐尼

伊夫·克莱因，1928 年出生于尼斯（Nice），他一生都在致力于寻找一种作为“精神”绘画空间的手段，也正是这个导致他最终走向了真人现场艺术（live actions）。对克莱因来说，绘画“像一扇监狱的窗户，线条、轮廓、形状和构图都由窗户上的栅栏来决定”。克莱因于 1955 年左右的单色画使他摆脱了这种约束。后来，当他回忆蓝色时，他说，“尼斯蓝色的天空是我作为单色画家职业生涯的开始”。1957 年 1 月在米兰的一个展览上，他展示了他称为“蓝色时期”的全部作品，他说，“他一直在寻找最完美的蓝色表现力已不止一年”。同年 5 月，他在巴黎展览了两次，一次是在伊利斯·克莱尔画廊（Galerie Iris Clert，5 月 10 日），一次是在科莱特·艾伦迪画廊（Galerie Colette Allendy，5 月 14 日）。邀请卡上注明了两次展览，也展示了克莱因自己的国际克莱因蓝（International Klein Blue）式的字母组合。在伊利斯·克莱尔画廊的开幕式上，克莱因展出了他的第一部空中雕塑作品，1001 个蓝色气球被放飞“到圣日耳曼德培（Saint Germain-des-Prés）的天空，永不归来”，标志着他“空气时期”的开始。蓝色绘画在画廊里展出，由皮埃尔·亨利（Pierre Henry）的《单调交响曲》（*Symphonie Monotone*）的第一个录音版本作为背景音乐。在科莱特·艾伦迪画廊（Galerie Colette Allendy）的花园里，克莱因展出了他的《一分钟火焰画》（*One Minute Fire Painting*），他在一块蓝色的画板上放置了十六只鞭炮，点燃后烧出明亮的蓝色火焰。

就是在这个时期，克莱因写道“我的绘画从现在起是不可见的了”，他的作品《不可见绘画感知的表面和体积》在艾伦迪画廊的一个房间里展出，这部作品精确地说——是无形的，它由一个完全空的空间组成。

1958 年 4 月，他在伊利斯·克莱尔画廊展出了另一部无形作品《空》(英文为“*The Void*”)。这一次空旷的白色空间与克莱因独特的蓝形成对比，克莱因蓝画在画廊的外面和入口处的顶棚上。根据克莱因的说法，空旷的空间里“挤满了画廊白墙上画框里的蓝色感觉”。自然的蓝色，他解释说，被留在了门口、外面和街道上，而“真正的蓝色在里面……”在三千参加者里有阿尔伯特·加缪，他在画廊的签名册上写道：“虚无，自由之手”。

克莱因的作品《蓝色革命》(*Blue Revolution*) 和《虚无之剧》(*Théatre du vide*) 在 1960 年 11 月 27 日他的《星期天日报》(*Le Journal d'un seuljour, Dimanche*) 上占了四个版面，这份报纸与巴黎的《星期天》(*Dimanche*) 报纸比较类似，这家报纸也刊登了克莱因“跃入虚无”的照片。克莱因的艺术是一种人生观，不是画家在画室里简单地用画笔绘画。他所有的行为都是对限制艺术家想象力行为的反抗。如果颜色“是空间真正的居民”、“虚无”是蓝色的真正居民，那么他的结论就出来了，艺术家也可以不妨放弃所谓不可或缺的的调色板、画笔和画室模特。在这种语境下，模特本身可以成为“肉体自己的有效氛围”。

与其和那些不知所措的模特一起工作，克莱因意识到他根本**没必要**画模特，但可以**用**他们画画。所以他把自己的画室清空，把裸体模特浸在他完美的蓝色色彩里，要求他们用浸了油彩的身体在准备好的画布翻滚绘画。“他们成了活体画笔……在我的指引下，他们运用身体本身以完美的精准性将色彩画到画布表面。”他很高兴这些单色从“直接经验”中被创作出来，而他“可以停留在整洁里，不用再被颜色弄脏”，如那些涂满油彩的女人一样。“与模特的完全合作，使得作品可以在我面前自己完成。而我可以身穿晚礼服以得体的方式为它在有形世界中的诞生致敬。”1958 年春季，他穿着晚礼服在巴黎的罗伯特·哥德尔 (Robert Godet) 展出了名为《蓝色时期的人体测量术》(*The Anthropometries of the Blue Period*)的作品，1960 年 3 月 9 日在巴黎的国际当代艺术画廊(the Galerie International d'Art Contemporain) 公开展映，由一个全部穿着晚礼服的管弦乐队演奏《单调交响曲》(*Symphonie Monotone*)进行伴奏(图 119，120)。

克莱因把这些表达作为“撕掉工作室殿堂神秘面纱的一种方式……以使得我创作过程当中毫无隐藏”。它们是“捕获瞬间的精神标志”。克莱因说，他“画作”中的国际克莱因蓝是一种精神的表达。此外，克莱因找到了评估他“非物质绘画灵感”的方法，他认为纯金与“非物质图像感知”将是一种公平交换。克莱因以纯金叶作为交换，想把这件不同寻常的无形商品卖给任何愿意购买它的人。他们举行了几场“销售仪式”：一个发生在 1962 年 2 月 10 日的塞纳河畔，艺术家和购买者互相交换金叶子和收据。但由于“非物质灵感”只是一种精神品质，其他什么都不是，克莱因坚持将所有交易结果都销毁：他把金叶子扔到河里，并要求买家烧毁收据（图 121）。一共有七个买家做了这样的事。

在米兰，皮耶罗·曼佐尼以同样的方式展出他的作品。但曼佐尼的行为表演不仅仅是一种“普世精神”的宣言，而是把身体本身作为有效的艺术材料进行肯定。这两位艺术家都认为将艺术创作过程公开是必要的，他们把“绘画灵感”去神秘化，并阻止艺术作品成为画廊或博物馆的文物。克莱因的宣言行为基于一种近乎神秘的狂热，而曼佐尼则围绕他自身的日常现实，即把它的功能和形式作为一种个人表达。

克莱因和曼佐尼 1957 年在米兰克莱因单色展览上进行简短的会面。五个月后，曼佐尼撰写了他的黄色小册子《关于想象地带的探索》(*For the Discovery of a Zone of Images*)，其中他陈述道，对艺术家来说“建立个人神话的普遍有效性”是必要的。正如克莱因所认为的那样，他认为绘画是一座监狱，而单色绘画把绘画从监狱中解放出来。所以，曼佐尼把绘画看作是“一块自由之地，从中我们可以探索我们的第一次想象”。他的全白色绘画《无色》(*Achromes*) 从 1957 年开始绘画，直到他去世，旨在给出“一种完整的白色（或者说是完整的无色）表面，超越所有的绘画现象的形式，超越任何附加在表面价值上的外在干涉……一个白色

图 118（右） 卡洛里·舍尼曼（Carolee Schneemann），《肉的欢乐》（*Meat Joy*），1964 年，也在巴黎表演过，使用动物尸体的血，而不是用油彩去涂抹表演者的身体。

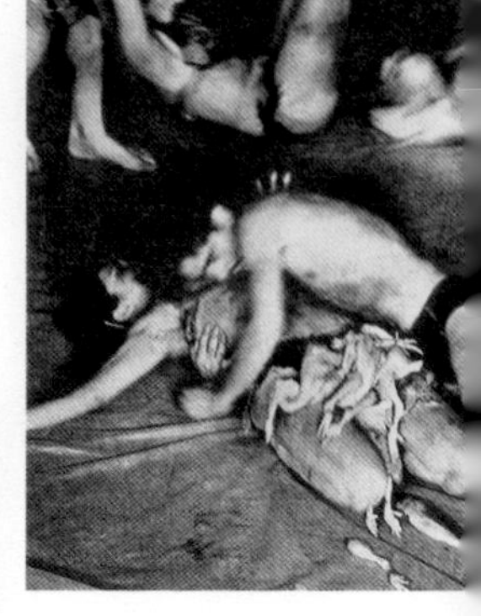

图 119（左上） 一位巴黎观众正在观看伊夫·克莱因（Yves Klein）的真人"活体"绘画《蓝色时期的人体测量术》（*The Anthropometries of the Blue Period*），1960 年。

图 120（左下） 1960 年 3 月 9 日第一次公开展出了克莱因（Klein）的《人体测量》（*Anthropometries*）。克莱因指导三名裸体模特身上涂满蓝色，然后让他们自己在准备好的画布上进行绘画，与此同时由 20 名音乐人演奏亨利（Henry）的《单调交响曲》（*Symphonie Monotone*）。

图 121　克莱因（Klein）在《非物质绘画灵感区 5》（*Immaterial Pictorial Sensitivity Zone 5*）里把 20 克的金叶子扔进了塞纳河，1962 年 1 月 26 日。购买者烧掉了他的支票。

的表面就是白色的表面，就是一切……”

克莱因用活体模特在画布上作画，而曼佐尼则完全消除画布。1961 年 4 月 22 日曼佐尼的《活体雕塑》（*Living Sculpture*，1961 年）（图 122）在米兰开幕展览。曼佐尼把自己的签名签在活体雕塑的身体上，相关的人会收到一张“真实性的证书”，上面的题词是：“兹证明 X 已经被我的手亲自签名，因此，从这个日期开始，其即是被认证了的真正的艺术作品。”那些被签了名的有亨克 · 彼得斯（Henk Peters）、马塞尔 · 布达埃尔（Marcel Broodthaers）、马里奥·斯基法诺（Mario Schifano）和阿尼纳·诺瑟 · 韦伯（Anina Nosei Webber）。不同证书在不同情况下由不同颜色的彩色印戳标记，以标示艺术品标明的区域：红色表示是一个完整的艺术作品，直至死亡；黄色表示身体只有被签字的部分才有资格成为艺术品；绿色表示其只有在某种态度和姿态（睡觉，唱歌，喝酒，聊天等）才有资格成为艺术品；淡紫色和红色具有同样的功能，除了它必须通过付钱才能产生作用以外。

从这一逻辑推理出发，世界也可以宣布自己是一部艺术作品。所以曼佐尼的《世界的基座》（*Base of the World*，1961 年）竖立在丹麦海宁（Herning）郊外的一个公园里，象征着将世界放置于一个雕塑底座上。艺术家的物理输出在艺术或生活方面也同样重要。首先，他吹了45个气球作为《空气的身体》（*Bodies of Air*）这一作品，并卖了三万里拉。未充气的气球被打包装在木制铅笔盒里，与一个作为吹起气球展示台的小三脚架一起展览。像《活体雕塑》（*Living Sculpture*）一样，他们具有不同的价值：那些由艺术家自己充气的气球将作为《艺术家的呼吸》（*Artist's Breath*）（图123）进行展出，这样的作品将以每升200里拉（任一气球的最大容量约为300升）的价格出售。1961年5月，曼佐尼生产并包装了90罐《艺术家的大便》（*Artist's Shit*，每罐重30克），它们自然防腐，并且是“意大利制造”。它们以当时的黄金时价出售，并很快成为“稀有”的艺术标本。

曼佐尼在1963年30岁时，他在米兰的工作室内死于肝硬化。克莱

图122（左） 皮耶罗·曼佐尼（Piero Manzoni），《活体雕塑》（*Living Sculpture*）。曼佐尼在许多人身体上签名，因此把他们变成“活体雕塑”艺术品。

图123（右） 曼佐尼（Manzoni）正在制作《艺术家的呼吸》（*Artist's Breath*），1961年。

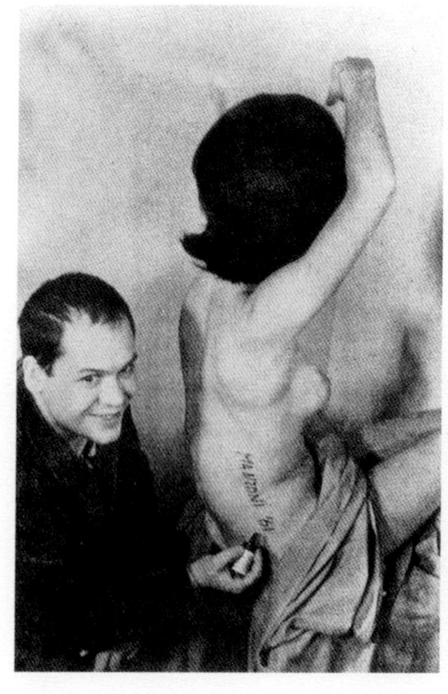

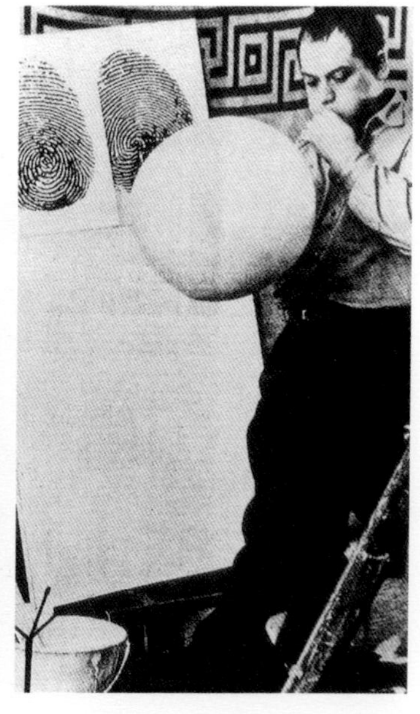

因34岁时死于心脏病发作，八个月后，他的《人体测量》(*Anthropometries*)之一在戛纳电影节上很快地被拼接在电影《世界残酷秘史》(*Mondo Cane*)里。

约瑟夫·博伊斯

德国艺术家约瑟夫·博伊斯（Joseph Beuys）认为艺术应该有效地改变人们的日常生活。为了改变人们的观念，他倾向于戏剧性的行动艺术和讲座。“我们必须彻底改变人类的思想，”他说，“首先，革命应该从人类开始。当一个人真正变成自由的、有创意的时，即当他能创造出崭新的原创思想时，他就可以改变时间。”

博伊斯的行为表演与基督受难剧相似，带有鲜明的象征主义特色，以及复杂的系统影像学手法。毛毡、黄油、死兔子、雪橇和铲子等这些物品和材料在他的表演中都成了隐喻的角色。1965年11月26日在杜塞尔多夫施梅拉画廊（the Galerie Schmela），博伊斯的头上涂着蜂蜜，粘着金黄色的叶子，他把一只死兔子抱在怀里，带着它静静地在他的素描与油画展上走来走去，“让它的爪子触摸这些画作”。然后，他坐在昏暗角落的高脚凳上开始向这只死去的动物阐释作品的意义，“我真的不喜欢向人解释它们”，因为“即使是死兔子也比那些顽固理性的人更具有敏感性和本能的理解力”。

如此的与自己冥想式对话是博伊斯作品的核心内容。作为艺术家的行为表演而言，它标志着早期激浪派运动的一个转折点。然而，与激浪派的相遇证实了博伊斯在杜塞尔多夫学院（the Düsseldorf Academy）的教学方法的有效性，1961年在他40岁的时候，博伊斯就已经成为那里的雕塑教授。在那里，他鼓励学生使用任何材料创作，相比较学生们在艺术世界的成功，他更关心他们的人性，他大部分课程是以与学生对话形式进行的。1963年，他在学院组织了由许多美国激浪派艺术家参与的“激浪派节”。博伊斯的具有争议的艺术作品与其反艺术态度很快就惹恼了权威；他被认为是学院体制内的破坏分子，他经常要面对相当多的对立面，1972 年终于在学生的抗议中被解雇。

博伊斯的《24 小时》（*Twenty-four Hours*，1965 年）作为一次激浪派活动的一部分也被展出，其中还有巴佐·布洛克（Bazon Brock）、夏洛特·摩尔曼（Charlotte Moorman）、白南准（Nam June Paik）、托马斯·施密特（Tomas Schmit）和沃尔夫·沃斯特尔（Wolf Vostell）等人的作品。在 6 月 5 日午夜表演开幕前的几天里他就已经开始绝食了，博伊斯把自己限制在一个盒子上 24 小时，不时地伸出胳膊捡拾周围的东西，但他的双脚从不离开箱子。"动作"和"时间"——"这些被人类意志控制和指示的元素"，它们在这种对对象漫长而深沉的关注中被强化了。

博伊斯尝试运用作品《欧亚大陆》（*Eurasia*，1966 年）研究政治、精神和社会两极特征的存在。它的核心主题是"十字架的分裂"，对博伊斯来说这象征着自罗马时代以来人们的分裂。他在黑板上只画了十字架上半部分的标记，然后通过一系列的动作"扭转历史进程"。两个镶嵌了秒表的木制小十字架平放在地板上；附近有一只死兔子，它被一系列的细木棍刺穿钉住。当秒表的警铃响起，他把白色粉末撒在野兔的腿之间，把温度计插在它的嘴里，用管子吹气。然后他走到地上的金属板上，用力踢它。对博伊斯来说，十字架代表了东方和西方之间的分离——罗马和拜占庭；黑板上半个十字架象征着欧洲与亚洲之间的分离；兔子是作为两者之间的信使；金属板则是对穿越西伯利亚艰难和冰冷旅程的隐喻。

博伊斯的热情把他带到了北爱尔兰、爱丁堡、纽约、伦敦、柏林和卡塞尔。《草原狼：我喜欢美国和美国喜欢我》（*Coyote: I Like America and America Likes Me*）（图 124）是一场为期一周的戏剧性艺术活动，1974 年 5 月从杜塞尔多夫开始，一直到纽约结束。博伊斯抵达肯尼迪机场时，他从头到脚包裹着毛毡，从物理和象征两个方面来说，毛毡对他来说是一种绝缘体。他被抬进救护车，直接开往目的地，在那里他将与一只草原狼共同生活七天。在此期间，他与这只野兽窃窃私语，他们

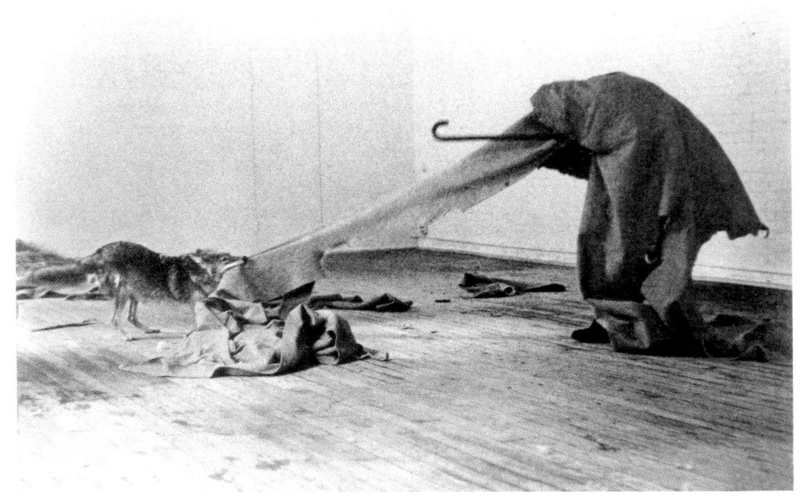

图 124　约瑟夫·博伊斯（Joseph Beuys）的《草原狼》（*Coyote*），纽约雷纳·布洛克画廊。

和前来画廊的参观者之间只有一条链状防护物作为隔离。每日他都要例行公事地与狼进行一系列的行为表演，他向它介绍一系列物品，如手杖、手套、手电筒和《华尔街日报》（*Wall Street Journal*）（每日都更新），而它用爪子抓它、向它撒尿，犹如以自己的方式认知人的存在。

《草原狼》（*Coyote*）在博伊斯的术语里是一个关于“美国”的行为表演，“狼情结”反映了美国印第安人受迫害的历史，也反映了“美国和欧洲之间的全部关系”。“我只想集中注意力在草原狼身上。我想孤立自己，隔绝自己，除了草原狼不看美国的其他东西……并且和它交换角色。”根据博伊斯的说法，这个行为表演也代表了从意识形态到自由思想的转型。

对博伊斯（Beuys）来说，这种转型对他的行为表演是至关重要的。他的“社会雕塑”想法由不同类型的人通过集会经过漫长的讨论而形成，“社会雕塑”的想法主要是一种手段，用以扩展艺术的定义范畴，意指其不仅仅是专家活动。由艺术家进行的“社会雕塑”将会调动每一个人的潜在创造力，用以塑造未来社会。基于同样的前提，博伊斯联合艺术家和经济学家、心理学家等筹建了自由大学（Free University），一个国际性的、多学科的组织。

第七章　观念艺术与媒体一代：从 1968 年至 2000 年

观念艺术

1968 年这一年提前标志着 1970 年代十年的开始。这一年的政治事件使得整个欧洲及美国文化和社会生活极其不稳定。其情绪之一就是对流行价值观和社会结构的愤懑和怒气。学生和工人们喊着口号，竖起路障反对“权威”，许多较为年轻的艺术家也以同样的方式对待艺术机构，他们对后者如果不是暴力，就是充满了蔑视。他们质疑已被公认的艺术前提，并试图重新界定其内涵和功能。此外，艺术家们自己开始在长篇大论中表达这些新想法，而不是把责任留给传统的艺术传递者——艺术评论家。画廊作为商业主义机构而受到攻击，他们为了与公众交流思想寻找其他途经。从个人层面上来说，是时候重新评估每个艺术家他或她自己制作艺术的意图了，也是时候将每个行为作为艺术过程全面调查的一部分了，而不仅仅是作为一种被大众接受的呼吁。

在“观念艺术”的审美和观念里，艺术对象被认为是完全多余的，“观念艺术”的概念被公式化为“艺术的材料就是观念”。艺术对象被贬低视为艺术市场里的小典当：如果艺术对象的功能是一个经济对象，那么争论就会出现，因为观念艺术作品没有这样的功能。虽然经济的必需使得这种观念成为短暂的南柯一梦，但在这种情况下，行为表演却成为这种观念的延伸：它虽然可见却是无形的，没有留下痕迹，并且不能用来进行买卖。最后，因为观众和表演者可以同时感受这部观念艺术作品，所以表演也被视为在表演者和观众之间减少间隔元素的手段，而间隔元素非常符合左派艺术功能方面灵感调查的要求。

在 1960 年代的最后两年和 1970 年代早期的行为表演艺术反映了观念艺术对传统画布、刷子和凿子等材料的排斥，表演者转而将自己的身体作为艺术材料，正如克莱因和曼佐尼在前些年所做的那样。观念艺术暗示了对时间、空间和物质的“**体验**”，而不是将它们以对象的形式表示出来，并且身体成为最直接的表达媒介。因此，行为表演是实现观念艺术的理想手段，其本身也对应那些理论而进行的实践。例如，针对空间的想法既可以在实际空间中被诠释，也可以在传统二维形式的画布上进行诠释。时间可以在演出期间被暗示出来，或在借助视频监视器和视频反馈的情况下被暗示出来。把感性元素加之到雕塑中，犹如空间中材料或物质的质地一样，使得现场表演变得更加可感。观念艺术就在现场表演作品中的转型，致使这种表演对很多观众来说十分抽象，因为很少有这样一种表演尝试建立一个全局的视觉印象，或者使用某些对象或故事为理解作品提供线索。而观众只能通过观察表演者想要证明的特殊经验来进行体验。

这些表演活动关注在作为材料的艺术家的身体上，因而它们被称为“人体艺术”。然而,这个术语是一个模糊的术语,它允许各种各样的诠释。一些人体艺术家把他们自己作为艺术材料，另一些则把自己固定在墙上、角落里或开放的空间中，在空间中创作人体雕塑的形式。还有一些人体艺术家构建特殊的空间，在此空间中他们和观众的空间感都由特定的环境来决定。早几年前就已经开拓了所谓的“新舞蹈”的表演者们，他们以精确结构完善他们的动作，并为空间中的形体动作研制出新词汇。

一些艺术家对某种程度的身体的物质性探索不满，他们编出姿势、穿好戏服（既在行为表演中，也在日常生活中），创作“人体雕塑”。对艺术家的个性和外表的关注直接导致了一大批身体作品的出现，后来被称为“自传”性的作品，因为这些演出使用了表演者个人历史方面的内容。这种在作品中对私人记忆的重建在许多表演者那里得到了补充，为了研究他们作品的来源，这些表演者转向对“集体记忆”——即仪式与庆典的研究：异教徒、基督徒或美国印第安人的仪式经常暗示着行为表演的形式。这些艺术家的表演风格和内容进一步揭示了它们来源于以前的艺术形式，无论是诗歌、音乐、舞蹈、绘画、雕塑还是戏剧。

另一种表演形式是艺术家在公众面前作为对话者出现，如早期的博伊斯问答环节。一些艺术家给观众们一些介绍，建议他们自己扮演自己。最重要的是，观众被激发之后就会发问，什么是艺术的边界：例如，哪里是科学或哲学探究结束的地方，或者哪里是艺术开始的地方？或者艺术和生活之间的区别是什么？

大约从 1968 年开始，四年以来的观念艺术对艺术学校出现的更年轻的一代艺术家影响非常大，观念艺术家们在那里教学。到 1972 年时出现的重要问题，在某种程度上已经在新作品中被吸收了。但对学生的、妇女的和儿童的改革和解放的热情却每况愈下。世界货币和能源危机既微妙地改变了人们的生活方式，也改变了人们的关注对象。曾被它发掘的艺术家拒绝的画廊机构重新又成为新出路。毫不奇怪，行为表演反映了这些新立场。部分是因为观念艺术过于学理化的问题，部分是因为流行音乐演唱会的大量制作——从滚石（the Rolling Stones）到谁人（The Who），从洛克西音乐（Roxy Music）到爱丽丝 · 库珀（Alice Cooper）——新的行为表演变成了时尚、华丽和娱乐的了。

在这一阶段，由于其强烈的诉求，大量的行为表演产生了。这些行为表演跨越学科界限，它们涉及的材料、敏感问题及意图范围广泛。但即便如此，描述各种不同种类作品的特征是可能的。尽管对这些潮流进行分组可能显得武断，但它却可以作为理解 1970 年代行为表演艺术的关键词。

指导和提问

一些早期的概念"行为"作品，更像是操作说明要的文字，而不是实际表演，包括一系列读者表演或者不表演的建议。例如，1970 年夏天在纽约现代艺术博物馆（the Museum of Modern Art），小野洋子（Yoko Ono）在她捐赠给展览的"信息"里指导读者"画一幅假想的地图……然后根据地图信步走在一条真实的大街上……"荷兰艺术家斯坦利·布朗（Stanley Brouwn）建议来"展望 1969"的参观者"有意识地在某一方向走上几分钟……"在每种情况下，那些遵循指令的观众将带着强烈的意识体验城市或农村。他们现在带着一种较高级别的意识，即艺术家就是用这种意识在画布上去画他们周围环境的；观众现在不是被动地观看一件已经完成的作品，而是在被说服去审视环境，就好像通过艺术家的眼睛一样进行审视。

一些艺术家把行为表演作为一种手段，用来探寻博物馆、画廊建筑与其艺术展览之间的相互关系。例如，法国艺术家丹尼尔·布伦（Daniel Buren）自 1966 年起就已经开始进行条纹绘画，他把条纹粘贴到弧形吊顶上以强调建筑的结构，而不是听命于建筑势不可挡的存在。他在其他几个表演中也如此暗示，艺术作品能够完全摆脱建筑。作品《在巴黎街头》（*Dans les rues de Paris*，1968 年）由一些男性穿着画有条纹的夹层板组成，他们走在巴黎的大街小巷。在巴黎装饰艺术剧院（the Théatre des Arts Décoratifs）展出的《表现形式 III》（*Manifestation III*，1967 年）由一出四十分钟的戏剧组成。观众到达剧院后发现唯一的"戏剧动作"就是一面带有条纹的舞台幕布（图 125）。这样的作品是为了改变观众的对博物馆及城市景观的观看角度，要激起他们去质疑在通常情况下观看的艺术。

美国艺术家杰姆斯·李·拜亚（James Lee Byars）试图改变观众的认知，他以一问一答的方式单独面对他们。他们的问题往往是矛盾和模糊的，并且可以进行任何时间长度的问答，取决于所选择的个体的耐力。他甚至在洛杉矶市博物馆建立了一个世界问题中心作为 1969 年"技术

图 125 丹尼尔·布伦 (Daniel Buren) 在《表现形式 3》(*Act 3*) 中条纹绘画的细节, 纽约, 1973 年。

与艺术”展览的一部分。法国艺术家贝和纳·维内（Bernar Venet）通过暗示和代理的方式提出了问题：他邀请数学或物理专家给前来欣赏艺术的观众做自己的主题讲座。《相对论的踪迹》(*Relativity Track*，1968 年）在纽约贾德森纪念教堂（Judson Memorial Church）展出，由四个讲座构成，三个物理学家的相对论讲座和一个喉科医生的讲座。这样的展览形式表明“艺术”不仅仅是艺术，同时他们也向观众介绍了其他学科的现状及其所面临的问题。

艺术家的身体

将一门学科的基本要素转入另一学科的尝试，构成了纽约艺术家维托·阿孔西（Vito Acconci）的前期作品的特征。1969 年左右，阿孔西用自己的身体作为另类的“纸张”，代替他作为诗人曾经使用过的“纸张”；他说这是一种方式，从文字到自己作为意象的焦点的转移。所以阿孔西不是写了一首关于“接下来”的诗歌，而是表演出了《接下来的片段》(*Following Piece*）作为 1969 年的“街道工程 IV”。这个片段由阿孔西在街上简单任意地选择的个体组成，但一旦他们离开街道进入建筑里，他便离开他们。它是无形的，因为人们没有意识到正在发生的事情；阿孔西制作了几个同样的私人片段。虽然他们是反省的，但他们也是一部作品，艺术家自己把自己作为作品的意象，观看“艺术家”就像其他人观看他一样：阿孔西把自己“作为一种边缘存在……将自己锁定在正在进行的情况上……”他的每部作品都要应对一个新意象：例如，在 1970 年的《转换》（*Conversion*）中，他通过燃烧体毛尝试着掩盖他的阳刚之气，拉扯两个胸脯——“徒劳无功地尝试着把它们变成女性的乳房”，并且把他的生殖器藏在两腿之间。但如此之私人行为只是加强了甚至是更加彰显了他态度的自我矛盾特征；因为无论他在自省过程中发现了什么，他都没有办法像“出版”一首诗那样出版它们。因此，他有必要让这种“身体诗歌”具有更多的公共性。

他的第一次公开的作品同样也是反省的和富有诗意的。1971 年寒冷冬天的清晨在哈德逊河(the Hudson River)一个黑暗的废弃的棚子里，《说出秘密》（*Telling Secrets*）进行展出。从凌晨 1 点到 2 点，阿孔西低声向那些深夜到访的参观者诉说着一些秘密——“这些秘密如果公开透漏的话，就会完全不利于我”。这一作品可以被理解为等同于诗人本人，它记录了私人思想，这些思想一旦出版发行，那么在某种语境中是有害的。

后来其他行为表演作品的含义把阿孔西引导至“权力场域”这个概念，正如心理学家库尔特·勒温（Kurt Lewin）在《拓扑心理学原理》（*The Principle of Topological Psychology*）中所描述的那样。在这部作品中，阿孔西发现了一种个体如何辐射个人权力场域的描述，这个场域包含了在一个特定的物理空间里所有与其他人和物可能发生的相互作用。从 1971 年起，他的作品就开始处理在特殊结构空间内自己与其他人之间的权力场域：他关心的是“建立一个场域，使得观众成为我移动的物理空间的一部分，这样他们就成了我所做的事情的一部分……成为我移动的物理空间的一部分”。1971 年的《温床》（*Seedbed*），在纽约的星

图 126　丹尼斯 · 欧本海姆 (Dennis Oppenheim) ,《平行压力》(*Parallel Stress*) , 1970 年。

期六画廊（the Sonnabend Gallery）展出，它成了最臭名昭著的作品之一。在这部作品里，阿孔西在画廊里建成的一个斜坡下手淫，而参观者就走在这个斜坡上。

阿孔西用这些作品对场域进一步阐释，他设计的空间**暗示**了他的个人在场。这些“潜在表演”和实际表演一样重要。阿孔西最后完全地退出了表演：《指挥的表演》（*Command Performance*，1974 年）包括一个空旷的空间、一把空椅子和一个视频监控，事先配好的声音邀请观众去创作他或她自己的行为表演。

阿孔西的许多表演暗示了他的诗歌背景，而丹尼斯·欧本海姆（Dennis Oppenheim）的那些作品则表明了他在加利福尼亚作为雕塑家的训练痕迹。与当时的许多艺术家一样，欧本海姆希望阻挡极简主义雕塑的巨大影响。他认为，人体艺术变成了一种“深思熟虑的、充满恶意的战略手段”，用来反对极简主义者对对象本质的偏见。它也是一种手段，关注“对象化者”即制造者，而不是对象本身。所以欧本海姆创作的几部作品主要关注雕塑形式和活动的体验，而不是他们的实际建造。在《平行压力》(*Parallel Stress*，1970 年)（图 126）中，他堆了一个大土堆，作为他的示范模型。然后他把自己吊起来与砖墙平行，用双手和双脚在墙壁上创作出一条身体曲线，与土堆的形状一致。

《献给塞巴斯蒂安的铅座》(*Lead Sink for Sebastian*，1970 年）是为一个假腿男人设计的，其创作意图与实现某种雕塑感相似，比如提炼与简约。人工义肢被铅管代替了，铅管被焊灯融化，使人的身体倾斜到一侧，就像“雕塑”被液化掉一样。同年，欧本海姆把这些实验进一步带进了在长岛琼斯海滩展览的作品里。在《阅读姿势的二度烧伤》(*Reading Position for a Second Degree Burn*）中，他关心颜色变化的概念，就像“一位传统画家所关注的”，但是在把自己的皮肤看成是“颜料”的情况下：欧本海姆躺在沙滩上，一本大书盖住了他赤裸的胸部，他一直待在那里，

图 127　欧本海姆 (Oppenheim)，《一个重大打击的主题》(*Theme for a Major Hit*)，1975 年。

直到太阳接触到的皮肤区域被日晒灼伤,他用最简单的方式实现了“变色”。

欧本海姆认为，人体艺术在应用中是无限的。它既是一个“能量和经验”的导体，也是一个诠释感觉如何进入艺术作品创作中的教学仪器。在这样的思路下，它拒绝将创造性能力升华到生产对象中去。1972 年，像许多参与过类似反省并常常经历身体危险探索的人体艺术家一样，他厌倦了人体表演。正如阿孔西对他的权力场域所做的，欧本海姆设计的作品标明表演，但他经常使用木偶进行表演，而不是真人表演者。小小的木制身体伴随着录制的歌曲和短语，针对观念艺术继续提出一些基本问题：艺术的根源是什么？艺术创作的动机是什么以及看起来具有主体性的艺术决策其背后是什么？例如在作品《一个重大打击的主题》(*Theme for a Major Hit*，1975 年)（图 127）里，在一个昏暗的房间里，一个孤单的木偶蹒跚着不停地唱着自己的主题曲。

加州艺术家克里斯·伯顿（Chris Burden）也经历了和阿孔西、欧本海姆同样的转型，他们从那些超越正常忍耐极限的生理挑战和精神专注开始进行表演，在挑衅死亡行为几年后，他从行为表演中退出。当他第一次进行行为表演时他还是一个学生，1971 年在加利福尼亚大学的学生更衣室里，在尔湾（Irvine）伯顿把自己关在一个 2 英尺 × 2 英尺 × 3 英尺的衣帽柜里五天，他紧绷绷地待在柜子里的这些天，唯一的供给是一大瓶水，通过衣帽柜的上方的管子从瓶子里滴水给他喝。在同一年，在威尼斯和加利福尼亚，他让一个朋友向他的左臂开枪，此作品题为《射击片段》(*Shooting Piece*)。子弹从 15 英尺远的地方射过来，本来应该是擦过他的手臂，而不是射飞一大块肉。

次年的《亡者》(*Deadman*）是另外一个对死亡“不那么严肃”的游戏。在一条车辆繁忙的洛杉矶马路中间,他把自己包裹在一个帆布包里。幸运的是他并没有受伤，因为造成了一场需要上报的虚假紧急情况，警察到来叫停了这部正在上演的作品，并将他逮捕。同样，这种挑战死亡的游戏不停地重复了几次；每个都可能以伯顿的死亡而结束，但是他说，作品所涉及的适当的风险是一种激励因素。伯顿对疼痛的使用意味着对身体现实的超越，它们也意味着“重新制定美国经典法律，如朝人开枪”。他通过在半控制的情况下进行表演，他希望这些作品能改变人们对暴力的看法。当然，这样的危险已经在画布上被描绘，在戏剧场景里被模拟。伯顿的行为表演，包含了真正的危险，它有一个宏伟目标：为所有时代更改此主题的表现历史。

空间中的身体

艺术家们把自己的身体作为对象，并在其之上进行创作，把它们作为一件雕塑或一页诗歌来进行处理，与此同时其他人则进行更加结构化的行为表演，把身体作为空间的一个元素进行探索。例如，加州艺术家布鲁斯·诺曼 (Bruce Nauman) 表演了作品《夸张地行走在广场边界周围》(*Walking in an Exaggerated Manner Around the Perimeter of a Square*, 1968 年)，这部作品和他的雕塑有直接关系。通过绕着广场行走，他可以直接体验到他雕塑作品的体积和面积，他的雕塑作品也处理了体积和空间对象的安置问题。德国艺术家克劳斯 · 林克（Klaus Rinke）于 1970

图 128　克劳斯 · 林克 (Klaus Rinke)，《演示：水平—垂直》(*Primary Demonstration: Horizontal-Vertical*)，在现代艺术牛津博物馆的表演，1976 年。

图 129 丹·格雷厄姆(Dan Graham),《两种意识的投射》(*Two Consciousness Projections*),1977年2月雷纳·布洛克画廊 (the Galerie René Block) 展览邀请卡。1974年和苏珊娜·布伦纳 (Suzanne Brenner) 的演出照片，伦敦的里森画廊 (the Lisson Gallery)。

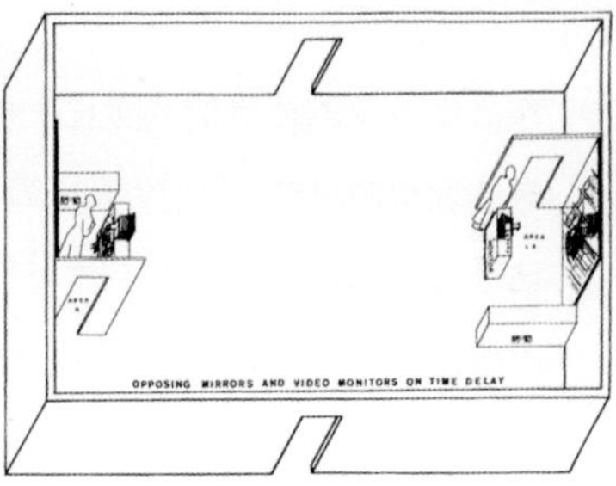

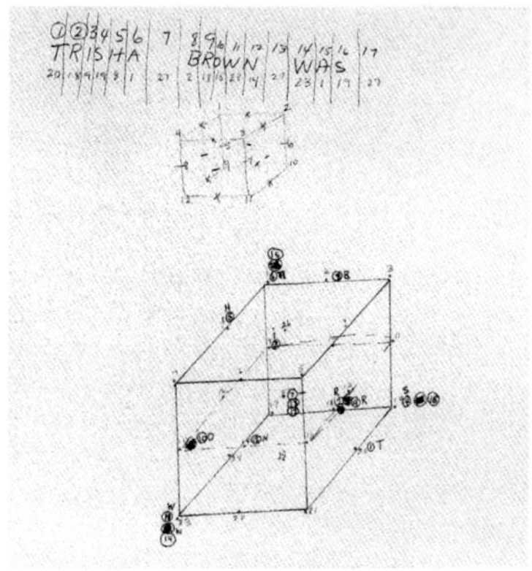

图 130 (右上) 格雷厄姆 (Graham),《面对镜子和视频监视器的时间延迟》(*Opposing Mirrors and Video Monitors on Time Delay*), 1974年。

图 131 (右下) 特丽莎·布朗 (Trisha Brown), 用在《轨迹》(*Locus*) 准备中的符号, 1975年。

图 132 (下) 布朗 (Brown),《轨迹》(*Locus*), 1975年。

年开始将雕塑作品的三维属性有条不紊地转化成一系列在实际空间中的现实演示（图 128）。这些“静态雕塑”，是林克与他的同伴莫尼卡·鲍姆加特尔（Monika Baumgartl）一起创作的：他们联合起来创作几何形态，从一个位置慢慢移动到下一个位置，通常一次要花费几个小时。墙上的挂钟比较了正常时间与创作每个雕塑花费的时间，两者形成强烈的对比。林克说，这些作品包含着和石雕相同的空间理论前提，但附加的时间元素和运动改变了观众对这些空间理论前提的理解；他们会真的看见制作雕塑的**过程**。林克希望这些教学演示会改变观众对他们自己物理现实的感知。

同样的，德国汉堡艺术家弗兰兹·艾哈德·瓦尔特（Franz Erhard Walther）关心的则是提高观众在真实空间和真实时间中的空间关系意识。在瓦尔特的演示活动中，观众通过一系列的彩排，将成为行动的接收者。例如，《正在进行》（*Going On*，1967 年）是一部典型的合作作品，由一排大小相等的二十八个口袋组成，它们被缝在一个长布条上，摆在田野里的。四名参与者爬进四个口袋，并且在作品结尾的部分他们爬遍了所有的口袋，他们通过自己的行动改变了纺织品原来的形态。瓦尔特的每部作品都提供了一种让参与者自己体验作为雕塑对象的手段，并也开始进行设计。参与者们在影响雕塑造型和创作过程方面，扮演了一个积极的角色，这也是瓦尔特作品的一个重要因素。

对观众主动和被动行为的研究，成为研究纽约艺术家丹·格雷厄姆（Dan Graham）从 1970 年代早期开始的许多行为表演作品的基础。然而，格雷厄姆希望角色能把主动表演者和被动观众结合在一起变成同一个人。所以他把镜子和录像设备引入进来，这些东西会让演员成为自己行动的观众。这种自我监督的目的是建立一种对每个姿势的高度自觉意识。在《两种意识的投射》（*Two Consciousness Projection*，1973 年）（图 129）中，格雷厄姆进一步强化了这种意识，因为（在观众面前）两个人被要求去描述他们如何看待他们的合作伙伴。一个女人坐在视频显示器前，里面显出了她的脸，与此同时一个男人通过对准了她脸的摄像机看她。当她观看自己的面孔和描述她看到了什么时，男人同时讲述他是如何解读她的面部表情的。在这种方法下，男性和女性都是积极的，因为他们正在创作表演，但同时他们也是被动的观众，因为他们正在观看着自己的表演。

格雷厄姆的观众—表演者关系理论来自贝托尔德·布莱希特（Bertold Brecht）的思想，后者把一种不安和自我意识状态强加到观众身上，试图减少两者之间的隔阂。在随后的作品中，格雷厄姆进一步探讨这种想法并加入了时空元素。视频技术和镜子在同一个搭建好的空间里被用来制造过去、现在和未来的感觉（图 130）。在作品中，如《现在延续过去》（*Present Continuous Past*，1974 年），镜子作为现在时间的反射，而视频则代表表演者 / 观众（在这种情况下是公众）他们的过去行为。格雷厄姆说："镜子反射的瞬时时间没有延续时间……而视频反应则正好相反，它从一种持续时间的流量方面把两种媒介联系了起来。"所以在进入建好的立方体以后，里面布满了镜子，观众第一次在镜子里看到了自己，然后八秒钟后，他们看到了经由视频转播的那些镜像行为。"现在时间"是观众的此刻行动，其之后通过镜子和视频依次被捕捉到。因此观众在他们面前不但可以看到自己刚刚表演过的，而且还可以知道任何一个即将出现在作为"未来时间"的视频里的下一个动作。

纽约的表演者特丽莎·布朗（Trisha Brown）为观众于空间里的身体之概念增加了进一步的维度。此类作品，如《走在建筑物侧面的人》（*Man Walking Down the Side of a Building*，1969 年）或《走在墙壁上》（*Walking on the Wall*，1970 年），它们的设计扰乱了观众的地球重力平衡感。第一部作品由一个男人组成，他被绑在登山背带上，垂直沿着较低的曼哈顿七层楼的墙面上走下来。第二部作品使用相同的机械支撑，在惠特尼博物馆（the Whitney Museum）的画廊里，在那里表演者以与观众形成直角的角度沿着墙壁移动。她类似的一些作品探索了空间运动的可能性，而《轨迹》（*Locus*，1975 年）（图 131，132）则把空间中的实际运动与一个二维的平面计划联系起来。表演完全通过图纸设计出来，布朗同时使用三种标记符号的方法以达到最终效果：她先画了一个立方体，然后根据自己的名字写出一个序数列，与立方体的相交线对应起来。她与三名舞者编排作品，完成图纸上的舞蹈编排动作。

同样在纽约，露辛达·查尔兹（Lucinda Childs）根据精心设计出的符码创作行为表演。《在边缘处堆积 20 块倾斜物》（*Congeries on Edges for 20 Obliques*，1975 年）就是这样一部作品，其中五位舞者在穿越空间的一组对角线上行动，在根据图纸所示的各种组合中探索整个舞蹈。劳拉·迪恩（Laura Dean）和她的同事们同样也采用了精确的在乐谱上暗示出的"措辞模式"进行表演，如在《圆圈舞》（*Circle Dance*，1972 年）里。

美国新舞蹈也影响了英格兰，后者 1974 年在汀密斯泰克斯剧院（Ting Theatre of Mistakes）成立了一个合作工作室，以继续早期的实验。他们在一本手册里把美国 1950—1960 年代的先锋舞蹈创造的各种概念放到一起——《行为表演艺术的元素》（*The Elements of Performance Art*）于 1976 年出版。一本有着非常明确表演理论和实践理论的书，这本书为潜在的演员提供了一系列的练习。《某个瀑布》（*A Waterfall*，1977 年），在伦敦海沃德画廊（Hayward Gallery）的前院和其中的一个露台上展出，它展示了一些在书中被表述的概念，如任务主导行为、圆形剧场戏剧以及运用空间和时间作为指示对象。这部特别的作品由公司的兴趣发展而来，他们根据所谓的"附加方法"组织表演。表演者被分散在各层大型脚手架上，手持容器，水被传递上去然后又传递下去，创造了一系列的"瀑布"，每次时长一小时。

仪式

与那些要处理身体在时空中的形式特征的表演相反，其他的行为表演作品在本质上更加情绪化和具有表现性。奥地利艺术家赫尔曼·尼特西（Hermann Nitsch）1962 年开始，他的作品与仪式和血相关，被描述

图 133　赫尔曼 · 尼特西 (Hermann Nitsch)，《操作：第 48 动作》(*Aktion : 48th Action*)，在慕尼黑现代剧院 (the Munich Modernes Theater)。

为“一种祈祷的美学之路”。古代酒神狄奥尼斯和基督教的仪式在现代语境下被再次展现，以此用来说明亚里士多德（Aristotle）通过敬畏、恐惧和怜悯进行宣泄的概念。尼特西把这些惯常的酒神节作为绘画行为的延伸，使人想起未来主义画派成员卡拉的建议：你必须画画，就像醉汉唱歌、呕吐、发声、吵闹和发出臭味一样。

他的作品《狂欢、神秘、戏剧》(*Orgies, Mysteries, Theatre*)（图 133）在整个 1970 年代每隔一段时间就重复上演。一次典型的表演持续几个小时，一般以震响的音乐开始——“他最大可能地制造噪音，以带来狂欢的效果”——紧接着尼特西给出典礼开始的指示。一只屠宰的羔羊被助手带到舞台上，把头固定在下面，就像被钉在十字架上一样。动物被开了膛；里面的内脏和一桶血将泼在某个裸体女人或男人身上，流完血的动物会被悬挂在他们头上。这样的表演来源于尼特西的信念，他认为人类的攻击本能通过媒体被压抑和减弱了。甚至是杀戮动物的仪式，这种对原始人来说是很自然的事，但已经在今天的现代经验中被抹杀了。这些仪式化行为是一种释放压抑的手段，释放被压抑的能量并且通过痛苦达到净化和救赎。

按照另一个仪式表演者奥托·米赫（Otto Mühl）说法，维也纳的“行为主义”不“仅仅是一种艺术形式,更是一种生存的态度”,这是对冈特·布鲁斯（Günter Brus）、阿努尔夫·雷内（Arnulf Rainer）和瓦莉·艾斯波尔（Valie Export）作品的恰当描述。这些行为一般是艺术家的戏剧性的自我表现,其强度使人想起五十年前的维也纳表现主义画家们。毫不为奇，维也纳行为主义艺术家的另一个特点就是他们对心理学感兴趣，他们对西格蒙·佛洛伊德（Sigmund Freud）和威廉·赖西（Wilhelm Reich）的研究导致他们把行为表演视为治疗的特殊手法。例如，阿努尔夫·莱纳（Arnulf Rainer）再现了神经疯狂的姿势。在因斯布鲁克鲁道夫·史瓦兹柯格勒(Rudolf Schwartzkogler)创造了他所谓的“艺术裸体—类似残骸”；但他的残骸像自我残害一样，最终导致了他 1969 年的死亡。

在巴黎，吉娜·佩恩（Gina Pane）自虐性地砍自己的后背、脸和手，这种自残行为依旧是危险的。和尼特西一样，她认为仪式化的疼痛有净化的效果：这样的作品“为刺激一个被麻醉的社会”是有必要的。她用鲜血、火、牛奶和痛苦的再现作为表演的“元素”, 用她自己的术语说——她成功地“让公众直截了当地了解了她的身体就是她的艺术素材”。佩恩一部典型的表演品为《健身训练》(*Conditioning*，“自画像”第 1 部，1972 年)，她躺在只有几道横杠的铁床架上，床底下有十五根长蜡烛在燃烧。

同样，为了寻求理解自我虐待这种仪式化的痛苦，尤其是由心理狂躁患者所表现的在身体和自我之间产生的断裂，玛丽娜·阿布拉莫维奇（Marina Abramovic）在贝尔格莱德（Belgrade）创作了同样惨烈的作品。1974 年，在题为《节奏 0》（*Rhythm 0*）的作品里，她允许那不勒斯美术馆（Naples Gallery）一屋子的观众在将近六小时的时间里随意虐待她，使用能够制造痛苦的或快乐的工具，为了他们的方便，这些工具被提前摆在桌子上。到第三个小时的时候，玛丽娜的衣服已经从她身上被剃须刀片割掉了，她的皮肤也遭受了鞭打；一把上膛的枪指着她的头，最终导致了折磨她的人之间发生了争斗，正在进行的表演不得不紧张地暂停。她在后来的作品中继续探索个体间的被动攻击性，这次和艺术家尤列（Ulay）一同完成，尤列于 1975 年成为她的合作者。他们一起探索疼痛和他们彼此之间的关系，还包括他们与公众之间的忍耐力。作品《无法估量的》（*Imponderabilia*，1977 年）由他们两个赤裸的身体组成，他们裸体面对面站在一个门框里，背对着门框；公众不得不通过两个人身体间狭小的空间进入展厅。另一个作品《运动中的关系》（1977 年）里，尤列开车绕着小圈子，连续不停地开了十六个小时，而玛丽娜也在车上，通过扬声器宣布车子所转的圈数。

斯图尔特·布里斯利（Stuart Brisley）在伦敦的行为表演同样也回应了他所认为的社会麻木和异化。《今天，一无所用》（*And for Today, Nothing*，1972 年）在伦敦艺术之家（Gallery House）的一个黑暗的浴室里进行展示，浴缸里注满了黑色液体和漂浮的垃圾，布里斯利让它们在里面躺了两个星期。据布里斯利说，作品的灵感来自他对个人去政治化的困扰，他担心这种趋势会导致个人和社会关系的腐坏。瑞恩迪尔·沃克（Reindeer Werk）是一对年轻的英国演员的名字，他们也关注同样的问题：1977 年在伦敦的巴特勒码头，他们上演《行为地带》，雷内（Rainer）在维也纳的作品一样，他们再现了社会弃儿、精神病患者、酗酒者和流浪汉的种种姿态。

对仪式原型的选择导致了很多不同种类的行为表演出现。由于维也纳表演学派对表现主义和心理学感兴趣的时间比较长，以致被外界认为这些为其特征。而一些美国行为艺术家的作品则反映了非主流情感，比如他们对那些印第安人的关注。琼·乔纳斯（Joan Jonas）的作品涉及

图 134　琼 · 乔纳斯 (Joan Jonas),《漏斗》(*Funnel*)，上演于马萨诸塞大学，1974 年。

了太平洋沿岸祖尼（Zuni）和霍皮（Hopi）部落的宗教庆典仪式，她在那里长大成人。那些古老的仪式发生在山脚下，这些部族居住在山上，仪式由部落中的巫师主持。

在乔纳斯的纽约作品《延迟，延迟》(*Delay Delay*，1972 年）中，观众同样坐在表演上方一定的距离处。他们从五层楼高的阁楼楼顶往下看，十三名表演者分散在空荡的城市地段里，每处都用巨大的记号标示着距离阁楼顶楼的步数。演员拍打着木头块，其回声是观众和表演者之间的唯一物理连接。乔纳斯将具有印度仪式特点的户外膨胀感以及利用镜子和视频提供深远空间幻觉的室内作品结合在一起。《漏斗》(*Funnel*，1974 年)（图 134）是一部可以在现实与监视器中同时被观看的作品。窗帘将房间分为三个不同特征的空间，每个空间都有一些道具——一个巨大的纸漏斗、两个摆动的平行杠和一个圆圈。其他的室内作品，如早期的《有机蜂蜜的视觉感应》(*Organic Honey's Visual Telepathy*，1972 年)，通过运用面具、孔雀羽毛头饰、首饰和戏服保留了户外作品的神秘质感。

蒂娜 · 吉鲁阿尔（Tina Girouard）的行为表演也围绕着戏服和庆

典而形成，四旬斋前狂欢节（Mardi Gras festivities）（她在美国南部出生）和霍皮（Hopi）部落印地安人的仪式激发出了她的创作灵感。结合这些仪式的元素，吉鲁阿尔在新奥尔良艺术博物馆（the New Orleans Museum of Art）展出了《风车》（*Pinwheel*，1977 年）。在这部作品中，几个表演者在博物馆正门入口处的地板上画了一个正方形，用纺织品将正方形分为四个部分，分别代表动物、植物、矿物质和其他所谓的“人物”。慢慢地纺织品和各种道具由表演者隆重地放上去，将已有的图形转化为艺术家所认为是“一系列的原型世界图像”。吉鲁阿尔认为：仪式化行为将表演者放在了印度庆典精神下“象征宇宙”的语境中，从而创造先锋的现代版本。

活体雕塑

许多艺术家的创作意图常常是荒诞的，许多行为表演作品都只是源于一个观念框架，缺乏某种幽默感。在英格兰，具有讽刺和幽默特征的作品首次出现。

1969 年，吉尔伯特（Gilbert）和乔治（George）那时还是伦敦圣马丁艺术学院的学生。他们和其他的年轻艺术家，如理查德·隆（Richard Long）、哈米什·富尔顿（Hamish Fulton）和约翰·希利亚德（John Hilliard）等人一起，成为英国观念艺术的核心人物。吉尔伯特和乔治将艺术理念人格化；他们宣称自己本人就是“活体雕塑”，进而使得自身成为艺术品。他们第一座“唱歌的雕塑”《拱门下》（*Underneath the Arches*）（图 135）在 1969 年展出，两名艺术家把脸涂成金色，他们穿着日常的西装，一个人手里拿着一根手杖，另一个拿着一副运动手套，他们两个人机械地如木偶般地在一张小桌子上表演了大约六分钟，其间为他们伴奏的是弗拉纳根（Flanagan）和艾伦（Allen）的同名歌曲。

如曼佐尼（Manzoni）一样，他们的艺术作品从关注个体到转变为将个体作为艺术对象，这种做法不但内含反讽意味，同时，也是对传统

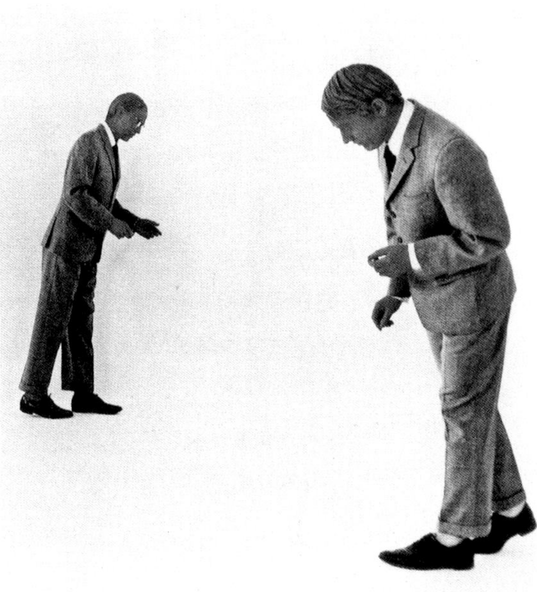

图 135（左） 吉尔伯特（Gilbert）和乔治（George），《拱门下》（*Underneath the Arches*），第一次在伦敦演出，1969 年。

图 136（右） 吉尔伯特（Gilbert）和乔治（George），《红色雕塑》（*The Red Sculpture*），1975 年第一次在东京演出。

艺术思想的调整与反思。在给《拱门下》（*Underneath the Arches*）的题词（“你见过的最聪明的、趣味丛生且严肃和美丽的艺术品”）中，他们概括出了“雕塑家法则”：“1. 衣着要适宜得体，要整洁、轻松、友好、礼貌并自控。2. 让全世界都相信你，并不顾一切地追求这种特权。3. 绝不用担心评价、讨论或批评，只需保持安静、自矜与平静。4. 上帝之凿还在，所以不要离开你的席位过久。”所以，对吉尔伯特和乔治而言，他们并没有把作为雕塑家的活动与现实生活中的活动截然分开。诗一样的作品和思想的宣言汩汩而来，如“艺术为所有所求”，这些宣言都强调了这点：它们被印在羊皮纸似的纸张上，上面总是携带有他们的官方标志——一组类似某皇家的字母组合在其标志之上：“为所有人的艺术”，这些宣言为理解他们单个雕塑作品的意图提供了线索，他们的作品在英国几乎一成不变地表演了几年，1971 年他们在美国表演。

另一部早期作品《用餐》(*The Meal*, 1969年5月14日) 同样体现了他们所关注的核心问题，即消解生活与艺术之间的分隔。他们在已发出的千人邀请函上写道："伊莎贝拉·比顿 (Isabella Beeton) 和多琳·马里奥特 (Doreen Mariott) 将给两位雕塑家吉尔伯特和乔治及他们的画家客人戴维·霍克尼 (David Hockney) 做饭。理查德·韦斯特 (Richard West) 将会做服务生工作。他们将在瑞普利艺术中心 (Ripley Art Centre) 海力卡斯 (Hellicars) 的美丽音乐室用餐，音乐室坐落在肯特郡布罗姆利区桑里奇大道上。一百张编号并签名的闪光彩色纪念票每张三基尼。我们希望您能参加这个重要的艺术盛会。"理查德·韦斯特是洛德·斯诺登 (Lord Snowdon) 的男管家，而伊莎贝拉·比顿据报道说是维多利亚美食家比顿夫人的一个远亲，她那豪华食谱被艺术家们使用。一顿精心制作的正餐用来招待最后的三十位客人，他们安静地吃了一小时二十分钟。戴维·霍克尼称赞吉尔伯特和乔治为"非常好的、奇妙的超现实主义者"，他另外还说，"我认为他们所做的是扩展理念的想法，任何人都可以成为艺术家，他们说什么或做什么都可以成为艺术。观念艺术就是超越时代与扩展视野的"。

随后的作品同样是基于日常的行为活动：在《饮酒雕塑》(*Drinking Sculpture*) 中，他们出没在伦敦东区的酒吧间，在安静的河边野餐成为他们乡村绘画和摄影作品的主题，《饮酒雕塑》这部作品在他们慢慢显现的活体雕塑之间展出。他们的作品《红色雕塑》(*The Red Sculpture*)(图136) 1975年在东京首次展出，持续了九十分钟，或许是他们最"抽象"的，同时也是最后的作品。他们把脸和手上都涂了亮丽的红色，两个人以缓慢地走来走去的姿势移动，其姿势与指令有着复杂的关系，后者就像被录音机录下来的宣言，然后由录音机播放一样。

每个个体都可以成为艺术客体的诱人诉求，导致众多活体雕塑分支的出现，部分是由于1960年代摇滚世界魅力的结果：例如，纽约歌手卢·里德 (Lou Reed) 以及英格兰组合罗克希乐队 (Roxy Music)，他们

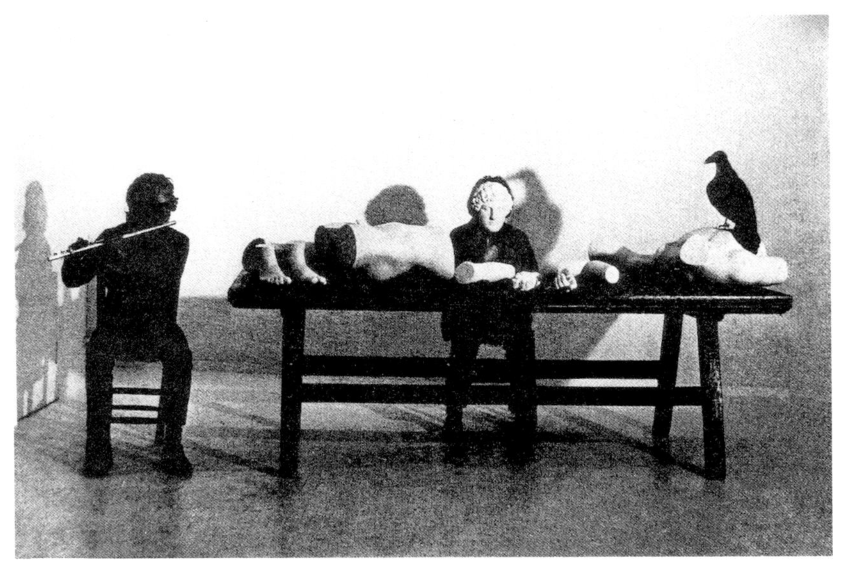

图 137　詹尼斯·库奈里斯 (Jannis Kounellis)，《桌子》(*Table*)，1973 年。

在台上及台下创造了惊人的场面。两者之间的关系在 1974 年琉森美术馆（Kunstmuseum, Lucerne）一个叫“变形”（Transformer）的展览中得以突出，展览里还包括艺术家乌尔斯·吕提（Urs Lüthi）、卡塔琳娜·希维汀（Katharina Sieverding）和卢西亚诺·卡斯特利（Luciano Castelli）的作品。“变形”也被用来指称雌雄同体的概念，它来自女权主义者的观念，他们认为传统的男性和女性的角色至少可以在时尚方面平等。所以吕提，一个又圆又矮的苏黎世艺术家扮演他的又高又瘦的漂亮女朋友曼侬（Manon），辅之以浓妆艳抹和内吸脸颊，在一系列摆好的表演中，她或他的所有的外表是可以互换的。他说，矛盾的摇摆是他作品最重要的创新方面，在《自画像》(*Self-Portrait*，1973 年）中就可以看到。同样，杜塞尔多夫的艺术家希维汀（Sieverding）和克劳斯·梅提格（Klaus Mettig）希望在《自动摄影机》(*Motor-Kamera*，1973 年）里，通过扮演一系列用人情景做到“交换身份”,其中他们的穿着和打扮惊人地相似。在琉森，卡斯特利（Castelli）创造了异国情调，如在《表演日光浴室》(*Performance Solarium*，1975 年）里，他躺在地上，被一大堆来自异装癖的衣柜、化妆盒和相册等物品环绕着。

另一个分支的活体雕塑家们不那么自恋：他们在一系列的活体造型里探索姿势和示意动作形式上的特质。在意大利，詹尼斯·库奈里斯（Jannis Kounellis）展出的作品中，他把有生命的雕塑和无生命的雕塑结合在一起——作品《桌子》（*Table*，1973 年）（图 137）由下列事物构成：一张桌子上散落着古罗马阿波罗雕塑的碎片，桌旁坐着一位男人，男人脸上戴着阿波罗面具。库奈里斯解释说，这件作品及其他几件无题的“凝固表演”，其中包括一匹活马，都是一种隐喻说明的手段，用以说明在整个艺术史中被表述出的理智与感情的复杂性。他认为帕特农神庙中的墙顶饰带就是一种“凝固的表演”。他说，艺术史上每一件雕塑或绘画都包含着“一个灵魂孤独的故事”，他的静态造型就是尝试着去分析那种“非凡想象力”的本质。罗马艺术家路易吉·翁塔尼（Luigi Ontani）在一系列的表演中描绘了这样的“想象力”（图 138），他从古典绘画中汲取营养，给予他的人物活力；这些作品包括《圣·塞巴斯蒂安》（*San Sebastian*，1973 年）（在基多·雷尼之后）和《在 J. L. 大卫之后》（*Après J. L. David*，1974 年）。他的一些关于“再现”的作品来源于历史人物，1974 年他第一次来纽约的时候，一直身穿戏服游览，模仿绘画里的克里斯托夫·哥伦布（Christopher Columbus）。

1976 年在纽约古根海姆博物馆，斯科特·波顿（Scott Burton）的作品《双人行为的舞台造型》（*Pair Behavior Tableaux*）（图 139），由两位男性表演者表演一个小时，由 80 个左右的静止姿态构成，每个静止姿态大约持续表演几秒钟，它们都用来显示波顿的身体言语词汇——“角色建立”“缓和”与“解脱”等，动作静止后就会停电；从距离二十码的地方观看这些人物姿态，人们会把他们看成是雕塑似的作品。1976 年在纽约钟楼，美国艺术家科莱特（Colette）以科莱特之名裸体躺在一个奢华的 20 英尺 ×20 英尺的碎丝工作平台里（图 140），并在现实生活的睡梦中将“睡眠画面”持续了若干小时。

图 138 (上) 路易吉 · 翁塔尼 (Luigi Ontani),《堂吉诃德》(*Don Quixote*), 1974 年。

图 139 (中) 斯科特 · 波顿 (Scott Burton),《双人行为的舞台造型》(*Pair Behavior Tableaux*), 1976 年。图为《活体舞台造型》(*tableaux VIVANTS*) 中 80 个静态造型的第 47 号, 作品由五部分表演构成, 1976 年 2 月 24 日—4 月 4 日纽约所罗门古根海姆博物馆 (the Solomon R. Guggenheim Museum) 首演。

图 140(下) 柯莱特(Colette),《真实的梦》(*Real Dream*), 在纽约钟楼首次上演, 1975 年 12 月。

自传

对人的外观和姿态进行审视，以及对艺术家艺术作品和他 / 她生活之间的精细界限进行调查分析，这些成为很大一部分作品的主体内容，并被粗略地概括为“自传性的”。因此，一些艺术家将自己生活中的片段再现出来，通过胶片、视频、声音和独白把生活素材整理和转化成一系列的表演行为。纽约艺术家劳丽·安德森（Laurie Anderson）运用“自传”来表示直到实际表演开始前的时间，所以这样的作品通常包括一个它自己的描述说明。《为若干瞬间》（*For Instants*）（图 142）是一部四十五分钟的作品，它 1976 年在惠特尼博物馆（Whitney Museum）的一次表演节上展出，劳丽一边解释这部作品的最初的创意，一边展出最终作品。她告诉听众，她非常希望放映一部在哈德逊河（Hudson River）上航行的电影，她接着继续描述她在拍摄过程中遇到的困难。录制原声的时候也遇到了同样的问题，如安德森所指出的一样，使用自传体材料具有不可避免的缺陷。这就意味着不再只有一个过去，而是有两个：“一个已经发生的过去，另一个是我说出的并写下的过去”——这就使得行为表演与现实之间的区分模糊了。通常情况下，她会把这类困难写成一首歌：“艺术与幻觉，幻觉与艺术 / 你真的在这里吗或只有艺术在这里？ / 我真的在这里吗或仅仅是艺术在这里？”

《为若干瞬间》之后，安德森的作品变得更以音乐为本，和鲍勃 · 彼阿雷茨基（Bob Bialecki）一起，她为以后的表演进行了乐器分类。有一次，她用录音带取代了她小提琴琴弓上的马尾琴弦，在安装于小提琴琴身里的磁头上播放提前录好的语句。每拉一次弓都对应磁带上的一句话。然而，有时候句子故意保留不完整，结果导致，例如，像列宁的名言“道德是未来的美学”（Ethics is the aesthetics of the future）则变成了“道德是少数（正确的）人的美学”[Ethics is the Aesthetics of the Few (ture)，此句为安德森 1976 年作品的名字]。然后她尝试了如何逆向录音记录话语的方法，结果“老子”从听觉上逆向则变成了“你是谁？”这些听觉

图 141（上） 朱丽亚·海沃德（Julia Heyward），《摇摆吧！爸爸！摇摆！》（*Shake! Daddy! Shake!*），贾德森教堂，1976 年 1 月 8 日。“这件作品是一个孤立的身体部分，一条手臂，并且通过描述其功能及其最终的厄运，来陈述它的历史。它作为一名人民公仆(部长) 身体的一部分，它的功能就是握手。最后这条手臂得了一种神经系统疾病……”

图 142（中） 劳丽·安德森（Laurie Anderson），《为若干瞬间》（*For Instants*），1976 年，在一把改装过的“小提琴留声机”上进行表演，小提琴琴弓中安装着一根针。录音播放的是她录制的自己的声音。在表演中，安德森用她自己的歌唱伴奏她的“小提琴留声机”演奏，表演中还包括电影片段和演讲部分。

图 143（下） 阿德里安·派珀（Adrian Piper），《被反射的表面》（*Some Reflected Surfaces*），1976 年 2 月在惠特尼博物馆（the Whitney Museum）展出。

上的回文在基钦视频音乐中心（Kitchen Center for Video and Music）展出，作为她作品《为线条而歌，为浪花而歌》(*Songs for Lines/Songs for Waves*，1977 年）的一部分。

像安德森一样，朱丽亚·海沃德（Julia Heyward）的行为表演含有她相当多的童年素材。安德森出生于芝加哥，海沃德在美国南部长大，是一个长老会牧师的女儿。童年背景的影响体现在她的行为表演风格和内容方面，也体现在她对行为表演本身的态度上。一方面，在她的长篇独白里她使用具有南部牧师特征的歌唱节奏，另一方面，她把参与行为表演描述为“如同走进教堂一样，双方都变得情绪激昂、感动并充实”。

虽然海沃德早期的纽约行为表演都涉及了她在南方的生活，如在基钦的《这是太阳！还是通过协会获得的名声？》(*It’s a Sun! or Fame by Association*，1975 年）以及在贾德森纪念堂展出的《摇摆吧！爸爸！摇摆！》(*Shake! Daddy! Shake!*，1976 年）（图 141），但海沃德（Heyward）很快就厌倦了自传体的限制。在惠特尼博物馆展出的《上帝前进》(*God Heads*，1976 年）是反对此种类型的回应，同时它也反对所有的社会习俗以及强化它们的机构——国家、家庭和艺术博物馆。她把观众分开，“男孩”在左，“女孩们”在右，她反讽般地强调了男性和女性在社会中的角色。然后她给观众放了拉什莫尔山（国家的象征）的电影片段以及一些断头玩偶（家庭生活的死亡）。海沃德在男女观众的分界线上来回走动，并发出声音，像口技表演者一样对艺术博物馆进行批评：“上帝现在说话了……这个女孩死了……上帝通过她来说话……上帝说艺术家没有美元就没有艺术秀。”在艺术家空间（the Artists Space）展出的作品《这是我的蓝色时期》(*This is my Blue Period*，1977 年）也具有同样的讽刺意义，她探讨了电视及其将个体“潜意识日日夜夜、足不出户地进行集体化”的力量。她说，这部作品使用“声音置换”“潜意识视觉和听众手段”以及“语言和身体语言”来“操纵观众的情感和大脑”。

对行为表演的迷恋作为手段用以增加观众自身作为操控受害者地位的

意识，即或是被媒体操控或是被表演者本身操控，这种手段同样也贯穿了阿德里安·派珀（Adrian Piper）的作品《被反射的表面》（*Some Reflected Surfaces*）（图 143）里，该作品 1976 年在惠特尼博物馆（the Whitney Museum）展出。当派珀录制的声音讲述她如何在市中心的酒吧里做迪斯科舞者的工作时，在聚光灯下她穿着黑色的衣服，脸白白的，戴着假胡须和墨镜，伴随着歌曲《尊敬》起舞。届时一个男人的声音严厉地批评她的动作，她依照他的指示进行着改变。最后灯光熄灭，跳舞者小小的身影简略地出现在旁边的视频画面上，仿佛在暗示她最终被公共媒体接受。

自传式的行为表演容易被接受，而且艺术家透露私人信息的这个事实使得他在表演者和观众之间建立了一种特定的共鸣。因此这种类型的展出比较流行，即使自传的内容不一定是真实的；事实上，许多艺术家强烈反对被称为自传式的行为表演者，但他们仍然依靠同观众产生共

图 144（左） 汉娜·威尔克（Hannah Wilke），《超级 T 艺术》（*Super-t-art*）和“小心法西斯女权主义”，1974 年。

图 145（右） 瑞贝卡·霍恩（Rebecca Horn），《独角兽》（*Unicorn*），1971 年。

鸣并以此来领会他们的创作意图。这种自传式行为表演与欧洲和美国的声势浩大的妇女运动正好同时发生，它允许众多女性演员探讨她们的男性同辈相对较少探讨的问题。例如，1975 年在巴黎双年展（the Paris Biennale）上，德国艺术家乌力奇·劳森巴赫（Ulrike Rosenbach）在名为《不要相信我是一个亚马逊女战士》（*Don' t Believe that I am an Amazon*）这部作品里，她身穿白色紧身衣，在大量观众面前，戏剧化地射击印有“麦当娜和孩子”的靶子。这种对基督教传统对女性的压抑以及对本质上的家长宗法观的象征性攻击，已经在汉娜·威尔克（Hannah Wilke）的《超级 T 艺术》（*Super-t-art*，1974 年）（图 144）中被提前预示了。这部作品也是吉恩 · 杜普伊（Jean Dupuy）《杜普和塔特》（*Doup and Tart*）在基钦栏目秀的一部分。在作品中威尔克自己扮演女基督，她狂放不羁地展示美丽的身体，其与同时期制作的海报相关，海报题为“警惕法西斯女权主义”，警告某种女权者的清教徒主义，它具有一定的危险因素，因为它把矛头指向了妇女自身，以及她们的感官享受和身体愉悦。

更早一些的时候，另一位德国艺术家瑞贝卡 · 霍恩（Rebecca Horn）设计了一系列的“互动仪式模型”——一种特制的装置，当穿上它们时就会产生那种感官愉悦的感觉。《丰饶之角——降灵双乳》（*Cornucopia-Seance for Two Breasts*，1970 年）是一个喇叭形的物体，绑在女人胸部，并连接着双胸和嘴。《独角兽》（*Unicorn*，1971 年）（图 145）的服装是一条条白色的蕾丝花边绕过裸体女人身体，她头上戴着独角兽的角。女人如此穿着经过清晨的公园，仿佛藐视观众对她美丽身体展示的忽略。《机械身体风扇》（*Mechanical Body Fan*，1974 年）由男性或女性的身体组成，他们将身体伸展成两个大半圆形状，向四周扩展并确定一个人身体可延展的空间。缓慢转动分开的两片扇面，每转一圈则展示或隐藏身体不同的部位，而快速旋转则产生了一个透明的光圈。

在这些表演中所探讨的问题，评论家们经常简单地将其与女性主义艺术归在一起，他们甚至还会削弱作品的重要意图。然而，女性主义者所需要的社会革命是男人做的要和女人一样多，并且某些表演就是在这种指引下建构的。玛莎·威尔逊（Martha Wilson）和杰基·阿普尔（Jackie Apple）的作品《转型：克劳蒂亚》（*Transformance: Claudia*，1973 年）既评价了妇女在权钱创造的阶层社会里所扮演的角色，也对权力和金钱进行了总体评价。它开始于纽约广场大酒店优雅和高级的棕榈餐厅(Palm Court Restaurant）里的一个昂贵的午餐小派对，随后他们参观了市中心的 SOHO 画廊。然后他们进行即兴对话和行为表演，表演“典型的‘女强人’角色模式，如同她被时尚杂志、电视和电影文化定型一样”。艺术家们说这部作品提出了陈规旧习和现实之间的冲突问题：“一个女人是否可以是女人，同时又很强大？或者女强人值得拥有吗？”

权力问题在《卖淫笔记》（*Prostitution Notes*，1975 年）里从完全不同的角度进行审视，这部作品由来自洛杉矶的加州艺术家苏珊娜·莱西（Suzanne Lacey）完成。该作品受沃茨工作室（Studio Watts Workshop）的吉姆·伍兹（Jim Woods）委托，由大量卖淫资料组成，记录时长超过了四个月，他们在十个都市地图上展出，旨在“增加对卖淫生活的意识和理解”。莱西说，这些数据“反映了社会对女性的潜在态度以及她们是如何被社会对待的”。

当一些艺术家的行为表演提高了公共意识时，另一些艺术家则探讨与个体相关的幻觉与梦想。苏珊·罗素（Susan Russell）在纽约艺术家空间展出的《木兰花》（*Magnolia*，1976 年），是一部关于南方美人 30 分钟梦的视觉故事，其中一个片段是罗素坐在电影背景前，清风吹拂过草原，她的鸵鸟毛披肩被电风扇吹动着。伦敦艺术家苏珊·希勒（Susan Hiller）的作品《梦的仪式》（*Dream Ceremonies*）和《梦的测绘》（*Dream Mapping*，1974 年）通过对真实的梦的研讨来进行创作，由她和十二个朋友在环绕着田野的乡下小屋里完成。几天里，这些人住在一起，夜晚的时候一起做梦，早晨被叫醒后要讨论他们刚刚做过的梦。加州艺术家埃利诺·安廷（Eleanor Antin）用各种形式的行为表演和展示她的梦，在服装和化妆的辅助下，她成为她幻想中的各种角色。如《芭蕾舞演员和流浪汉》(*The Ballerina and the Bum*, 1974 年)、《一个护士的冒险》(*The Adventures of a Nurse*，1974 年) 和《国王》(*The King*，1975 年)(她用头发做假胡子庆祝自己男性自我的诞生)，她解释说每部作品都是她延展个性界限的方法。

角色模仿、自传性、梦境素材及对过去行为的再现，这些都向行为表演者们敞开了大门，使得他们进行各种各样诠释维度的尝试。巴黎艺术家克里斯蒂安·波尔坦斯基 (Christian Boltanski)，穿着一身旧衣服演绎他的儿童时代，在《我母亲的缝补》(*My Mother sewed*) 这部作品里，他在自家壁炉前的故意画成儿童画的作品前缝缝补补。在伦敦，马克·夏莫维茨 (Marc Chaimowicz) 在车库里展出《舞台造型》(*Table Tableaux*，1974 年) 中，他把脸涂成金色出现在自己房间的复原物里。他说,这十五分钟的作品要表现女性的特质——“精致、神秘、感性及敏感，尤其是谦逊”。

生活方式：娱乐至上!

自传式表演的亲密和坦诚的特质打破了之前观念至上的“理性”和说教式的统治。年轻艺术家们拒绝把艺术世界从他们的文化时代中独立出来，比如从摇滚音乐、奢华的好莱坞电影 (以及他们所代表的生活方式)、电视肥皂剧或卡巴莱歌舞表演中，这些艺术家创作了各种各样的作品，而最重要的是，这些作品都具有明显的娱乐特征。

布鲁斯·麦克莱恩 (Bruce Mclean) 是一位在伦敦的苏格兰艺术家，他说娱乐的关键是风格，而风格的关键在于完美的姿态。于是 1972 年麦克莱恩与保罗·理查兹 (Paul Richards) 和罗恩·卡拉 (Ron Carra) 组建了“好风格，世界第一姿态乐队”(Nice Style, The World’s First Pose Band)。他们作品的前期准备工作在同一年展出，在泰特美术馆首次策划了以“回顾展”为名的展览，展览由 999 种建议姿态的形式构成。作品如《服务员，服务员，我的汤里有一个雕塑》(*Waiter, Waiter There' s a Sculpture in my Soup, Piece*)、《傻瓜们冲进来创造新艺术》(*Fools Rush in and Make the New Art, Piece*) 以及《沿街散步》(*Taking a Line for a walk, Piece*) 等发表在一本黑色的册子上，然后这些册子像地毯一样被摊在地板上，象征了姿态乐队 (Pose Band) 将采用讽刺幽默的类型进行创作。麦克莱恩的第 383 个建议是《他，笑到最后的人创作了最好的雕塑》(*He Who Laughs last Makes the Best Sculpture*)，它明晰地标志着这个团体的创作意图。

在伦敦许多场合进行了一年的准备和预演后，在伦敦皇家艺术学院的画廊里姿态乐队针对“当代姿态”进行了一次演讲。一个穿着时髦但带有很明显口吃的演讲者开始演讲，组合里的成员对他说的话进行演绎，他们穿着各异：由吹风机吹起来的银色太空服、充满异国情调的男扮女装和一件独特的对襟雨衣。演讲者详尽论述的“完美姿势”被他们进行演示，辅以特制的“站姿模型”或“身体调节器”(其实是摆出人物姿势的服装用品) 和大尺寸测量仪，这些用以确保手肘角度或倾斜的头部的精确度。一件组合成员穿旧的不起眼的雨衣对任何一个学生来说，其实都是进行图解的线索：它代表了这个组合无可争议的英雄——维克多·迈彻 (Victor Mature)。麦克莱恩半认真地解释说，迈彻“承认自己是个糟糕的演员并用 150 部电影去证明它”，他把自己看作是一种风格的产物：“除了风格一切都不存在于现在的电影里。”事实上，他说，迈彻从耸起眉毛到肩膀运动大约有十五种姿势，而他风格建立的首要手段就是他无处不在的雨衣。《克利斯的危机》(*Crease Crisis*，1973 年) 是一次向“迈彻雨衣”致敬的表演。

在整个 1973 年和 1974 年，这个组合继续它对姿势的“研究”，并在伦敦以滑稽表演的方式进行展览。每个作品都有一个恰如其分的滑稽标题：《把我们带到顶端的姿势，深度冻结》(*The Pose that Took us to the Top, Deep Freeze*，1973 年)，它在摄政街的汉诺威大饭店的宴会套房里展出；《从侧面看》（*Seen from the Side*，1973 年）是一部 40 分钟的电影，它处理“不良风格问题，在肤浅和贪得无厌的社会中保持姿态是很重要的”；而《在高高的巴洛克宫殿》（*High up on a Baroque Palazzo*，1974 年）（图 146）是一部关于“入口和出口姿势”的喜剧。1975 年好风格乐队解散了，但是麦克莱恩的后续表演继续用他无以模拟的幽默和肆无忌惮的姿势进行人物塑造。此外，像所有的反讽方法一样，他在作品冷嘲热讽方面也有其严肃的一面：反讽的总是艺术的。

同样的，1968 年“普遍观念”（General Idea）团体在多伦多成立，成员有豪尔赫·宗塔尔（Jorge Zontal）、A. A. 布朗森（A. A. Bronson）和费利克斯·帕兹（Felix Partz），他们模仿艺术世界过分严肃的特征。他们说他们的目的是要成为“富有一迷人的艺术家”，所以他们创办了一

图 146 “好风格，世界第一姿态乐队”（Nice Style, The World’s First Pose Band），《在高高的巴洛克宫殿》（*High up on a Baroque Palazzo*），在伦敦车库美术馆展出，1974 年。

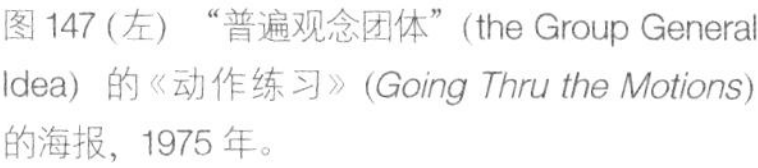

图 147（左）“普遍观念团体”（the Group General Idea）的《动作练习》（*Going Thru the Motions*）的海报，1975 年。

图 148（右）《百叶窗》（*Venetian Blind*）的戏服，由“普遍观念”（General Idea）设计，在阿尔伯塔路易斯湖滑雪场的斜坡上表演，1977 年。

本杂志《文件》（*File*），评论家如此评论《文件》：它是“加拿大的所有达达主义都被包含在亮光纸面的、且尺寸一样的《生活周刊》（*Life*）的复制品”，其中艺术家以好莱坞明星的风格出场。在某一期中，他们宣称他们所有的作品都是为了 1984 年将要举办的普遍观念小姐选美大赛所做的彩排。《观众的训练》（*Audience Training*，1975 年）是该团体给观众发出指示，让他们做出“鼓掌、笑和欢呼的动作”。《动作练习》（*Going Thru The Motions*，1975 年）（图 147）是他们在安大略艺术画廊彩排表演的一个名称，他们在这里预演了《六个百叶窗帘》（*Six Venetian Blind*）（图 148）里未来房屋建筑的模型：六名女性穿着锥形的服装，象征着未来的新建筑，在现场摇滚乐队的伴奏下，模特们走下斜坡，之

图 149（左） 文森特 · 特拉索夫 (Vincent Trasov) 扮演的花生先生，温哥华，1974 年。

图 150（右） 帕特·艾莱斯克 (Pat Oleszko)，《手臂之衣》(*Coat of Arms*)（26 只手臂），1976 年。

后她们开始游览百货商店、城市遗址和滑雪场，最后“在地平线上走出新建筑物”。

其他艺术家也做服装表演：1974 年文森特 · 特拉索夫（Vincent Trasov）穿在花生壳里扮演花生先生（图 149），他走在温哥华的大街上，戴着单片眼镜、白色手套和高帽子，为市长办公室的竞选做宣传；在同一个城市，布鲁特博士，别名埃里克·梅特卡夫（Eric Metcalfe），在他的获奖作品《美洲豹不动产（*Leopard Realty*，1974 年）里穿着豹纹服装出现；旧金山艺术家保罗 · 科顿（Paul Cotton）在卡塞尔文献展上（1972 年）装扮成粉红兔女郎进行表演，他的生殖器从毛茸茸的戏服上突出来，上面撒了粉色的粉状物体；1976 年，纽约艺术家帕特 · 艾莱斯克（Pat Oleszko）在现代艺术博物馆的表演节目“阵容”中展示她的作品《手臂之衣》(*Coat of Arms*）——一件有二十六只胳膊的大衣（图 150）。

表演艺术家在他们作品的结构中融合与运用表演和娱乐的各个方

面。有些人转向运用卡巴莱歌舞表演或多种戏剧技巧作为手段表达想法，这与达达主义和未来主义者之前所做的相似：作品《罗尔斯顿·法里纳用坎贝尔的鸡肉面条 / 西红柿汤做绘画示范》(*Ralston Farina Doing a Painting Demonstration with Campbell's Chicken Noodle/Tomato Soup*，1977 年）是法里纳的很多魔术表演中的一个，在这部作品里他使用“艺术”作为自己的道具，他说，这部作品的主要目的在于探讨“时间和时机”。同样，斯图尔特·谢尔曼的《第四奇观》(*Fourth Spectacle*）1976 年在惠特尼博物馆（the Whitney Museum）展出，他以旅行表演者的方式进行表演：枕头、球形门把手、旅行帽、吉他和铲子，这些物品都是从他的纸板箱里拿出来的，然后他通过手势和附近录音机发出的声音演示每件物品的“个性”。

到了 1970 年代中期，相当多的行为表演者进入娱乐界，使得艺术家的表演在大众中越来越受欢迎。艺术节和群体表演被组织起来，有些表演要持续几天。1975 年，在英格兰南汉普顿举办的《行为表演秀》(*The Performance Show*)，汇聚了众多的英国艺术家，其中有罗丝·英格利希（Rose English）、萨莉·波特（Sally Potter）和克莱尔·韦斯顿（Clare Weston），同一时间吉恩·杜普伊（Jean Dupuy）在纽约组织了几个晚上的演出，每场都有多达三十几位艺术家参加他们的节目。此类节目如在贾德森纪念教堂展出的《旋转舞台上的三个夜晚》(*Three Nights on a Revolving Stage*，1976 年）；另外还有如《金属孔》(*Grommets*，1977 年）这样的节目，杜普伊在自己的百老汇阁楼上搭建了两排帆布小房间，他让二十名艺术家隐藏在这里，参观者通过金属猫眼进行观看，他们从梯子爬到上面的小房间观看由艺术家如查理曼·巴勒斯坦（Charlemagne Palestine）、奥尔加·阿多诺（Olga Adorno）、维尼·凯（Pooh Kaye）、艾丽森·诺里斯（Alison Knowles）和杜普伊自己创作的作品，作品的比例缩小到适合“一便士偷窥秀”的条件。此外，为了满足这种新需求，有些画廊如基钦视频音乐中心（the Kitchen Centre for Video and

Music)、纽约的艺术家空间（Artists Space）、阿姆斯特丹的德·阿普尔（De Apple）以及伦敦的艾格米（Acme），它们都专门致力于行为表演。预订代理商为了增加行为表演的数量开始进行调整，其媒介利润也前所未有地增长：未来主义、达达主义和包豪斯的行为表演在纽约再次展出，也包括其最新作品的展示，如一整晚的激浪派表演等。

朋克美学

由于博物馆和美术馆对行为表演的正式认可，这鼓励了许多年轻的艺术家加速为他们的作品寻找较为热闹的场所。从历史上来看，行为表演者们从未对体制的认可有过任何的依赖，此外，他们还故意反抗与体制相关的停滞不前和形式主义。1970 年代中期，摇滚音乐又一次为人的情感宣泄提供了出口。那个时期摇滚经历了有趣的转型，从 60 年代和 70 年代早期高度复杂的音乐到故意的和来势汹汹的业余音乐。早期的朋克摇滚——在 1975 年左右的英国和其后不久的美国——是由一些非常年轻的没有经过专业训练且没有经验的“音乐家”发明的，他们以独特的方式演奏的 60 年代英雄歌曲，完全不顾传统的节奏、音调或连贯性音乐的品质。很快，朋克摇滚乐队就开始撰写他们自己的恶毒歌词（在英国，这经常是失业的年轻工人阶层的一种表达方式），并且设计出了同样令人发指的展览。他们的新美学观念被性手枪乐队（Sex Pistols）或冲突乐队（The Clash）用来展示：破烂的裤子、乱蓬蓬的狂野发型和安全别针饰品、剃须刀片以及身上标榜个性的文身。

在伦敦，科赛·范尼·图蒂（Cosey Fanni Tutti）和杰娜瑟斯·P·奥林治（Genesis P. Orridge）辗转于行为表演和朋克表演之间，以“COUM 传输”（COUM Transmissions）称谓进行行为表演，以“悸动的软骨”乐队（Throbbing Gristle）进行朋克音乐表演。1976 年他们作为“COUM 传输”在伦敦制造了一出丑闻；他们在当代艺术学院（the Institute of Contemporary Arts）举行了题为“卖淫”的展览（图 151），从科赛为

图 151 “COUM 传输”（COUM Transmissions），在伦敦的当代艺术学院（ICA）举办的“卖淫”展，1976 年。

一本淫秽杂志做模特开始等事件组成，展览引发媒体和议会一行的否认。尽管在邀请卡的警示上写着不允许十八岁以下的人参加，但媒体还是愤怒了，他们指责艺术委员会［当代艺术学院（ICA）的部分赞助商］浪费公款。其结果导致 COUM 在英国被非官方地禁止于画廊参展，次年性手枪乐队（Sex Pistols）也遭遇了同等对待，他们的唱片被列入电台“黑名单”。

艺术类学生转向“音乐家”的先例在某些明星之前就已经出现过了，如约翰·列侬（John Lennon）、布莱恩·费里（Bryan Ferry）和布瑞恩·伊诺（Brian Eno），乐队如挽诗乐队（The Moodies），其讽刺风格摆脱了 1950 年代的蓝调音乐的情绪，以及小家伙组合乐队（the Kipper Kids），该组合模仿残暴的“童子军”，他们腰部以下赤裸并饮用威士忌，定期地在伦敦皇家艺术学院画廊（Royal College of Art Gallery）和车库（the Garage）等地方进行展览。在纽约，朋克摇滚俱乐部 CBGB’s 经常被新一代的年轻艺术家光顾，这些年轻的艺术家很快就组建了自己的乐队，并加入新潮流中。艾伦·苏赛德（Alan Suicide），又名艾伦·维嘉（Alan Vega），是一位霓虹和电子艺术家，他和爵士音乐家马丁·雷夫在CBGB's 表演了“回声音乐”，他们经常被安排在和橡皮擦乐队（The Erasers）一样的节目里，后者为另一个组合，他们从 1977 年开始转向朋克音乐。

从艺术到反艺术朋克的转变对许多艺术家来说并不是彻底的，因为他们仍然把自己的大部分作品看作是艺术家的行为表演。然而，朋克美学的确影响了许多表演者的作品：迭戈·科尔特斯（Diego Cortez）习惯性地穿着他的一身皮衣进行表演，梳着背头，戴着墨镜，而罗宾·温特斯（Robin Winters）把向观众抛掷大麻烟卷作为《本州最佳职员》（*Best Hired Man in the State*，1976 年）的开篇姿态，并以假装自杀来结束他半小时的行为表演。这些作品充满了破坏性氛围与愤世嫉俗的情绪。从多个角度看，它与某些未来主义的行为表演接近，拒绝价值观和理念的建立，并主张未来的艺术如同事物一样是完全融入生活的。

这一代的艺术家在他们 20 多岁的时候，于 1976 年或 1977 年就开始公开表演，他们与那些略长于他们的艺术家对待现实和艺术的看法大相径庭。他们的表演新风格体现了朋克美学特征，带有无政府主义、过分暴力和色情的倾向，同时把近期的表演范式同他们自己的生活方式和情感混合在了一起。吉尔·克罗森（Jill Kroesen）的《露和沃尔特的预演》（*Preview for Lou and Walter*，1977 年）在艺术家空间（the Artists Space）展出，他像作曲家操纵交响乐中音色和音高那样操纵剧中的人物、角色与情感。尽管带有形式上的因素，但这些作品的内容绝对是朋克风格的：它讲了一群乡巴佬的故事，他们被禁止与本地绵羊发生性关系的沮丧情绪通过踢踏舞的行为方式得以重温。当“如果一分享”和“假如是我”两个人物开始跳舞的时候，雌雄同体的一对恋人露和沃尔特就会开始唱“鸡奸者之梦”或者“庆祝施虐 / 受虐（S&M）”，歌词中唱道：“哦，

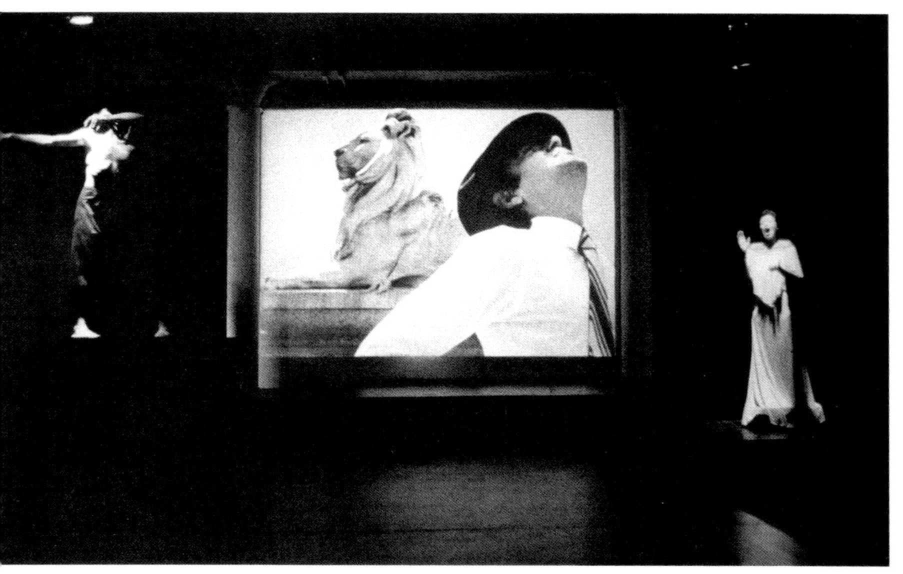

图 152 罗伯特·隆戈（Robert Longo），《一个好男人的声音》(*Sound Distance of a Good Man*)，1978 年。

沃尔特，我就是小露 / 哦，沃尔特，我如此爱你……哦，沃尔特，握紧你的拳头，你为何不进来 / 哦，沃尔特，你不会撕坏我的皮毛。”

新一代年轻的艺术家们也开始将行为表演融入电影制作、绘画和雕塑中。在纽约，电影制作者杰克·哥德斯坦（Jack Goldstein）也是特殊唱片“杀人”和“燃烧的森林”的创作者，他展示了名为《两名击剑运动员》（*Two Fencers*，1978 年）的作品，在这部作品里，两个幽灵般的人物在黑暗中击剑，他们白色的身体被聚光灯直射着，这部行为表演作品与他的唱片专辑同名。罗伯特·隆戈（Robert Longo）把他的“固体摄影”情绪转换成三联式的行为表演作品《一个好男人的声音》(*Sound Distance of a Good Man*)（图 152），这部作品把电影剧照画成图片，然后再做成彩色浮绘，作品七分钟，在靠着墙放置的三个平台上进行，它呈现了三个雕塑形象，会使人想起隆戈墙上的浮雕。聚光灯下两个强壮的摔跤手在观众左侧缓慢旋转的圆盘上扭在一起，一位白衣女性在观众的右侧演唱歌剧选段；与此同时，一个男性头部对着一尊狮子雕像的电影（与制作成彩绘浮雕的剧照不可思议地相似）占据中心“调控板”的位置。

边缘表演

1970年代期间，许多年轻的艺术家从艺术学校毕业后直接进入行为表演，把它作为进入艺术范畴的媒介，在美国越来越多的剧作家和音乐家也开始直接参与行为表演方面的工作，就像那些60年代占据主流地位的舞蹈家和音乐家所做的一样——比如特里·赖利（Terry Riley）、菲尔·格拉斯（Phil Glass）、史提夫·赖许（Steve Reich）、埃尔文·路西尔（Alvin Lucier）和查理曼·巴勒斯坦（Charlemagne Palestine）。年轻的表演者把音乐作为他们工作的主要元素，如以“古典主义”为方向的康妮·贝克利（Connie Beckley），还有“新浪潮”组合，彼得·戈登（Peter Gordon）和他的“生命之爱交响乐团”（Love of Life Orchestra），理论女孩（the Theoretical Girls）或妇科医生（the Gynecologists）等组合，他们都在艺术表演场地基钦中心和艺术家空间展出过。

同时，在另一个地区，罗伯特·威尔逊（Robert Wilson）和理查·福尔曼（Richard Foreman）的宏大壮观场景表明当行为表演的展示进行更大规模时，一些当下观念在行为表演中可以被接受到何种程度。威尔逊的十二个小时的作品《西格蒙德·佛洛伊德的生活和时代》（*The Life and Times of Sigmund Freud*，1969年）、《约瑟夫·斯大林的生活和时代》（*The Life and Times of Joseph Stalin*，1972年）、《致维多利亚女王的一封信》（*A Letter for Queen Victoria*，1974年）（图153）和《爱因斯坦在海滩上》（*Einstein on the Beach*，1976年）（图154）邀请了大量艺术家和舞蹈演员作为演职人员（他在艺术和建筑方面的背景使得他在戏剧和舞蹈方面的作品得以丰富），其结果是致使真正的鸿篇巨制——瓦格纳（Wagnerian）的《合成艺术作品》（*Gesamtkunstwerke*）出现。福尔曼的本体—歇斯底里喜剧在他自己的市中心的百老汇阁楼上进行表演，

图 153（上） 罗伯特·威尔逊(Robert Wilson)，《致维多利亚女王的一封信》(*A Letter for Queen Victoria*)，1974 年。

图 154（下） 威尔逊(Wilson) 的《爱因斯坦在海滩上》(*Einstein on the Beach*) 的剧终场景，1976 年。

图 155　理查·福尔曼 (Richard Foreman)，《辉煌之书：第二部分（杠杆之书）远距离动作》[*Book of Splendors: Part Two (Book of Levers) Action at a Distance*]，1976 年。

反映了其行为表演以及先锋戏剧的关注点。

因为行为表演通常是一次性的短暂事件，所以要排演方式极尽简练，大约持续十到五十分钟，但是威尔逊和福尔曼雄心勃勃的作品要经历数月的排练，就威尔逊来说，表演从最少两个小时到十二个小时时长，几个月以来一直在重复排演。这些作品代表了美国实验戏剧自活体戏剧及面包木偶戏剧以来的发展，同时也凸显了阿尔托（Artaud）和布莱希特（Brecht）的影响（在福尔曼的作品里）或瓦格纳的音乐剧（在威尔逊的作品里）的影响，他们也从凯奇、康宁汉姆、新舞蹈和行为表演那里汲取营养，其实他们被称为边缘行为表演的作品是这些流派的综合体。

纽约评论家邦尼·莫兰卡（Bonnie Marranca）将边缘表演定义为术语“意象戏剧”，因为它是非文学性的，它是一种以视觉意象为主的戏剧。边缘表演缺乏明确直接的叙述、对话、情节、人物和作为“现实”地点的戏景，它强调“舞台的画面化”。舞台上的台词关注于表演者的风格和**此时**观众的感知。在《迎合大众：一种虚假陈述》(*Pandering to the*

Masses : A Misrepresentation，1975 年）中，福尔曼为了确保对每个正在进行的部分的诠释是正确的，他用事先录制的磁带直接向观众进行说明。同样,在他的《辉煌之书:第二部分（杠杆之书）远距离动作》[*Book of Splendors: Part Two*（*Book of Levers*）*Action at a Distance*,1976 年)]（图 155）里，动作被表演的同时被加以阐释。当凯特·曼海姆（Kate Manheim）扮演的女主角罗达（Rhoda）从一场戏到下一场戏时，在事先录好的音频中，她会问那些作者在写作时无疑会自问的问题 :“我为什么会在写作的时候吃惊，而不是在我说话的时候？”“你一次可以放多少种新想法到你头脑里？”她会这样回答 :“这并不是新想法，而是一个放想法的新家。”

这个“新家”就是福尔曼的一种与众不同的戏剧。他在《迎合大众》的序言中写道 :“这出剧从两个多月的排练中演变而来，排练以这样一种方式进行，某些特征是在‘本体—歇斯底里的剧院阁楼’里的特殊表演空间中衍生出来的。”阁楼里有一间狭窄的房间，舞台和观众席都只有 14 英尺宽。但舞台的深度却为 75 英尺，前面的 20 英尺是和地板同高，接下来的 30 英尺是一座陡峭的斜坡，剩余的部分为 6 尺高的稳定平台。滑动的墙壁可以从舞台侧面进入，给舞台空间带来了一系列的快速变化。这种特殊的空间结构决定了作品的图画特质 : 物体和演员以系列画面的形式出现在戏景里，迫使观众在舞台画框里观看每个运动。

这些视觉场景伴随着“听觉场景”: 从周围的立体声扬声器里声音爆破而出。为了潜入观众的意识，福尔曼将录制好的对话声和爆破的音响叠加在一起，空间里充满的声音仿佛就是作者自己大声的思考。这些作品背后的意图暗示，他们想在展示作品时引发观众相类似的无意识质疑。因此，意象戏剧比较重视心理学在艺术创作中的作用。

罗伯特·威尔逊用自闭症少年克里斯托弗·诺尔斯（Christopher Knowles）的私人心理作为他作品的素材。与诺尔斯已经合作多年后，威尔逊似乎要把他的离奇的幻想世界及语言使用与前意识和天真无邪联系起来。此外，诺尔斯的语言非常接近“自由的语言”，它是被未来主义者如此崇拜的语言，并且它给了威尔逊一种对话风格的灵感。所以威尔逊并不将诺尔斯的自闭症看成是对正常世界的表达障碍，而是将其自闭症现象作为美学材料。

威尔逊作品的书面文本是如下方法的综合，其中包括拼写错误、语法和标点符号错误，以此作为忽略词语意义和传统使用方法的一种方法。口语部分故意显得非理性，或者相反故意像无意识的思想一样地“理性”。如《致维多利亚女王的信》中写道：

1. 曼达她爱一个好笑话，你知道的。她律师也是

2. 让我们洗盘子

1. 亲爱的，你在做什么？

2. 哦，她是社会工作者

1. 很好，试试，格蕾丝

2. 曼达，世上没有意外

(第一幕　第 2 节)

表演者使用的是编号而不是姓名，舞台上经常出现一些物品，如水箱、岩石、生菜、鳄鱼，它们看起来和舞台情节没有关系。他的作品没有传统意义上的开始或结束，只是一系列梦呓或自由联想的雄辩、舞蹈、戏景和声音，每个部分都有自己简单的主题，但相互之间没有关系，它只作为一种意象和媒介，剧作家通过它来表达某种情绪，至于哪里开始、哪里结束对观众来说可能是明显的，也可能是不明显的。例如，在他的《维多利亚女王》序言里，威尔逊写道，他的作品“从他看到的东西以及有人说的东西中”出现。他描述了主题素材和视觉效果的来源，并解释说他第一次决定把舞台“建筑”建在对角线上是由两种随机情况决定的。第一是他看到辛蒂·卢巴（Cindy Lubar）照片，“穿着一件薄纱，薄纱披成三角形，她的头从上面的洞里伸出来，它看起来像一个信封”。威尔逊把这个看成是一组对角线，加在一个长方形上。之后，有人在谈话中向

他提到了一种衬衫领子，他意识到它和信封一样有相同的形状。因此舞台按照对角线形式被相应地分为两部分，演员在第一幕沿着对角线进行表演。作品的标题和开场白真的来自寄给维多利亚女王的一封信的副本（“我喜欢它因为它是19世纪的语言”）：“虽然绝对不具备介绍的荣耀，但的确想无限地拥有它，当然，无论什么与沐浴在您的阳光下相比都是有失体统的……”

《爱因斯坦在海滩上》（*Einstein on the Beach*）（图154）于1976年7月在阿维尼翁艺术节首次展览，紧接着参加了威尼斯双年展（the Venice Biennale）和大范围的欧洲巡回展（但没在英格兰展出），最后在纽约的大都会歌剧院（the Metropolitan Opera House）上演。它来源于威尔逊头脑中早就酝酿好了的一些时日对话和意象，并且表达了他对爱因斯坦相对论对当代世界影响的迷恋。这是一部制作非凡的作品，长达五小时的作品里汇聚了很多艺术家，有音乐家菲利普·格拉斯（Philip Glass）以及他的同伴舞者露辛达·查尔兹（Lucinda Childs）和安得烈·德格罗特（Andrew deGroat，这部作品的编舞）、谢丽尔·萨顿（Sheryl Sutton）等，所有人都是与威尔逊从剧本阶段就开始合作的。精心制作的戏景展示了超现实的城堡、法庭、火车站和海滩，海滩上有灯塔，一束巨大的光束悬挂在舞台中心点上，科幻小说里的“工厂”闪烁着灯光和计算机信号。它们都是由威尔逊本人设计的。格拉斯的音乐部分是电子乐，它为这部作品最核心的连续性做了一定的贡献，而查尔兹的舞蹈动作之一——沿着同一条对角线僵硬地上下走了半个多小时，使观众看得入迷。

这两部作品被威尔逊描述为歌剧，他这些作品里的“艺术的统一”是瓦格纳当年雄心壮志的现代版本。它们把一些最有创意的艺术表演人才汇集在一起，同时使用一些较为“传统”的媒介——戏剧、电影、绘画和雕塑。他1977年的作品《我坐在院子里／这家伙出现了／我以为我产生了幻觉》（*I Was Sitting on my Patio This Guy Appeared I Thought*

I Was Hallucinating）是一部更为紧凑和简约的作品，从之前“歌剧”的华丽繁琐中脱离出来。然而，尽管边缘表演徘徊在行为表演和先锋戏剧之间，但却是二者的产物。

与此同时，威尔逊作品中那些极度具体以及规模巨大的要求，使其看起来比大部分行为表演更为传统。的确，如果它的规模是 70 年代末期行为表演变得日益重要的征兆，那么这种鲜明的戏剧方面也标志了 80 年代行为表演的新方向。威尔逊本人不仅直接使用现成的文本创作戏剧作品，如他与作曲家加文·布莱亚斯（Gavin Bryars）创作的欧里庇得斯的歌剧《美狄亚》(Medea，1981 年)，再如海纳·米勒的《哈姆雷特的机器》(*Hamlet Machine*，1986 年)；而且文字本身在他的新作品中也开始扮演一个至关重要但晦涩难懂的角色。威尔逊宣称他的意图在于能吸引更广泛的受众，创作出“大规模流行的戏剧”作品。

媒体一代

到 1979 年为止，行为表演向流行文化的靠拢在艺术界中有整体性的体现，所以在 1980 年代开始之际，行为表演在流行文化和艺术之间是完全的钟摆式摇摆；换句话说，1960 年代和 1970 年代初的那种反社会的理想主义已经被彻底根除了。而实用主义、创业精神和职业化这种完全不同的氛围开始在行为表演中凸显，这在先锋艺术历史上是前所未有的。更有趣的是，创造出这个变化的大多是观念艺术家们的学生，他们充分理解他们的导师对消费主义和媒介的分析与批评，但通过行为表演艺术和观念艺术转向绘画，他们打破了观念艺术的基本规则，即观念高于作品。这些新绘画作品时常很传统，许多是比喻的和（或）表现主义的内容，但有时他们也充满了媒体的意象。为了回应这些容易理解和大胆的新作品，一些画廊老板和他们的新富客户，偶尔在公关团队旁敲侧击的暗示下得知，这些年轻的新晋艺术家已经进入了艺术市场；仅仅几年内，到 1982 年为止，一些人已经从无名的艰苦奋斗的艺术家转变

图 156　劳丽·安德森 (Laurie Anderson)，《美国（第一、第二部分）》(*United States Parts 1 and 2*)，在布鲁克林音乐学院 (the Brooklyn Academy of Music) 上演，1983 年。

成了富有的艺术明星。因此，1980 年代的艺术世界，尤其是在纽约，常常因为过度重视“炒作”和艺术的商业化而受到批评。

1980 年代的“名人艺术家”几乎取代了 70 年代的摇滚明星，虽然艺术家作为文化使者的神秘性暗示了他们具有比摇滚明星更多的权威作用。然而随着媒体时代的到来，这次回归资产阶级群体多少与极度保守的政治时代有关。1980 年代的行为艺术家们被 24 小时的电视节目以及 B 级电影、“摇滚音乐”等所谓的文化大餐养育长大，他们将传统的嚎叫着打破生活和艺术之间界限的方式，理解为打破艺术与媒介之间障碍的方式，同时也把它作为“高等艺术”和“低等艺术”之间的冲突表现。一部跨越这些边界的标志性作品是劳丽·安德森 (Laurie Anderson) 的《美国》(*United States*)（图 156），它是一部集合了歌曲、叙事及手眼熟练技巧的八小时巨作，1983 年 2 月在布鲁克林音乐学院（the Brooklyn Academy of Music）展出（它实际是一部创作历时六年多的视觉短片和音乐故事的合集）。《美国》是一片被媒介演变进化后遗留下来的平面景观：

图 157　安妮·马格努森 (Anne Magnusson)，《圣诞特辑》(*Christmas Special*)，在纽约基钦中心 (The Kitchen Center) 表演，1981 年。

手绘图片的投影、从电视屏幕上截图拍摄下来的放大照片、如歌剧院般宽阔的幕布上放映着被删减的电影片段，展示这些平面图像的时候，由生活是一个“闭闭……合电路”的歌曲伴奏着。她一边唱一边念着一首爱情歌词“让 × = ×”，经过处理的嗓音听起来像一个机器人，它暗示了情感和技术诀窍之间令人忧伤的拼贴。演出的主题曲“哦，超人”是一种帮助反媒体文化支配权操纵的呼吁；它是被媒体手段弄得筋疲力尽的一代人的嚎叫。

安德森的令人喜爱的舞台表现和她迷恋“交流”的特征，使得她能够最大范畴地获得受众。实际上也如此，1981 年她和华纳兄弟公司（美国）签了一个六张唱片的合同，如此一来，使得《美国》标志着行为表演“走出来”进入大众文化的开端。1970 年代末期，尽管行为表演本身作为一种独立创作的媒介，已经被艺术世界的等级制度接受，但在 1980 年代早期它进入了商圈。

纽约的另外两位艺术家也为他们的转型打下了伏笔：埃里克·柏格

图 158（左） 埃里克·柏格森（Eric Bogosian）在早年的卡巴莱歌舞表演中饰演“瑞奇·保罗（Ricky Paul）”，在纽约“短暂的天翻地覆”酒吧（the short-lived Snafu Club），1980 年 8 月。

图 159（右） 凯伦 · 芬利（Karen Finley）在《欲望的恒定状态》（*Constant State of Desire*）中竭尽全力反对都市家庭生活，在纽约基钦中心（The Kitchen Center）的单人戏剧表演，1986 年。

图 160 汤姆 · 穆林（Tom Murrin）在他的《满月女神》（*Full-Moon Goddess*）中，一幕不到十分钟的快节奏演出，他穿着利用“在街上找到的材料”制作的戏服，在纽约 PS122 表演，1983 年。

森（Eric Bogosian）和迈克尔·史密斯（Michael Smith），他们两个的行为表演起始于1970年代末在曼哈顿下城的深夜俱乐部的喜剧表演，但在五年内，他们成功地出现在了“另一边”，并保留了表演艺术家这个模棱两可的身份。此外，他们早期的成就鼓舞了许多在接下来的五年多新开张的迪斯科俱乐部，他们纷纷把行为表演作为夜间娱乐的项目，并且因而催生了一个新类型的出现：艺术家的卡巴莱歌舞表演。

埃里克·柏格森是一位在表演艺术方面训练有素的演员，他从传统的独角戏开始，把兰尼·布鲁斯（Lenny Bruce）、西奥多兄弟（Brother Theodore）和劳丽·安德森（Laurie Anderson）作为他的榜样。他塑造了一系列来自电台、电视台以及1950年代卡巴莱歌舞表演中的人物；柏格森从1979年的“瑞奇·保罗（Ricky Paul）”（图158）开始——这是一位好战的、有男子汉气概的表演者，带有变态的旧式淫秽幽默，他给这个新形象加入了1980年代中期美国画廊画中的男性特征：愤怒、经常充满暴力或者是无望地压抑内心。他的人物在强有力的独演诸如《局内人》（*Men Inside*，1981年）或《在美国喝酒》（*Drinking in America*，1985年6月）中出现，它们是一种对冷漠社会逐级递增的讽刺与抨击。柏格森对于表演形式的关注像对表演的内容一样，他的人物从表演艺术中提取精粹，其意象的焦点和使用则来自当时的时尚媒体，他能以一种精湛的表演技巧和自信心将它们结合在一起。他使用对每个人物进行“组织”的方法，在强调灵活的表演技术的陈词滥调和习俗的同时，又建立起鲜明孤立的“形象”，以反映与其他艺术同行相似的关注点。这样的组合和安德森一样，引起了纽约市中心之外的人们的关注，所以1982年作为编剧兼演员的柏格森已经有了一些制片人，次年又拿到了有声望的公司代理商的合同，而再一年又拿到了电影和电视台的合同。

迈克尔·史密斯（Michael Smith）的转型不如柏格森（Bogosian）那么彻底，但他在许多不同形式方面兼有表演艺术家和演艺人员双重身份，是早期双重身份的一个范例，也构成了1980年代早期艺术总体方向的特征。史密斯以他的舞台形象麦克游走在行为表演和电视之间的边缘上，他创作视觉录像带和现场表演，后者是两者的结合。在惠特尼博物馆展出的《麦克之家》(*Mike's House*，1982 年）里，电视演播室完全由演员更衣室和厨房构成，演播室中心是一个“起居室”。这次不是真人表演，史密斯在“客厅”里的电视机录像带上出现了半个小时。《一切从家开始》(*It Starts at Home*）展示了麦克与他那令人讨厌的“制片人”鲍勃（实际上是柏格森的声音）通话，讨论一个重要的喜剧电视秀节目的可能性。

这幅表演艺术家梦想成为媒体名人的景象完全概括了行为艺术家的矛盾性：如何在不失去艺术世界的完整性和保护的情况下进行交叉跨界及探讨新美学领域。被媒体发掘并不是新表演艺人的唯一目标，这些表演艺人构成了曼哈顿市中心东村夜晚俱乐部的特色，如“金字塔”“公元前 8 年”(8 BC)、“地狱休息室”(Limbo Lounge）或“Wow 咖啡”(Wow Café)，以及东村自成一派的“体制”陈列柜 PS122（1980 年和 1985 年之间艺术家们卡巴莱歌舞表演的主要推手)。但是并不是说被媒体挖掘就是这些新晋的行为演艺家们的唯一目标；相反地，这些艺术家远距离地从更多的已经确定的场所和表演中选取新突破。他们创作粗糙的、迅速草拟的作品，用以探讨电视与现实生活之间的界限，但并不意味着他们将要选择两者中的任何一个。这些后朋克媒体的清道夫和大众文化的行家，用他们喜欢的电视和歌舞杂耍秀的旧式时尚激情，创造了他们自己版本的行为表演，并带有一点点下流的气息触及方方面面，满足了他们恶搞的需要。

在几乎没有舞台背景的不利条件下，既要确保有倾心的观众，又要俱乐部盈利，这就等于给艺术家们施压，让他们来尽力吸引观众，许多艺术家在这方面做得的确不错。约翰·凯利（John Kelly）创作了画家埃贡·席勒（Egon Schiele）焦虑缠身的传记式迷你剧；凯伦·芬利（Karen Finley）（图 159）使用性欲过剩或丧失性欲这些激进的想法为主题来挑衅观众的被动性；安妮 · 马格努森（Anne Magnusson）把自己打扮成各种电视肥皂剧的明星出现(图 157)。另外一些人,如《外国滑稽人物》(*The Alien Comic*）中汤姆 · 穆林（Tom Murrin）和埃塞欧 · 艾克尔伯格（Ethyl Eichelberger）有多年的实验戏剧经验，于是他们利用一些未装修过的但充满可能性的场所来展示新作。穆林（Murrin）的喜剧（图 160）通常是一系列的快节奏东村 (East Village) 轶事,而艾克尔伯格 (Eichelberger) 让异装表演超越了人们之前对它的偏见，他的表演涵盖了历史上一系列歇斯底里的歌剧女主角，让异装癖进入了充满浪漫和讽刺意味的领域，这些女主角从娜芙提提（Nefertiti）和克吕泰涅斯特拉（Clytemnestra）到伊丽莎白一世（Elizabeth Ⅰ)、墨西哥的卡洛塔（Carlotta）和凯瑟琳大帝（Catherine the Great)。事实上，许多俱乐部的特殊性表演提供了有益的限制:其结果就是使得一批关注点异常尖锐、效果明晰的作品出现。

约翰 · 杰塞伦（John Jesurun）是一位电影制作人、雕塑家和前电

图 161　约翰 · 杰塞伦 (John Jesurun) 的高科技戏剧打破了媒体与现实生活之间的界限。《深度睡眠》(*Deep Sleep*) 1986 年在纽约玛玛实验剧场 (La Mamma) 上演，一个年轻的男孩被囚禁在电影里，再也回不到他的肉身上。

视制作助理，而他也受益于这样一个背景；他靠“真实的境遇”（一家商业夜总会）和“真实”的观众成名，像他自己一样，这些观众也是媒体一代。他的作品《昌在虚空的月亮中》（*Chang in a Void Moon*，1982 年 6 月—1983 年）就是“系列现场电影”，每周在金字塔夜总会上演一集，它从电影那里借鉴了舞台技术：平移镜头、闪回或跳切。杰塞伦并不是简单地把图片从媒体中提炼出来或者把艺术推向主流文化。恰恰相反，他直接步入电影和电视里，将电影胶片的现实和有血有肉的现实形成对比，或者像杰塞伦所说的那样：“将说实话与谎言并置。”例如，在《深度睡眠》(*Deep Sleep*,1985 年)（图 161）里,在舞台上出现了四个角色，其中两个出现在悬浮于表演空间任一端的大屏幕上，他们比真人尺寸大许多。一个接一个地，他们都被拉到了电影胶片上，就像精灵穿过瓶口一样,直到剩下最后一个人的身影,他留下来照看和维持投影设备。在《白水》（*White Water*，1986 年）里，现场演员和出现在环绕观众的二十四个闭路电视监视器上的“头部特写”，围绕着“幻觉”与“真相”问题进行了 90 分钟的争辩。时间像节拍器的“嘀嗒嘀嗒”一样，使得直播和录制的对话编织得非常完美，杰塞伦的“视频戏剧”是那个时代的重要代表作品；因为它的高科技戏剧性同样是主流媒体思想的范例，也是行为表演的新戏剧风格。

走向戏剧

到 1980 年代中期为止，行为表演作为势不可挡的时尚元素和有趣的“先锋娱乐”(大批量发行的《人物杂志》称它为 80 年代的“艺术”形式）被认可，在很大程度上是因为从 1979 年左右他们开始转向媒体和视觉奇观。新作品更加容易理解,他们注意装饰过的服装、布景和照明，并且也更加关注传统媒介，如卡巴莱歌舞表演、杂耍表演、戏剧和歌剧。无论规模是大还是小——可能是在如布鲁克林音乐学院这样的歌剧院，也可能是在诸如伦敦河畔的工作室（London’s Riverside Studios）这样亲密而“开放的舞台”——将现场戏剧化处理是整个作品的一个重要组成部分。较为有趣的是，在某些情况下行为表演填补了大众娱乐和戏剧艺术之间的鸿沟，所以，可以说实际上它使得戏剧和歌剧艺术得以复兴。

事实上，行为表演一方面向传统艺术回归，另一方面也对传统的戏剧工艺进行了深入探索，这就使得艺术家们在借鉴两者的同时创造新的杂糅艺术。于是“新戏剧”获得了涵盖所有艺术媒介的许可，它们利用舞蹈或声音创造新的观念，或者在符号文本中剪辑切入一段电影胶片，就像在司各特剧团（Squat Theater）的《燃烧的梦想之地》（*Dreamland Burns*，1986 年）（图 162）一样。反过来说，“新行为表演”也就获得了许可，它可以提出润色、结构和叙事等要求，就像在杰姆斯·诺伊（James Neu）的《维也纳咖啡馆》（*Cafè Vienna*，1984 年）中，除了它非同寻常的层次舞台（随着戏剧故事的发展，它的舞台背景会一层一层地剥落）

图 162　司各特剧团（Squat Theater）的《燃烧的梦想之地》（*Dreamland Burns*），1986 年，由斯蒂芬·巴林特（Stephan Balint）编写，由一段 20 分钟的电影开始，电影刻画了一个年轻的女孩搬进她的第一个公寓，以“恐怖电影”场景中的城市救赎作为结尾。

图 163　杨 · 法布尔 (Jan Fabre)，《戏剧疯狂的力量》(*The Power of Theatrical Madness*)，1986 年，这是一部风格独特的情节剧，关乎 1980 年代的浪漫和性暴力，背景放映着风格主义绘画的幻灯片。

外，它还有一个完全成熟的剧本，这是它最不寻常之处。其他作品，包括斯波尔丁·格雷(Spalding Gray)在他以前的自传体的风光里旅游，如《游泳到柬埔寨》(*Swimming to Cambodia*，1984 年)，以及他和伊丽莎白·勒孔特（Elizabeth LeCompte）的《三部曲》(*Trilogy*，1973 年)，最初在车库（The Performing Garage，一个实验剧场）上演，后来在其他剧院的巡回表演中可以经常看到。

在比利时，杨 · 法布尔（Jan Fabre）具有高度戏剧性的行为表演公开掺杂了暴力元素，诸如《这是戏剧，如它被期待与被预见的》(*This Is Theatre As It Was To Be Expected And Forseen*，1983 年）或《戏剧疯狂的力量》(*The Power of Theatrical Madness*，1986 年）(图 163)，这种暴力元素既是身体方面的，也是形而上方面的，另外，他们的作品也加入了来自艺术家如库奈里斯（Koundellis）和马塞尔·布达埃尔（Marcel Broodthaers）的意象。《戏剧疯狂的力量》中有一幕高度舞台化，充满了动作，并且令人紧张和厌恶，青蛙在盖着白衬衫的舞台上四处乱跳，然后被男演员明目张胆地踩踏，舞台上留下了血迹斑斑的亚麻布，法布尔的作品是杂糅了来自行为表演的视觉效果以及从文学和戏剧中提炼出来的最精彩的心理状态刻画。

在意大利，几个年轻艺术家在他们 20 多岁的早期和中期阶段在费里尼（Fellini）电影、美国电影和进口电视节目下逐渐成长起来，罗伯特·威尔逊（Robert Wilson）也频频亮相（他的作品在欧洲远比在他的美国老家更被经常地和完整地看到），劳丽·安德森（Laurie Anderson）较少露面，但关于她的谣言还是有的。这些新艺术家是被媒体称为“新奇观”(Nuova Spettacolarita）流派，或被他们的拥护者们称为“媒体戏剧”类型的热情创始人。罗马和那不勒斯是两个最活跃的团体“伪科学”（La Gaia Scienza）和“假动作”（Falso Movimento）的基地，该城市本身的壮观景象也构成了他们早期作品的背景。“假动作”成立于 1977 年，他们首先创作了与语言和电影相关的短片及装置艺术，并与 1970 年代的美学标准保持一致。到了 1980 年，他们也把重点转向了戏剧，使用各种媒体文献把舞台前部装置作为他们“都市景观”的大全景。为了“把舞台本身转换成一块银幕”，持续一个小时的《探戈冰川》(*Tango Glaciale*，1982 年）在一个单一的戏剧空间内使用了几种不同的表演风格（代表一所房子的不同楼层和不同部分，包括游泳池和花园)。从经典的希腊戏剧到由金·凯利（Gene Kelly）在《锦城春色》中的水手和罗伯特·德·尼罗（Robert de Niro）在《纽约，纽约》中扮演的萨克斯风手并排表演的讽刺爱情故事片段，他们的作品计划在舞台的大框架下建立当代原型意象。与作曲家彼得·戈登（Peter Gordon）合作创作的作品《奥塞罗》(*Otello*，1984 年）（图 164）把朱塞佩·威尔第（Giuseppe Verdi）的歌剧作为出发点，而不是莎士比亚的文本。但表演风格与这两者并不相像。只有戈登的乐曲对之前的历史先例进行了详尽的阐述，把大型音响效果和眼花缭乱的新旧声音中的电子乐拼贴混合在了一起，把早期作曲家的民俗元素拼接进他的旋律中。不断变化的画面像以往的电影风格一

图 164 假运动 (Falso Movimento)，《奥塞罗》(*Otello*)，在那不勒斯的卡斯特·S·埃尔莫 (the Castel S. Elmo) 上演，1982 年。它是一部向朱塞佩·威尔第(Giuseppe Verdi) 歌剧致敬的“媒体戏剧”，它把舞台变成了银幕，上面放映着照片、电影以及布景中的布景。

样：这次，为了找到引起情感共鸣的画面，《卡萨布兰卡》(*Casablanca*)、法斯宾德 (Fassbinder) 的《水手奎雷尔》和费里尼 (Fellini) 的《阿玛柯德》(*Amacord*) 被发掘出来了。

“伪科学”团队对合作有热情，对电影、建筑、舞蹈和新近行为表演不拘一格的参考也具有同样的热情，它比“假动作”团队更具有编舞倾向。哑剧和机械的、像木偶一样的动作，产生视错觉的服装，特大号的道具和精心设计的灯光照明以及可以把自己从里翻到外的布景，这些为他们的视觉戏剧创造了基础。作品《撕裂的心》(*Cuori Strappati*，1984 年) 历时一个小时，它由温斯顿·唐 (Winston Tong) 和布鲁斯·格德尔德 (Bruce Geduldi) 作曲，是一部出现在胶片上的、无声闹剧形式的舞台剧。

同样的，那些欧洲的主要中心城市见证了行为表演—戏剧表演的蓬勃发展。艺术家们纷纷对行为表演向所有媒介完全开放做出回应，他们从戏剧元素被采用之后的认同中得到鼓励，使其有可能吸引更广大的观众。在波兰，“交通学院”(Akademia Ruchu) 的七名成员被重大政治事件和撒迪厄斯·坎特（Tadeuz Kantor）1970 年代的表现主义作品所影响，也创作了一些戏剧性的行为表演。相对其他国家的同行来说，“交通学院”的成员较少被媒介所影响，然而他们却以和同行们相匹配的观念和动作展示出了一种欧洲电影史的感觉。1986 年 10 月他们带着两部作品《睡眠》（*Sleep*）和《迦太基》（*Carthage*）在西方亮相，在伦敦的阿尔梅达剧院（the Almeida Theatre）进行登台演出。另一方面，“拉夫拉前卫剧团”（La Fura dels Baus）在西班牙刚刚解放复苏的政治环境下也开始兴盛起来。该剧团包括十二名演员，其中有画家、音乐家和职业表演者和没有经验的业余表演者，它已经创作了诸如《苏哦苏》（*Suz o suz*，1986 年）和《行为》（*Accions*，1986 年）等作品，这些作品探索 17 世纪在戏剧化场面和宗教般紧张的氛围里的伟大的西班牙绘画，探索西班牙绘画在大胆而刺激的狂饮烂醉场面中所体现的关乎暴力、死亡和来世记忆等问题，他们又带有超现实主义电影影像特征的微弱痕迹，诸如布努埃尔（Bunuel）的那些电影。1970 年代很激进的阿里亚娜·姆努什金（Ariane Mnouchkine）和“太阳剧社”（Théatre Soleil），在 1980 年代的时候被行为表演重新启发，而比利时的“跟随者”（Epigonen）乐队也同样有重要的影响。

因此，传统戏剧和行为表演之间的界限开始变得模糊起来，在某种程度上，戏剧评论家甚至开始遮蔽行为表演，到了 1979 年他们则几乎完全忽略它，把对行为表演的评论留给了美术或先锋音乐评论家。然而，这些评论家却不得不承认，行为表演中出现了很多戏剧素材及其运用方法，并且行为表演的剧作家 / 行为表演者实际上也是按照艺术家的身份进行培养的。因为在最近的戏剧运动中，没有哪一个能与行为表演新作品的活力相媲美。同样，在歌剧中也没有发生过改革，这表明许多带有大胆的视觉结构和复杂的新式配乐特征的新歌剧，它们的灵感除了来自近期的行为表演，还有其他某种来源。

因为罗伯特·威尔逊（Robert Wilson）和菲利普·格拉斯（Philip

Glass）的作品《爱因斯坦在海滩上》（*Einstein on the Beach*，1976 年）在 1980 年代来临之际影响了几部新歌剧以及大规模的“综合艺术”，由格拉斯的《非暴力不合作运动》（*Satyagraha*，1982 年）和《阿肯纳顿》（*Akhnaten*，1984 年）开始，这两部作品由斯图加特歌剧院的活力四射的导演阿希姆·弗里尔（Achim Freyer）执导和上演。后两者和《爱因斯坦在海滩上》1987 年被作为导演三部曲上演。鲍勃·泰森（Bob Telson）和李·布鲁尔（Lee Breuer）在《在科罗诺斯的福音》（*Gospel at Colonus*，1984 年）（图 165）中复兴了古希腊悲剧，这部作品被演绎成了一次充满歌声、掌声和荣耀的福音聚会；马尔科姆·X（Malcolm X.）富有争议的故事由新音乐作曲家安东尼·戴维斯（Anthony Davis）在他的作品《X》(1986 年) 中以戏剧化歌曲的方式讲述。理查·福尔曼(Richard Foreman）与作家凯茜·阿克（Kathy Acker)、画家戴维·萨尔（David Salle）和作曲家彼得·戈登（Peter Gordon）合作，以一种完全不同的

图 165 鲍勃·泰森 (Bob Telson) 和李·布鲁尔 (Lee Breuer) 的作品《在科罗诺斯的福音》(*Gospel at Colonus*)，1984 年，它将经典戏剧与美国福音强有力的形式和歌唱进行联姻。

风格创作了关于1980年代的讽刺音乐剧《诗人的诞生》(*The Birth of the Poet*,1985年)(图166)。这部作品的成功归功于皮卡比亚(Picabia)的作品《松开》(*Relâche*)——明亮的灯光令观众头晕目眩，表演者在舞台上开着小高尔夫球车来回转圈移动——就像它在1960年代音乐剧《头发》(*Hair*)中所做的:主人公们穿着喇叭裤,留着长发,系着头带,《松开》虽然演唱着关于性、艺术和阿科尔那些晦涩难懂的诗句的乐队歌曲,但却带有80年代消费者的犬儒主义态度。《诗人的诞生》在舞台上被非常好地包装起来，舞台大约每隔五分钟就改变一次它的外观，这是对80年代盛行的艺术家合作的直接反映，事实上因为传播媒介的缘故，在媒介中流行的、备受瞩目的艺术家们可以通过在他们强项方面的合作创作一件令人激动的作品。

尽管“戏剧”这个术语总是无法严格地用于这些视觉音乐剧，但它们的丰富性确实是歌剧风格的，并且它们的确为独特的歌唱题材和著名的歌剧表演者提供了的语境。罗伯特·威尔逊（Robert Wilson）的《伟大一天的早晨》(*Great Day in the Morning*，1982年）是他与美国著名女高音歌唱家杰茜·诺尔曼（Jessye Norman）合作的作品，它是一部表现黑人精神的舞台表演，杰茜·诺尔曼站在一系列设计好的不停变化的幕布前，威尔逊解释说，“如此一来，这些影像才可以帮助我们去听，这些歌唱可以帮助我们去看”。相比之下，与菲利普·格拉斯（Philip Glass）和其他作曲家及名嘴戴维·拜恩（David Byrne）合作的作品《国内战争：一棵树在倒下的时候最好测量》(*The Civil Wars : A tree is best measured when it is down*，1984年）（图167）则是一部大型的歌剧；它被看成是一部12小时的视觉奇观，它的五个各个独立的部分为五个国家（指荷兰、德国、日本、意大利和美国）而设计，同时也体现了这五个国家为这出歌剧所做的贡献，这部作品是为洛杉矶奥林匹克艺术节(the Olympic Arts Festival）准备的。虽然它们从未在一起连续上演过，但它的单独部分展现出了一本不朽的美国内战纪念碑式的图像集，同时，

图 166　理查·福尔曼(Richard Foreman)的作品《诗人的诞生》(*The Birth of the Poet*)，1985 年，其文本晦涩难懂，它的超现实主义意象和口若悬河的观众的愤慨，会使人想起皮卡比亚(Picabia)的作品《松开》(*Relâche*)的精神。

图 167　罗伯特·威尔逊(Robert Wilson)的《国内战争：一棵树在倒下的时候最好测量》(*The Civil Wars: A tree is best measured when it is down*)中的一幕，1984 年；鹿特丹部分。

东尼·戴维斯（Anthony Davis）作曲的音乐，芬利的《半球》（指大脑的）使得许多对立的双方得以和解：当下和过去、理性分析的和直觉以及经典与现代。其作品所需的极致的肢体性既需要舞蹈专家的参与，又需要为更广大的观众提供身心愉悦的东西。

对比尔·T·琼斯（Bill T. Jones）和阿尼·赞恩（Arnie Zane）来说，他们则以另一种方式来吸引广大观众，就是通过再一次打破 1970 年代的禁忌，即搭档表演关系。他们试图给“双人芭蕾舞”（*pas de deux*）以新形式，而古典舞的基础部分以及他们自己的合作关系为这种新形式提供了重要线索：琼斯高高的个子，骨骼结构轮廓分明，像非洲木雕一样，她站在距离赞恩一英尺高的上方，两个人以呈现的性格以及外貌上的特征，表明他们是来自巴斯特·基顿（Buster Keatonish）杂耍表演中的人物。琼斯是个训练有素、情感丰富的演员，赞恩是个摄影师，在他 25 岁的时候开始跳舞。他们一起合作的舞蹈编排关注动作设计，并且要精心设计戏剧性效果，而他们的搭档关系也暗示了他们的早期素材具有一种私人自传的特

图 170　比尔·T·琼斯（Bill T. Jones）和阿尼·赞恩（Arnie Zane）的《秘密草地》（*Secret Pastures*），1984 年，其中琼斯作为疯狂教授赞恩创造出来的生物，象征着 1980 年代的舞蹈作品对叙事和装饰的回归。

征。然而，像《秘密草地》(*Secret Pastures*，1984 年)（图 170）这样的作品却超越了个体范畴，作品由 14 名舞者组成；那是个关于一名疯狂教授和他的猴子们在长满棕榈树的沙滩上的故事，作品由媒体艺术家凯斯·哈林（Keith Haring）创作，彼得·戈登（Peter Gordon）创作了滑稽的、如马戏团一样的音乐，而高度风格化的服装则来自设计师威利·史密斯（Willi Smith）之手。通过运用这些搭配，作品跨越过一座高低不平的桥，把先锋艺术的多样性与通俗易懂的美国现代舞连接起来，后者的代表人物如杰罗姆·罗宾斯（Jerome Robbins）或者特怀拉·萨普（Twyla Tharpe）。对这些舞蹈编导来说，“引领大众文化”是一项重要的目标，而“不是流行文化引领我们”，他们认为，《秘密草地》正是如此“先锋波普”的生动范例。

另一方面，许多其他舞者尽管在他们的作品中也加进了服装、照明和戏剧性主题等，但他们仍然继续使用他们前辈确立起来的较为深奥的指导方针进行创作。伊什梅尔·休斯敦·琼斯（Ishmael Houston Jones）把即兴创作作为一个主要的舞蹈创作形式，如他与荷兰艺术家弗莱德·霍兰德（Fred Holland）一同创作的作品《牛仔的梦想和梯子》(*Cowboys' Dreams and Ladders*，1984 年)；简·康福特（Jane Comfort）的《电视之爱》(*TV Love*，1985 年）是一部模仿电视聊天节目的作品，在这部作品里她使用了她标志性的动作——重复，并且她把对语言的迷恋作为她舞蹈节奏的潜在情感。布隆德尔·卡明斯（Blondell Cummings）在《战争的艺术 /9 种情况》(*The Art of War/9 Situations*，1984 年）里把沉默和如下事物混合在一起：声音、肢体语言、半自传式的录像和事先录好的文字，以及用来阐明黑人文化和女性主义方方面面的亲密舞蹈，作品的名字借用了写于公元前 6 世纪的一本同名书籍。提姆·米勒（Tim Miller）对他的年轻时代以多个片段的形式进行了重建，如《伙伴系统》(*Buddy Systems*，1986 年)，在这部作品里，舞蹈被用来加强或缓解情绪状态，或将一个肢体动作与另一个肢体动作连接起来。相比之下，斯蒂芬妮·斯库拉（Stephanie Skura）的作品则相反，在它对现代舞蹈的滑稽模仿中，它几乎覆盖了所有的舞蹈种类：《调查方式》（*Survey of Styles*，1985 年）几乎就是一个字谜秀，它的表演者模仿 70 年代和 80 年代的舞蹈动作，以此作为它猜谜游戏的主题。

舞蹈戏剧的终极形式当属皮娜·鲍什（Pina Bausch）和她的乌珀塔尔舞蹈剧院（Tanztheater Wuppertal）。鲍什把 1970 年代那些自由的舞蹈词汇作为自己的标尺，包括从古典芭蕾到自然的动作以及反复重复——鲍什决定以罗伯特·威尔逊的那种大规模形式在视觉剧场方面进行冒险。她把这些与北欧戏剧中的那种狂喜式的表现主义混合在一起［这在德国早有先例，如贝尔托·布莱希特（Bertoldt Brecht）、玛丽·魏格曼（Mary Wigman）和库尔特·乔斯（Kurt Joos）］，从而开创了一种引人入胜、扣人心弦的戏剧，同时也是一种戏剧化和本能动作的舞蹈。鲍什的舞剧缺少实际意义上的叙事（虽然台词经常由一个或另一个舞者喊出来），但她的舞剧探索男女关系中那些微小细节上的活力，他们用各种各样的身体语言表述他们的狂喜、好斗和永恒的相互依存，这些表演的动作由鲍什剧团里每个独特的个体演员所决定。女人们留着长发、身心强大、充满异域风情，她们在外形上各不相同，高低亦各异，而男人也是各种各样的块头和外表，他们一起表演重复的、急迫的和讲求细节的动作。他们长时间地进行筋疲力尽的表演，就像两性之间在进行行为对话与讨论一样。 他们散步、跳舞、摔倒、昂首阔步或者只是坐着，男人和女人在特定的环境中互相拥抱和推挤，互相爱抚和折磨。在《于山巅处听见呼喊》（*Auf dem Gebirge hat man ein Geschrei gehort*，1984 年）里，舞台上是几英寸厚的泥土。在《咏叹调》（*Arien*，1979 年）里，舞台上则是几英寸深的水。在《交际场》（*Kontakthof*，1978 年）（图 171）里，一个有着高高天花板的歌舞厅为充满魅力的舞蹈提供了良好环境，舞蹈由近距离地观察男性和女性自我意识下的某些动作构成：拉直领带 / 拉直胸罩肩带，拉下夹克 / 检查衬裙，触摸眉毛 / 调整头发等，这些动作在被

图 171　皮娜·鲍什的《交际场》(*Kontakthof*)，1978 年，男女站成排，作为舞蹈重复动作的一部分，这是一种精心设计的关于日常自我意识姿势的编舞。

循环前，他们连续不断地有节奏地进行重复，首先由女性开始，然后是男性，再后是男性女性一起，他们以各种不同的组合创造出令人惊讶目眩的效果。

鲍什的舞剧带有宗教仪式般的肃穆，会使人想起欧洲 60 年代人体艺术，同时她的舞剧也具有象征主义的意味，比如来自土和水这些物质的象征。鲍什的舞剧与来自媒体意识的作品形成鲜明的对比，后者来自美国。她的舞蹈缓慢，具有穿透力，舞者葬礼一般穿着棕色、黑色、奶油色和灰色的衣服，她的舞蹈规避简单便捷的理解与及时行乐的娱乐精神。和鲍什的舞蹈一样具有永恒时间性和肢体无限性的，是日本的舞蹈戏剧形式“舞踏”(Butoh)，它是一个几乎不可翻译的术语，大约是“黑色舞蹈或舞步”的意思。它由慢动作运动和姿势夸张的舞蹈形式构成，舞蹈有时与极不协调的巨响音伴奏乐，有时又是完全沉默的表演，两种情况常常并置在一起。舞踏是朴素和神秘的，舞踏表演者有像禅宗一样的目标，他们试图通过严格的身体训练得到精神上的启示。他

图 172　日本舞踏团体，山海塾（Sankai Juku）在他们走访纽约时的表演，《金橘种子》（*Kinkan Shonen*），1984 年。

们经常赤身裸体，在皮肤上敷抹白色或灰色的黏土，这些静止的或扭曲的身体给人的印象是，他们一部分是胎儿，一部分是被缚的木乃伊，这就象征着舞踏所选择的主题：出生与死亡之间的空间。它与日本古代传统有密切的关联，它既有舞乐（Bugaku）中僧侣一般的虔诚，又有如能剧（Noh）般神奇的戏剧化效果。这些能剧高手中有在日本的田中泯（Min Tanaka）、山海塾（Sankai Juku）和大野一雄（Kazuo Ono），以及在纽约的永子（Eiko）、高丽（Koma）、波波（Poppo）和勾勾男孩（the Gogo Boys），这些人共同的迷人之处就是把身体作为一种超验变形的载体。由山海塾创作的《绳文颂》（*Jomon Sho*，“向参拜两拱彩虹和两只巨圈的史前仪式致敬”，1984 年）共有 7 个部分，把生命中的灾难事件随机地排列成一圈。剧团中的舞者首次出场时，作为四个无固定形状的球体从剧院的天花板下缓缓降落下来，最终完全解开后是一些成年男人倒挂在一根绳子上（图 172），绳子象征着脐带和绞刑架上的绳索。另一部分《致吉》（*To Ji*，“无法治愈的病”）雅致而怪诞，这一部分的表演者们没有四肢，被套在带有鱼鳍的麻袋里，他们平行着从舞台的这端移动到另一端，这些仪式般的庄严表演与许多标志性作品中的庞大身躯相关，既有东方的，也有西方的，即它在强有力的身体呈现中，这部作品试图在视觉奇观中揭示某些精神元素的存在。

现场艺术

在 1980 年代早期，几家影视公司想把卡巴莱歌舞风格的行为表演进行商业化处理，尤其是在纽约，在悉尼和蒙特利尔的这种趋势也不少。在英格兰，行为表演在一系列新方向上开始兴起。这些艺术家进一步完善了吉尔伯特（Gilbert）和乔治（George）的强有力的“活体雕塑”主题，尽管他们的创作动机是基于不同于 1980 年代艺术的关注点，即 20 世纪末期绘画在艺术中的作用。《活体绘画》（*The Living Paintings*，1986 年）（图 173）是史蒂芬·泰勒·伍德罗（Stephen Taylor Woodrow）创作的系列作品，这部作品的创作是为了回应绘画作为重新兴起的热潮以及欧洲的几个重要展览，这些展览展出了当时创作的一些大型作品。因此，

图 173　史蒂芬·泰勒·伍德罗（Stephen Taylor Woodrow）的《活体绘画》（*The Living Paintings*）被挂在墙上，在“活体艺术节”（Living Art festival）中俯瞰参观者，伦敦河滨工作坊（Riverside Studios），1986 年 8 月。

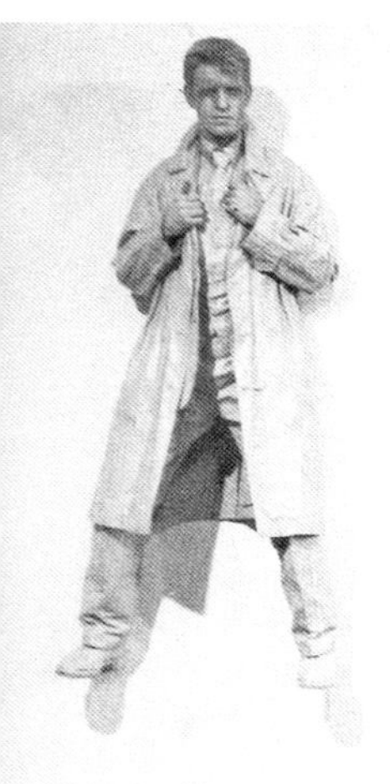

在 1986 年夏天伍德罗的“活体绘画”作为伦敦河滨工作坊（London’s Riverside Studios）活体艺术节（Living Art festival）的一部分展出，这部作品包括三个被“裱”在墙上的人。他们从头到鞋袜，被刷上了固体灰和黑色，使其看上去更像是一个大型公共建筑物上的雕塑饰带，而不是平面绘画。当一个人体移动手臂或者弯腰触碰路人的头时，他们在画廊展览时间内出奇的安静就时不时地被故意打破了。作品是纪念碑式的，但依然是美术范畴的，他们外套衣褶里的油彩如此之厚重，致使它们投下的阴影就像那些视觉错觉绘画里的一样，这些充满了活力的三维作品，与当时视觉艺术对间离和符号性图像的偏好保持一致。另一部作品，雷蒙德·欧戴利（Raymond O’Daly）的《后现代主义的转型》（*The Conversion of Post Modernism*）同样是纪念碑式的作品，也同样强调了绘画中的形式主义，尤其是把线条绘画作为其媒介的基本骨架。作品中的两个主人公由塑料泡沫做成的马拉拽着，进行了八个小时的现场表演，其灵感来源于卡拉瓦乔（Caravaggio）的《圣保罗的转变》（*The Conversion of St Paul*），意在强调“寂静的绘画，并且要营造出一种绘画一直都在那儿、在墙上的感觉”。在这部作品的标题里可以看到，作品还涉及了批评家和学者们对后现代主义信条的“转型”，后现代主义在当时几乎占领了整个艺术批评界和理论界。米兰达·佩恩（Miranda Payne）的《圣兽滴水嘴》（*Saint Gargoyle*，1986 年）是在同一活体艺术节展出的作品，它由艺术家站在一个连在墙上的基座构成，从表面上看，她作为画作的中心人物出现。在长达一个小时的展览过程中，佩恩从一面白墙前开始工作，她把它作为“画布”，旁边一个纸板箱里有她创作的材料：一把剪刀、几把锋利的刀、一把锤子和一些钩子。然后她揭开了一幅挂在墙上的山水画的巨幅垂直照片，她把自己悬挂在墙上，用锤子在基座较低的地方沿着边缘处凿。然后她通过一个小梯子登上基座，从而“进入”了绘画里，并在那里短暂停留了一会儿。

把绘画过程作为现场行为表演以及在历史名画上的重要人物身上做

文章，利·波维瑞（Leigh Bowery）对这样的事情较少关注，他是澳大利亚出生的时装设计师。1980 年代中期他在伦敦臭名昭著，他是那个臭名昭著的多性恋俱乐部“禁忌”(Taboo，1985—1987 年）的老板，他的臭名昭著也来自他决心为他那夸张而无法停止下来的想象力找到一个出口。波维瑞的那些服装，部分是身体建筑，部分是超现实主义雕塑，他使用女性紧身胸衣、衬垫、最高的高跟鞋，并且用惊异的面部绘画与之相匹配，走在路上，它们就是令路人好奇的一道奇观。他的层层叠叠的装饰种类繁多，这些装饰物支楞到了他的庞大形式之外的空间里，这些种类繁多的装饰物也反映了他对其他人的一系列参考，从爱德华式的花花公子到约翰·沃特（John Water）的垃圾电影里的年轻女明星，如迪万（Divine）和明克·斯托尔（Mink Stole)，以及安迪·沃霍尔（Andy Warhol）的那难以抵抗的高级波普艺术和地下艺术世界魅力的融合。波维瑞的精神和戏剧性吸引了后朋克舞蹈家迈克尔·克拉克（Michael Clarke)，他邀请波维瑞为他的几个作品制作服装，包括《地狱里没有安全出口》(*No fire Escape in Hell*，1986 年)，这部作品也带有波维瑞挥舞电锯的典型特征。1988 年，位于伦敦市中心的安东尼·德奥菲（Anthony d' Offay）画廊，为波维瑞策划了唯一一次他作为艺术作品的展览，展览由为期一周的演出组成（图 174)，演出期间他每天都在单面镜子后的浅色皇帝矮沙发上，以不同的服装、姿势和打扮出现，这样的话参观者就可以看到他，但波维瑞只看自己。

活体绘画或现场模特，如波维瑞之于画家吕西安·佛洛伊德（Lucien Freud）一样，在绘画、新音乐、舞蹈之间的联系以及行为表演艺术，所有这些建构了一个小型的实验艺术世界。它包括如下艺术家创作的作品：艺术家安·比恩（Ann Bean）和保罗·伯韦尔（Paul Burwell）用现成的物品和声音创作加麦兰弓（Bow Gamelan）音乐作品，希尔维亚·扎让尼克（Sylvia Ziranek）用她在英语口语艺术方面的风格化特征进行单人表演，安妮·威尔逊（Anne Wilson）和马蒂·圣杰姆斯（Marty St James)

图 174　利·波维瑞 (Leigh Bowery) 在邦德街上一家画廊里上演的为期一周的展览。每天更换服装和化装。他还配上了音乐和气味。安东尼·德奥菲画廊 (Anthony d' Offay gallery)，1988 年。

用他们的情侣生活进行双人表演。但这一切在 1988 年的“冰冻”(Freeze) 展览里发生了变化，它宣布了新崛起的年轻艺术家们的出现：达米安·赫斯特（Damien Hirst)、萨拉·卢卡斯（Sarah Lucas)、加里·休姆（Gary Hume）和安吉拉·布洛克（Angela Bullock）等，他们将在接下来的十年里深深地改变英国的文化景观。

身份认同

1980 年代封闭的政治和经济剧变对全世界的文化发展产生了巨大影响：华尔街破产，柏林墙倒塌，纳尔逊·曼德拉（Nelson Mandela）从南非监狱被释放等。与此同时，少数族群的民族认同和多元文化的问题日益紧迫起来。

尽管“多元文化主义”这一术语被很多艺术家不确切地用烂了，但它在非裔美国知识分子的著作里还是很重要的知识维度，这些知识分子包括知名学者如康奈尔·韦斯特（Cornel West）或亨利·盖茨（Henry Gates Jr）。艺术家正在越来越多地使用行为表演去探索自己的文化根基。1990 年，“十年展”在纽约的新博物馆（the New Museum）、哈莱姆画室博物馆（Studio Museum of Harlem）和当代西班牙艺术博物馆（the Museum of Contemporary Hispanic Art）展出，他们对在美国的种族身份进行了广泛调查，却发现早在 1980 年代就已经有了这样的艺术表达。安娜·门迭塔（Ana Mendieta）（图 175）在古巴出生，她的关于仪式行为表演的照片来源于古巴黑人萨泰里阿教的通灵术，这些照片与许多行为表演、装置艺术，它们包括在全市范围内展出的艺术作品里，这些作品如《破碎的心》（*Broken Hearts*，1990 年），它是装置艺术家佩彭·欧梭里欧（Pepon Osorio）和编舞梅里安·索托（Merian Soto）联合创作

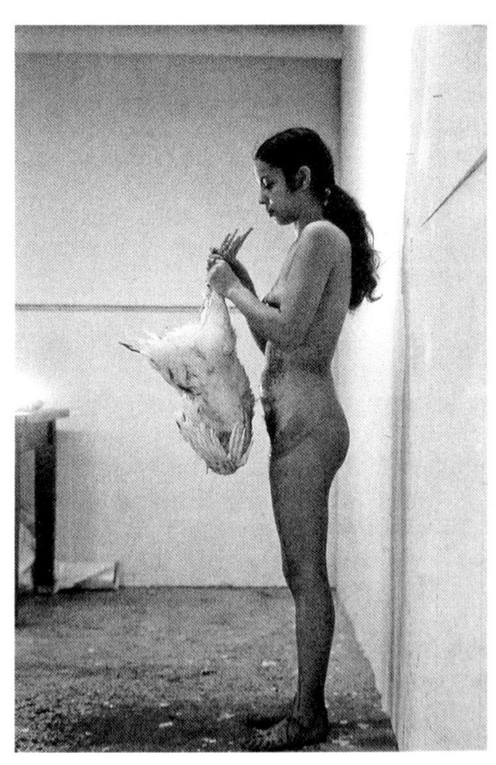

图 175　安娜·门迭塔(Ana Mendieta)，《一只鸡之死》(*Death of a Chicken*)，1972 年 11 月。当门迭塔还在上爱荷华大学的时候，她就开始了宗教仪式般的行为表演(表演中涉及了她的古巴童年)。

的舞剧。

在 1991 年和 1992 年，布鲁克林音乐学院的“下一波”艺术节(Next Wave festivals) 反映了艺术家对“下一波”主题的急切渴望之心。美国一印第安人团体“蜘蛛女剧场”(Spider Woman Theater) 创作了一部大规模作品《电力管道》(*Power Pipes*，1992 年)，如下团队、公司或个人创作了标准长度的作品：“城市丛林女”(Urban Bush Women)团队、比尔·T. 琼斯和阿尼·赞恩公司 (Bill T. Jones and Arnie Zane Company)、戴维·卢塞夫 (David Rousseven) 和加斯·费根 (Garth Fagan)。这些舞蹈家不仅关注黑人移民社群讲故事的传统，还关注非裔美国人流行文化。“城市丛林女”通过对南部奴隶住处的公共舞蹈的绘制和描述，重新构建了一种被称为“喊叫”的圆圈舞，而卢塞夫把口语文本、福音咏唱、饶舌的说唱艺术和爵士乐混合在一起，讲述一个家族的二十年历史。

1994 年在伦敦 ICA (当代艺术学院) 展出了系列表演《现在开始：黑色行为表演的政治》(*Let's Get it on : The Politics of Black Performance*)，这部作品显示了越来越被认可的英国人口的多元文化特征。“黑人艺术家积极参与现场艺术，”组织者凯瑟琳·尤格乌 (Catherine Ugwu) 解释说，“因为它是用来表达那些复杂思想的身份认同的为数不多的空间之一。”这些是充满生机的杂糅与跨文化组合，比如单人表演艺术家玛雅·乔德利 (Maya Chowdhry) 用苏格兰格子呢制作了传统的南印度纱丽；在一场肖伯娜·叶娅辛 (Shobana Jeyasingh) 舞蹈拼贴表演中，经典的婆罗多舞 (*Bharata natyam*) 的舞者穿着运动打底裤和色彩艳丽的 T 恤，他们自己将古典印度舞和现代舞的动作融合在一起。基思·卡恩 (Keith Kahn) 和阿里·扎伊迪 (Ali Zaidi) 的组合莫蒂·罗迪 (Moti Roti) 强调后殖民艺术风格和形式之间的冲突；一位评论家称《飞行的服装，飘浮的坟墓》(*Flying Costumes, Floating Tombs*，1991 年) 为他们的大型嘉年华会，这部作品涉及了数百个不同学科和背景的艺术家们，作为在“电影和戏剧、流行戏剧和高压艺术、印地语 / 乌尔都语和英语、音乐和摄影”之间的一个冲突。

在洛杉矶工作的吉列尔莫·戈麦兹-佩纳（Guillermo Gomez-Peña）出生于墨西哥，是 1985 年“边界艺术工作室”的创始人之一，亲自挑衅式地扮演了在流行批判理论中被称为的“他者”。他留着黑胡子，并且佩戴着几把墨西哥征服者的黑锁，他从“他者”一侧的角度完成了他的反讽叙事之作。《两个未被发现的美洲印第安人》（*Two Undiscovered Amerindians*，1992—1994 年），是他与古巴裔美国作家可可·福斯科（Coco Fusco）合作完成的作品，它是一个“活体立体模型”，其中两位艺术家戴着羽毛头饰，穿着草裙、阿兹特克风格的胸甲和护腕，他们把自己关在一个笼子里进行展出，用其指涉 19 世纪对来自非洲的或美洲的土著人当众示众的做法。

拉丁意识的膨胀影响了许多行为艺术家，其中有卡巴莱诙谐歌舞表演艺术家古巴裔的美国人卡梅莉塔·特若比康纳（Carmelita Tropicana），原名阿琳娜·特洛雅娜（Alina Troyana）、行为表演的积极分子帕珀·科罗（Papo Colo），以及在纽约东村新波多黎各人的诗人咖啡馆周围的活跃场景。各种涵盖拉丁美洲行为表演历史的新出版物出现了，它们给那些来自巴西、墨西哥和古巴的艺术家们的作品介绍更广泛的受众，这些艺术家如拉吉娅·克拉克（Lygia Clark）、伊利欧·奥提西卡（Helio Oiticica）或里安德洛·索托（Leandro Soto），与此同时，他们还为观众理解作品核心中丰富的神话故事以及政治意识提供帮助。

对“他者”身份的认知也为其他社会边缘群体提供了平台——男同性恋者、女同性恋、性工作者、异装癖，甚至慢性病患者和残疾人，他们运用那些故意让人深感不安的表演素材。一个重要的激进组织 ACT UP（“艾滋病联盟解放力量联盟”，成立于 1987 年）把公众的注意力集中在健康危机上。他们接二连三地展开行动，其中包括对纽约证券交易所的中断以及在制药公司门口以死示威。雷扎·阿布多（Reza Abdoh）自诩是“在伊朗出生，在伦敦和洛杉矶受教育的局外人、同性恋者、HIV 阳性患者、有色人种的移民艺术家”，他在曼哈顿西城的一座巨大的仓

图 176　雷扎·阿布多（Reza Abdoh），《来自毁灭之城的行情》（*Quotations from a Ruined City*），1994 年于纽约，阿布多快节奏的演出在几个舞台上进行，迫使观众跟随他的动作从一个舞台转到另一个。

库里搭建了多达十个分散独立的舞台，并在上面上演他创作的复杂戏剧作品。1995 年，雷扎在 32 岁的时候死于艾滋病，他生前的最后作品是《来自毁灭之城的行情》（*Quotations from a Ruined City*，1994 年）（图 176），他将生活场景和电影投影并置，放在一起展示“毁灭”之城纽约、洛杉矶和萨拉热窝，以及被艾滋病“毁灭”的堕落的身体。

对性、死亡及其他私人关系的公开展示是艺术家们的一种集体声明，用以反对 1990 年代早期的保守主义的后退。他们的题材令人震惊，甚至是让那些思想最开放的观众也感到震惊。鲍勃·弗拉纳根（Bob Flanagan）深受囊性纤维化疾病的折磨，他在加利福尼亚圣莫妮卡艺术博物馆（the Santa Monica Museum of Art，1992 年）展出了装置艺术《探病时间》（*Visiting Hours*），在这部作品里，他要在医院的病床上忍受数小时的痛苦物理疗法。男脱衣舞娘、异装皇后和吸毒者参演了罗恩·阿塞（Ron Athey）的《殉道者和圣徒》（*Martyrs and Saints*，1993 年），这个作品时长一个小时，其中因为自戕的伤口如此骇人，几名观众吓得昏了过去。1996 年，埃尔克·克里斯特菲克（Elke Krystufek）躺在维也纳美术馆（the Vienna Kunsthalle）一个玻璃墙房间的浴缸的水里，当着数百名参观观众的面，他用自慰振动器进行手淫。行为表演的语境从专业虐恋俱乐部或医院，转换到了艺术世界的场地，以及伴随着头条新闻、评论、普通观众和具有理论倾向的批评家，这些逐渐成为行为表演学术讨论的主要内容，在欧洲如此，在美国更甚。

即使是在“极端行为表演”成为理论思辨的主题时，1970 年代末期那些独白式的行为表演作品，伴随着柏格森（Bogosian）、芬利（Finley）和格雷（Gray）的作品开始出现了，在过去的二十年里变得越来越流行，成为美国流行时间最长和最主流的表演形式。其结构简单明了，对观众来说通俗易懂，它们还吸引了大范围的各种艺术家，他们介绍那些

图 177　托马斯·儒勒（Tomas Ruller）的《1988 年 8 月 8 日》，1988 年，儒勒来自前天鹅绒革命时期的捷克斯洛伐克，他的行为表演经常涉及那个时代的政治镇压。这部作品纪念 1968 年的俄罗斯入侵。

在自己作品中的标志性元素。比如，丹尼·霍克（Danny Hoch），把哑剧和音乐加进了对人物个性的口头描述中，这些人物来自他童年时代的住房项目中。安娜·德维尔·史密斯（Anna Devere Smith）用简单的道具，如一顶帽子或一副眼镜，来演绎她有关真实事件的“现场纪录片”中的不同角色；两场单人表演戏剧作品《镜中之火：王冠的高度、布鲁克林和其他身份》(*Fires in the Mirror:Crown Heights, Brooklyn and Other Identities*,1992 年)和《暮光之城洛杉矶》(*Twilight Los Angeles*,1992 年)，则来自纽约和洛杉矶的街头种族冲突，它们是两部经过广泛调查的作品，同时结合了目击者录音采访和精心编写的剧本。

虽然 1980 年代末和 1990 年代初的行为表演通常作为一种社会抗议的形式，然而当来自某些政治解体国家的艺术家大量涌入西方艺术界的时候，人们才发现，在那些岁月里，行为表演在当地几乎是唯一一种起作用的政治抗议形式。那些在公寓里、空置的城市场所，或者学生中心的私人展览，都被当作是政治抗议的出口。捷克艺术家托马斯·儒勒(Tomas Ruller)（图 177）1985 年免于牢狱之灾，就是因为他的律师在布拉格法庭上使用了“行为艺术家”(这本书 1979 年初版）这一术语来为他的行为进行辩护，他说艺术家的行为是含有政治内容的艺术，而不是政治反抗本身。一位捷克批评家写道：“所有形式的艺术活动都必须经由相关的国家委员会的党组织批准，这个事实本身说明了一切。”

在特殊的氛围下，大多数反抗艺术开始与身体关联起来不足为奇。一位艺术家可以在任何场所进行表演，他们不需要材料或工作室，并且这些行为表演作品过后不会留下任何痕迹。1970 年代初期阿布拉莫维奇在前南斯拉夫进行了仪式化的行为表演，瓦拉斯塔·德利马（Vlasta Delimar）在萨格勒布上演了色情事件，如探讨性别意识形态的作品《婚礼》(*Wedding*，1982 年)，波兰艺术家卡塔齐娜·科兹拉（Katarzyna Kozyra）的作品《奥林匹亚》(*Olympia*，1996 年）模仿了马奈的绘画，作品展示了她刚刚接受化疗后躺在医院病床上的情景，这些作品强调艺术家的自主性，其巨大成就具有重要意义，因为它出现在那些半个多世纪全盘否定个人主义的国家里。1990 年代，对苏联改革、巴尔干战争以及社会政治的混乱的不满，引发了一种愤世嫉俗的破坏性情绪。俄罗斯奥列格·库里克（Oleg Kulik）在画廊和博物馆里出现，他像狗一样戴着狗圈，吠叫，嗅着前来的参观者，有时又被关在一个笼子里，这些极不寻常的表达代表了艺术家们对东西方关系的看法，尤其是柏林墙倒塌之后东方人的自卑感。“可以说，西方在观看俄罗斯‘小狗’时找到了美学乐趣，但前提条件是，他的行为举止并不真的像狗那样行动”，一个评论家写道。到了 2000 年，年轻的俄罗斯艺术家们通过互联网与全球艺术界进行联系。他们把出现在本国历史上的反讽与对未来主义技术的热情结合起来，形成了一种被称为“电子古典主义”的倾向。一个叫“诺维亚学院”（Novia Akademia）的科技电子音乐表演乐队，他们穿着 19 世纪的俄罗斯服装出现在圣彼得堡的节庆日里。“这种行为表演中的东方身份，”评论家泽丹卡·鲍多维那克（Zdenka Badovinac）写道，“既徘徊在地方特色和被虚拟空间稀释了的大众身份之间，也徘徊在共产主义红星和欧共体的新黄星之间。”

新欧洲人

1990 年代在欧洲共同体内的行为表演被慷慨的联邦基金管理，这些基金管理用来提升中心城市的文化地位，就像之前的 70、80 年代成熟艺术家对城市所造成的影响一样，他们的训练根植于当时的先锋前卫艺术思潮。这些作品的活力受到组织良好的剧院系统进一步激发，其中包括布鲁塞尔的卡伊剧院（Kaaitheater）、法兰克福的图姆剧院（the Theater am Turm）或者柏林的赫伯尔剧院（Hebbel），以及这些剧院周边的艺术节和会议。

比利时新浪潮艺术出现了，包括杨·法布尔（Jan Fabre）、安妮·特蕾莎·德·基尔斯梅克（Anne Teresa De Keersmaeker）、杨·洛维斯（Jan

图 178　安妮·特蕾莎·德·基尔斯梅克 (Anne Teresa De Keersmaeker),《罗萨斯，罗萨斯，舞吧！》(*Rosas Danst Rosas*)，1983 年。这部早期作品含有日后将成为舞蹈家标志的元素——充满活力的当代音乐、舞者们生机勃勃的身体以及对椅子的迷恋。

Lauwers）和艾伦·普拉特尔（Alain Platel)。他们的职业生涯从一开始就受到了财政支持。1983 年当德·基尔斯梅克成立自己的公司时只有 23 岁（图 178),同年就在卡伊剧院（Kaaitheater）进行了首演;32 岁时，她的罗萨斯（Rosas）团队成为布鲁塞尔德拉莫奈皇家剧院的保留团队。这些艺术家为已经建好的国家剧院那雄伟的建筑，提供了全新的感觉，他们发挥了独一无二的作用。德·基尔斯梅克的充满运动感的编舞以及大胆的视觉创作，由现场音乐伴奏，这些设计是用来填补他们空旷的舞台的。这部具有创意的、实验性的作品看起来是那么宏大和精致。

这些艺术家在许多学科方面都非常自信，他们创作了复杂的行为戏剧，这些作品体现了刚刚成立的、充满活力的新欧盟的兴奋。法布尔（Fabre）用三种语言创作了一部 6 小时时长的三幕歌剧《海伦娜·特鲁布林的心灵》(*The Minds of Helena Troubleyn*，1992 年)，洛维斯（Lauwers）的尼德公司（Needcompany）使用法语、佛兰芒语和英语演出《清晨之歌》(*Morning Song*，1998 年)，它将文学文本、政治评论、令人回味的舞蹈以及对流行音乐的选择组合在一起，这是地域的以及音乐上的不拘一格。普拉特尔（Platel）的比利时现代芭蕾舞团（Les Ballets Contemporaines de Belgique）包括受过芭蕾训练的舞者，也包括完全没有训练过的舞者，还包括所有年龄段的儿童，他们一同在作品中探索几代人之间的冲突。在普拉特尔与作家、导演阿恩·希埃伦斯（Arne Sierens）合作的作品《博纳戴特》(*Bernadetje*，1996 年）中，他们在根特（Ghent）的某处碰碰车轨道上搭建出了视觉效果惊人的装置，其青少年性觉醒的主题也令人震撼。

比利时新浪潮也格外支持年轻的美国舞蹈家，如支持激进的偶像崇拜反对者马克·莫里斯（Mark Morris），他于 1988 年被任命为造币厂剧院（La Monnaie）的舞蹈总监，他在任的三年期间内成果丰硕；麦格·斯图尔特（Meg Stuart）的舞蹈公司“破损商品”1999 年成为卡伊剧团（Kaaitheater）的保留剧目。斯图尔特成名于 90 年代中期与视频艺术家盖里·希尔（Gary Hill）以及装置、行为艺术家安·汉密尔顿（Ann Hamilton）合作，也成名于她的独舞“人物研究”——这部作品关注探讨单一身体部位的细微动作，而斯图尔特 2000 年的《柔软的衣物（初稿）》[*Soft Wear* (*first draft*)] 则具有高科技美学思想。在一系列的“停—走”运动过程中，她那几乎看不见的姿势类似于电脑屏幕上那些缓慢变化的屏保的变形图像。

在法国，艺术家迷恋物理意义上的身体，对将其转化到舞蹈中去也有着类似的兴趣，这种兴趣的灵感来源于 1960 年代早期的舞蹈流派，尤其是贾德森集团的探索与伊冯·雷内（Yvonne Rainer）怪诞的编舞。将舞蹈提纯至其本质的简单步骤，对这一代的编舞者来说，特别具有吸引力，其中包括杰罗曼·贝尔（Jérome Bel），沙维尔·勒·罗伊（Xavier Le Roy）以及名叫阿尔布雷西特·克努斯特（Albrecht Knust）的四人组合，他们都接受了德里达（Derrida）、福柯（Foucault）和德勒兹（Deleuze）

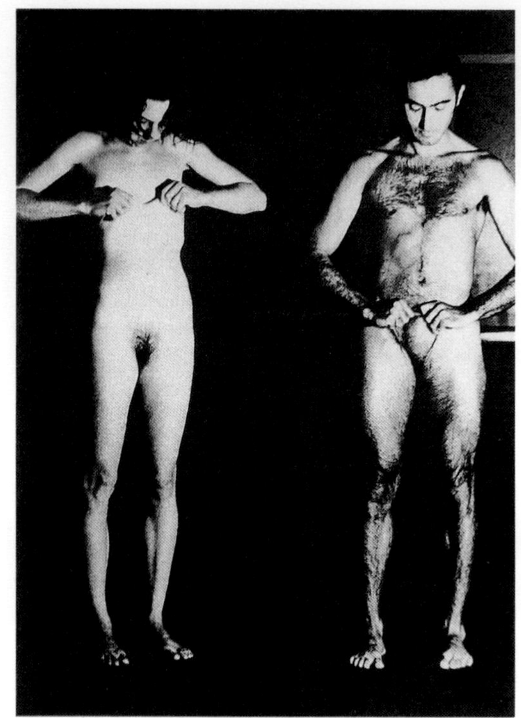

图 179 杰罗曼·贝尔 (Jérome Bel)，《杰罗曼·贝尔》(*Jérome Bel*)，1999 年，维也纳音乐节，维也纳。表演者检查了舞者的主要创作材料——皮肤和骨骼，它们在作品中“解构”了运动的本质。

等解构主义理论家的教育。1996 年勒·罗伊与阿尔布雷西特·克克努斯特的四人组重现了伊冯·雷内 1970 年的作品《连续计划——每日改变》(*Continuous Project-Altered Daily*) 以及斯蒂夫·帕克斯顿 (Steve Paxton) 1968 年的作品《满意的爱人》(*Satisfying Lover*)。

一些舞者把身体首先看作是符号和身体部分的集合，他们也是掀起了反编舞运动的成员。他们创作的行为演出里，舞蹈的痕迹都消失了。在贝尔的作品《杰罗曼·贝尔》(*Jérome Bel*，1999 年)（图 179）里，四名裸体舞者首先在黑板上用粉笔写下了自己的名字、出生日期、体重、身高和社会保险卡号码，然后继续将自己身上的雀斑、凸起物、肌肉和肌腱一一指出来，同时将自己的皮肤拉扯和折叠起来，就好像它是一个信封。在《未完成的自我》(*Self Unfinished*，1999 年）里，罗伊把他的身体摆成这样一个奇怪的形状，看起来像是一个无头的躯干被支在胳膊和腿做成的三脚架上。梅里安·郭尔芬克（Myriam Gourfink）身穿红色乳胶合成衣服，躺在地板上，伸展四肢检查身体的重力状态；在《哇》（*Waw*，1998 年）里她展示了肌肉紧张和放松、运动和疲倦之间的失衡，而由让-路易·诺斯克（Jean-Louis Norscq）混合录制的现场音乐在一旁震耳欲聋地播放着。

幽默与知识分子活力在艺术作品里的结合等同于法国的视觉材料和行为艺术家的结合。玛丽-安琪·吉耶米诺（Marie-Ange Guilleminot）的专门定制和自行设计的服装，经常从身体上吸引观看者。例如在《手势》（*Le Geste*，1994 年）里，她隐藏在特拉维夫（Tel Aviv）一面公共汽车站的墙后面，她的双手从墙上的洞里伸出来，通过握手或拥抱以吸引过路者。法布里斯·于贝尔（Fabrice Hybert）的作品《睡觉的味道》（*Eau d' or eau dort odor*，1997 年）在威尼斯双年展上用技术把法国馆变成了电视录像棚，里面有技术设备、新闻媒体招待大厅、化妆间和休息室以及一个中央录制舞台,在这里观众可以现场观摩当天的拍摄。娜塔莎·勒苏尔（Natacha Lesueur）制作了"蔬菜肖像"，用它来评论妇女对美食和美貌的痴迷；这些都是她拍摄自己由薰衣草装饰的身体的不同部位的照片，其中一张是她用一个贴满黄瓜片的头盔罩住自己的平头，另一张是用意大利面条和胡萝卜（图 180）。皮耶希克·索林（Pierrick Sorin）拍摄了狂妄的视频模仿，他对默片时期的巴斯特·基顿或查利·卓别林怀旧的无声电影进行了模仿，即使一部特别平庸的名为《使我的拖鞋保持开启模式，以便我能去面包房》（*I have kept my slippers on so that I can go to the bakery*，1993 年）的作品，也从一系列的观念艺术的幽默谱系中汲取了很多营养，从约翰·鲍德萨里（John Baldessari）到安妮特·梅莎杰（Annette Messager）和克里斯蒂安·波坦斯基（Christian Boltanski）。

1990 年代末期的艺术家们在博物馆里的展览经常类似于随意的游戏房或破敝的房间，他们不再关心高雅艺术和低俗艺术之间的隔阂。例如，

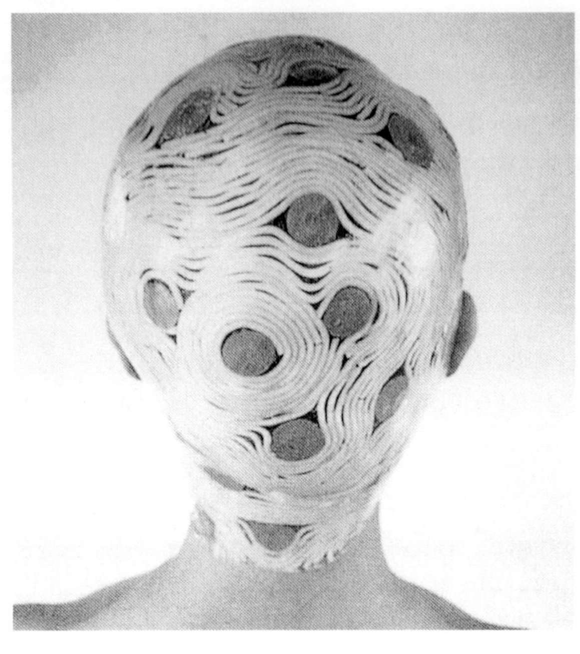

图 180（上） 娜塔莎·勒苏尔 (Natacha Lesueur)，《肉冻 》(*Aspics*)，1999 年。勒苏尔在一系列“自我肖像”中使用各种食物（图中为使用意大利面条和胡萝卜）作为身体的装饰。

图 181（下） 毛里齐奥·卡特兰 (Maurizio Cattelan) 的《空调南部供应商对西西纳 12 比 47，两只足球队的桌球比赛》(*AC Fornitore Sud versus Cesena 12 to 47, Fussball with two football teams*)，1991 年，现代画廊 (the Galleria d’Arte Moderna)，博洛尼亚。

在泰国出生的纽约艺术家里克里特·提拉瓦尼（Rirkrit Tirivanija），1994年在苜蓿画廊（Lucerne gallery）里搭建了一个厨房，为游客提供食物；他还建立了一个录音棚，观众在那里可以练习乐器，就像他 1997 年在明斯特的雕塑作品中的一样。1991 年意大利出生的艺术家毛里齐奥·卡特兰（Maurizio Cattelan）在许多美术馆和博物馆里，安装了他们设计的两队各有 11 名球员的桌球比赛（图 181）。柏林人约翰·博克（John Bock）搭建了一系列相通的小房间，里面用连环画、玩具和视频监视器进行装饰，作为他在 1999 年威尼斯双年展上的即兴表演的行为表演的布景。这些社会雕塑与 1970 年代观念至上的作品有很大关系，比如下列艺术家：阿孔西（Acconci）、瑙曼（Nauman）、博伊斯（Beuys）、乔纳斯（Jonas）和格雷厄姆（Graham）。他们这些 1990 年代以后的后继者与 1970 年代的艺术家不同，因为互文性，波普残留以及从行为表演史中挪用等手法，被 1990 年代的后继者们作为当代艺术词汇而接受。

图 182　波比·贝克（Bobby Baker），《如何购物》（*How to Shop*），1993 年，一场关于超市购物的艺术讲座。

这种对幽默艺术相似的执着，很长时间内就一直存在于英国文化之中，但只是作为尖刻的文化批评。“英国文化中有一个传统，那就是享受卑鄙”，雕塑家杰克·查普曼（Jake Chapman）在被问及英国艺术在1990年代有什么英国性这个问题时如此回答，因为它是自嘲和自信的结合，是殖民主义和阶级差异的残留，它强调了后撒切尔（post-Thatcher）时代行为表演中的人道主义喜剧特质。波比·贝克（Bobby Baker）的作品《日常生活》（*Daily Life*）是一系列的图画、装置和行为表演，它将整理杂物、拍打枕头之类生活琐事，转化为深刻的艺术仪式。她邀请一小拨观众到她自己的厨房中以参观作品《厨房秀：十二个厨房行为的公开》（*Kitchen Show: one dozen kitchen actions made public*，1991年），这是这部作品的开始。波比说，“当我穿上工作服时，我就变成了匿名的和失声的”，她穿着标志性的白色制服以此来庆祝生活的“日常性”，并且将肥皂剧（kitchen-sink drama）和超现实家庭生活之间的界限加以模糊。这部作品之后就是《如何购物》（*How To Shop*，1993年）（图182），那是一场关于超市购物艺术的演讲。

与贝克（Baker）使用幽默作品的方式进行宣泄相反，其他艺术家将深感痛心的个人经历转化为行为表演。苏格兰出生的贝尔法斯特(Belfast)居民阿拉斯泰尔·麦克兰南（Alastair MacLennan）创作了仪式般的行为表演，如在《日日夜夜》（*Days and Nights*，1981年）里，他沿着画廊的周边走了六天六夜，唤起了数年生活于爆炸性的政治冲突中的悲伤。贝鲁特（Beirut）出生的莫娜·哈特姆（Mona Hatoum）的表演则提醒观众，在世界各地的战区“人们不得不生存于不同的现实生活中”；在《谈判桌》（*The Negotiating Table*，1983年）里，她躺在桌子上，身上覆盖着动物的血液和内脏，身体被包裹在一个透明的塑料袋里，由一束的强光醒目地照射着。

单人表演艺术家如哈透姆（Hatoum）和麦克兰南（MacLennan）的表演中强度，为1990年代的新英国艺术能量的爆发做出了巨大贡献，

图 183　绝望的乐观主义者 (Desperate Optimists),《花花一公子》(*Play-boy*), 1998—1999年。它由语言和记忆之间的张力激发，这部基于文本的作品展览，是绝望的乐观主义者带有典型政治指向性的代表作品。

同样重要的还有当时许多行为表演的组合。不足为奇的是，许多带有戏剧研究背景的表演者被吸引到现场艺术中来，是因为具有创意的和不断发展的戏剧文化变得越来越重要，从 1960 年代的政治宣传鼓动、激进的街头剧，到当下生机勃勃基于文字的戏剧，它们对知识水平的要求很高。他们与其他学科的人联手一起创作了许多独特的跨学科作品。成立于 1980 年代的“候车厅歌剧”(Station House Opera) 和“被迫娱乐”(Forced Entertainment), 他们为 1990 年代的乐队设立了标准，比如“绝望的乐观主义者”乐队 (Desperate Optimists) (图 183)、“鲁莽的嗜睡者”乐队 (Reckless Sleepers) 和“爆破理论”乐队 (Blast Theory), 所有的乐队都致力于大规模的、场地独特的作品，这些作品在行为表演与戏剧的边缘徘徊，其中前者强调视觉意象，而后者强调文本，无论是被言说出来的、记录下来的还是被投影出来的。无须说，这些标新立异的团体广泛地使用媒介。“我们的作品，对任何一个在开着电视机的房子里长大的人来说,都是通俗易懂的”,“被迫娱乐”乐队的一份声明里这样写道。

新媒体与行为表演

在 1990 年代开始的那些年里，那些将技术融合到舞台上的错综复杂的发明，主要都是出自经验丰富的艺术家之手，如伍斯特集团（the Wooster Group）的伊丽莎白·勒孔特（Elizabeth LeCompte）和罗伯特·艾希礼（Robert Ashley），他们继续发展 1970 年代就已经形成的开创性作品的技术。伍斯特集团改编了奥尼尔（O'Neil）的《琼斯皇帝》(*Emperor Jones*,1994 年),之后又改编了格特鲁德·斯坦因（Gertrude Stein）的《房子 / 灯》（*House/Lights*, 1997 年), 这些作品利用技术使得戏剧文本“成为附庸”，而艾希礼 1999 年的作品《尘埃》（*Dust*）是一部 90 分钟时长的室内媒体歌剧，作品中运用技术来表达爱和孤独的情感状态。《尘埃》这部作品生动浪漫，它来自 70 岁的艾希礼的感人诗句 :“我只想再一次恋爱。”

这些前辈影响了层出不穷的新媒体戏剧团体，后者不是把技术作为一个虚幻的装置，而是把它作为一种信息分层的手段，并且在舞台上制造出观念激进和视觉感强的景观。罗伯特 · 勒佩奇（Robert Lepage）的作品《欧塔河的七条溪流》(*Seven Streams of the River Ota*，1994—1996 年）是一部 7 个小时的叙事诗，结合了电脑投影、电影片段以及从舞踏到歌舞伎和人形净琉璃的表演风格。“哑型类型”(Dumb Type）是一个日本艺术家、建筑师和作曲家组合的团队，它创造了一种与众不同的高科技美学,为行为艺术家提供了一种虚拟现实矩阵,表演者们穿梭其中。而建筑商协会则与纽约建筑师伊丽莎白·迪勒(Elizabeth Diller)和里卡多·萨尔费迪奥（Ricardo Scarfidio）合作，他们用计算机生成的建筑、电影投影以及环绕立体声创作了三维的戏剧空间。他们1999年的作品《时差》(*Jet Lag*）在两个连续的故事里旨在探索“消除时间和压缩空间”，故事讲述了三名旅客的神秘行踪，一个在海里，两个在空中。在文本和技术这两者里，他们都为作品提供了一种潜在的韵律结构。

1990 年代行为表演视频经常以私人的方式作为装置展出，并且被看

图 184　马修·巴尼 (Matthew Barney)，《提睾肌 2》(*Cremaster 2*)，1999 年。作品剧照。巴尼变幻不定的想象在这个充满性欲的电影里爆棚，故事设置在美国中西部平原，对于艺术家来说，它方式上的错综复杂，既可算是雕塑，也可以算是行为表演。

作是对现场表演的延伸。这些作品没有早期乔纳斯（Jonas）或彼得·坎帕斯（Peter Campus）作品的那些说教意图，它们在一个明确的观念框架内探讨艺术家于时空中的身体。相反地，由马修·巴尼（Matthew Barney）或保罗·麦卡锡（Paul McCarthy）创作的视频则来自他们对于当代美国大众文化和布局的独到见解，然后以奇幻的、图像丰富的，以

1997 年）把 1970 年代“忍耐艺术”的锐利以及舍曼电影剧照式的静止姿势结合在了一起。她在纽约的一个画廊里站立了数小时，穿一件特制的灰色衣服，衣服的两袖被缝在身体两侧，她穿着连裤袜的两个裤腿缝在一起，她的嘴被一个牙科工具一直支撑着。从她嘴上滴落到紧身马甲和鞋子上的闪光的口水，使得这部作品中模棱两可的女性主义的主题更加离奇。

人物身体的中心地位在一些艺术家的电影装置里非常引人注目，如谢琳·内沙特（Shirin Neshat）、史蒂夫·麦奎因（Steve McQueen）、吉莉安·韦尔林（Gillian Wearing）或山姆·泰勒·伍德（Sam Taylor Wood）等。他们如房间大小的可移动影像，不仅是电影剪辑和结构的，还要尽可能地创造出吸引观众的颗粒感的表面，而那些缓慢移动的、比真人尺寸还大的人物影像压倒般地存在，使得这部作品与之前三十年的行为表演史联系在了一起。无论是观看麦奎因（McQueen）用黑白投影制作的、两名裸体男子进行拳击比赛的作品《熊》（*The Bear*，1993 年），还是观看山姆·泰勒·伍德的作品《雷龙》（*Brontosaurus*，1995 年），一个赤膊男人根据自己的节奏狂舞，这些作品都让人想起了阿孔西、阿布拉莫维奇或瑙曼的行为作品，尽管它们那宏大的规模给人一种壁画般的感觉。相比之下，还有一些艺术家，他们用新的手掌般大小的数字视频设备工作，并把使用摄影机作为对自己身体的一种延伸，就像乔纳斯（Jonas）或丹·格雷厄姆（Dan Graham）在 1970 年代所做的那样。克里斯汀·卢卡斯（Kristin Lucas）把超 8 摄影机绑到她的头盔上，当她走在纽约或东京街头的时候，她拍下她所看到的街头生活，而视频艺术家和前流行歌手皮皮洛蒂·瑞斯特（Pipilotti Rist）则把她的摄像机绑在长吊杆上，当在苏黎世超市购物的时候，她从正上方进行拍摄。对这两位艺术家来说，被媒体和技术渗透，又充满喧嚣的大都市，既是她们的拍摄对象，也是她们批判的对象。

这类作品很大一部分表明了现场表演和媒体录制之间是如何无缝转

换的，并且这种无缝转换通过互联网得以加强，它可以方便地浏览计算机及进行全球数字传输图像，他们也强化了行为表演、音乐电视、广告和时尚之间的风格快速地交叉、相互影响。在这个无限相通的系统内，它可以传输声音和运动影像，并能够使观众进行实时交流，所以互联网迅速地被艺术家与表演者认同，并作为表演艺术一个令人兴奋的新手段。富兰克林·弗尼斯（Franklin Furnace）在纽约开设了一家艺术实验表演网站，而许多艺术家，如波比·贝克（Bobby Baker）在英格兰、史提拉克(Stelarc)在澳大利亚开设了自己的网页。在1990年代韩国的李咄(Lee Bul)、日本的乌光桃代(Momoyo Torimitsu)、南非的肯德尔·吉尔斯(Kendal Geers)、中国的张洹、古巴的塔尼娅·布鲁格拉（Tania Bruguera）及其他许多艺术家，他们作为世界范围内发展壮大的行为表演艺术队伍的一部分，都能通过网络直接且即时地互相联系。

第八章　新世纪首个十年：从 2001 年到 2010 年

人们对新世纪的迫切期待，反而营造了一种充满悬念与压抑的气氛。报纸、杂志和电视节目每每都在报道着危言耸听的关于千禧年世纪骇客或“千年虫”的故事，预测着即将大难临头的数字虚拟世界的种种不测，比如当 2000 年元月 1 日零点来临的时候，计算机总服务器会被操控，全球计算机会陷入瘫痪停止运行等。届时，金融市场、大陆地面和空中的公共安全以及各种各样的国家档案和记录将全面崩溃。然而新千年的第一天平平淡淡地过去了，艺术界以其高风险的魅力获得了商业成功，新兴的博览会和双年展以及艺术品拍卖打破了纪录，艺术界的商业成功依旧是持续不减。但在其后的一年，即 2001 年 9 月 11 日这一天里，当悲剧降临在纽约之后，这颗星球感觉到了世界的骤变。

不断膨胀的世界

从“9 · 11”的那刻起，在 21 世纪第一个十年中，每个随之而来的下一年都会表明经济受“反恐战争”和入侵伊拉克的影响，还会受到所谓的全球世界经济扁平景观及其愈加相互依存的市场经济的影响。日益变小的地球村也见证了全新的和强大的经济体的崛起，尤其如中国和印度这些国家，他们利用全球化的互联网加速发展。在商品和服务、创新工业和手工制造业、超级大国和附庸国之间平衡的变迁，为道德观念、传统与不同的社会政治风向变化的监管创造了新优势。自 1980 年代以来，学术和策展研究就被打上了多元化标签，它拓展了西欧艺术史和批评标准的范畴，其多元化特征亦得到了迅猛发展。它不再满足于对过去文化历史的地理界限的超越，即以概观展览的方式把过去带回到博物馆和美术馆里；相反的，那些密切关注当下潮流的艺术家，对当代艺术对文化历史以及政治、宗教的潜文本的完全涉入充满了期待。不仅仅是日本和中国，黎巴嫩、巴勒斯坦、新加坡、韩国、南非、刚果、埃及、苏丹、冰岛和白俄罗斯，它们也都被绘制进了一个不断扩大的知识版图，基于这一点，艺术家们为了彰显个体的文化修养，同时亦能够恰当地把信息传递出去，这就意味着他们势必要对全球文化的发展至少有一般性的了解。巡回策展人、批评家、交易商和收藏家们前往偏远的地方，给国际艺术舞台介绍范畴更为广阔的审美实践，与此同时他们也支持新兴艺术家，其作品不但能够经得起严格的批评读解，他们还为艺术得以产生的文本内容提供了启发性线索。

行为表演是可以传递来自广大不同地域的多样化思想的理想媒介。它以视觉为主，因此无须翻译；因为它是瞬间的，所以在一些国家，行为表演就成了比较完美的规避性表达的媒介；它很前沿，因为它经常运用技术创作声音和图像，以此来进行记录和放映；在使用身体方面，行为表演使用身体姿势和身体运动这些通用的比喻性语言，无论是裸体还是穿着衣服，肢体语言是永恒的和易懂的。此外，由于行为表演可延长的时间框架，它有时持续数小时，有时是持续数天，行为表演是一种手段，它可以对不同国家历史、仪式以及个人情感和精神状态进行复杂的图像信息分层。因此，不管是来自俄罗斯、印度的行为表演，还是来自巴西的行为表演，它们可能是激进、强烈的，但当它们被运到纽约、柏林、巴黎或伦敦的文化中心时，就可以使得艺术家很快受到关注。从批评的维度来讲，这些作品拒绝与西方传统的绘画和雕塑放在一起相提并论，同时，对行为表演意义和来源的考察则意味着接下来的新艺术景观的蓬勃发展。

激活博物馆

行为表演在 21 世纪的第一个十年里风起云涌的一个原因在于：1970 年代已经成为历史并且将要被纳入当代艺术博物馆的时间表里。对策展人来说，它很快就变得清晰起来，即那个时期的大部分观念艺术就是行为表演艺术，并且大部分的手工制品、照片和完成的视频都是行为表演的直接结果。档案保管员、登记员和管理员以及评论员和教育部门都不得不第一次去面对复杂的展览，收集、保存和解释这些材料，解释它们在 20 世纪最后的几十年里如此深刻地推动了艺术的发展，然而矛盾的是，它们却是转瞬即逝的，几乎看不见摸不着。人们开始对观念艺术和许多在它保护下所进行的行为表演进行全球范围内的价值重估和调查，其结果直接导致了许多展览和出版物出现，这些展览和出版物反过来运用其诗意的严谨和聚焦于知识分子的方式，增强了新一代人对它的迷恋。

行为表演新世纪的核心角色进一步发展的事实就是使得现代博物馆的功能在 2000 年之后发生根本性的变化，它从一种沉思默想及文物保护之地，变成了可预订的文化娱乐场所。21 世纪的博物馆为大量的观众人群提供可行性空间，以便让观众直接体验艺术和艺术家的活动，并与他们互动。这种最新的建筑物也包括黑匣子剧场和为行为表演提供场所的会堂。2005 年，纽约双年展第一次策划了专业的视觉行为艺术节，它的官方文件里包括了对 21 世纪的行为表演进行彻底观察的承诺，这种承诺已成为当代艺术展和双年展规划中不可分割的一部分，这些展览不仅可以在大城市的艺术机构里，还可以在较小的城镇和大学校园内外进行。行为表演的影响力不仅只是吸引观众到文化机构里去，这一点已经越来越被认可，尤其是被年轻的一代认可；事实上，在我们高度媒介化的日常生活中，行为表演还引发了对艺术意义的批判性质疑。它也开始大谈在日益膨胀的全球文化范畴里，艺术如何能在各种不同的多元生活方式之间产生共鸣。

批判性内容

在新世纪十年的开始之际，许多行为表演作品直接反映了对持续不断的移民大潮的不安以及不同种族、宗教双方之间的冲突、误解等尖锐问题。2001 年 10 月，在美国世贸中心遭到恐怖袭击不到四周的时间里，西丽 · 娜沙特（Shirin Neshat）就在纽约的基钦中心首次现场预演了《鸟的逻辑》（*Logic of the Birds*）（图 187），该作品持续了整个晚上，歌手苏珊 · 黛馨（Sussan Deyhim）作为核心人物，她与其他三十名表演者的背景是三块巨大的屏幕。这部作品后来于 2002 年作为林肯中心夏日艺术节的一部分正式上演。这部作品把 12 世纪苏菲大师法里德 · 丁 · 阿塔

图 187　在《鸟的逻辑》(*Logic of the Birds*) 中，2001 年，和苏珊·黛馨(Sussan Deyhim) 一起，西丽 · 娜沙特 (Shirin Neshat) 电影式的编舞由表演者反映出来，这些表演者好像从电影里迈出来到舞台上。

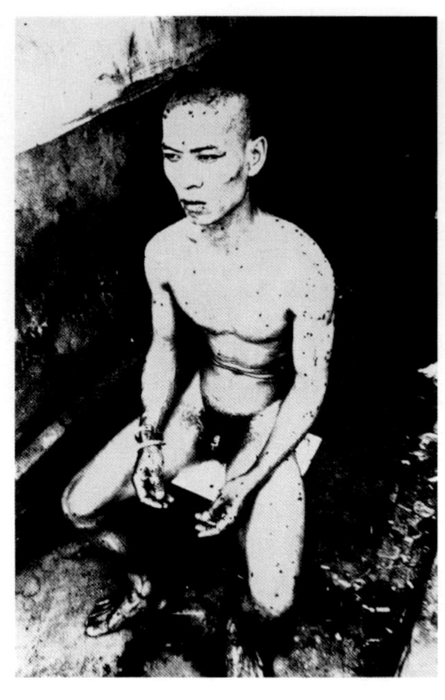

图 189 《12 平方米》(*12 Square Meters*) 1994 年。身上涂着蜂蜜并且停了数百只苍蝇。张洹在北京东村的一个公共厕所里上演这一耐力表演。

自己置放于塑料泡泡内，沿着黄浦江漂流，以此象征在力量上不可控制的河流里人类生命的脆弱。这些作品呈现了这些艺术家难以抑制的个人痛苦，以及他们为个体经验寻找表达出口的决心。东村的行为表演作品使得中国的行为表演第一次进入国际视野之内。他们使全球艺术界注意到一种全新的艺术正在那个国家酝酿和发展。

在 21 世纪初期阶段的快速转型中，中国行为艺术家经历了从原有的计划经济到复杂的政府引导的市场经济体制的转变，这些行为艺术家的作品，也相应地为中国震撼世界的社会转型提供了持续不断的深刻印证。它们成为数字上不断增长的艺术学院学生和公众群体的关注焦点，在北京、广州、上海、成都、哈尔滨、厦门、丽江和深圳等城市则受到了更为广泛的关注。这些行为表演中出现的某些视觉作品，在美国和欧洲的几个巡回展览中也可以看到，如《由内向外》(*Inside Out*，1998 年)、《转译的行为》(*Translated Acts*，2002 年) 与《过去和未来之间》(*Between Past and Future*，2004 年) 等。这些行为表演作品，以绘画或雕塑这些

图 190　杨福东的《竹林七贤》，2003 年，它以高度风格化的电影造型，捕捉到了当代中国历史中的巨大变化。

固态艺术所不能简单做到的方式，为快速变化的中国生活做了生动的介绍：来自宋冬、冯梦波、邱志杰和徐震等艺术家的作品，为了让观众联想起当代残酷的现实美学，他们对人的身体进行展示（如孙原和彭禹用人体脂肪组织和尸体碎片创作的作品）。其他人的作品，有的是抒情讽喻式的，如洪浩和赵半狄创作的舞台造型；有的是公开呈现裸露的身体，如马六明；有的是为了相机拍照上演古装场景，如王庆松；有的作品则在转型中的城市废墟中进行行为表演，如他们展示传统的四合院在一夜之间被拆除，继而被一些以最快速度建成的高楼所取代（张大力）。策展人卢杰 1999 年创作了《长征计划》(*The Long March Project*)，这部作品展示了中国共产党具有决定性历史的时刻之一——于 1934 年开始二万五千里长征。行为艺术家卢杰与 300 名长征者按照原路追溯历史，旨在重申这段早期历史及其对中国先锋艺术的意义。上海的电影导演杨福东制作了精良的风格化电影，他的电影看起来几乎是行为表演的舞台静止造型，如《竹林七贤》(*Seven Intellectuals in a Bamboo Forest*,

特拉斯集团”(the Atlas Group) 创建的档案，这些作品作为装置艺术在美术馆和博物馆里也展览过。对拉德来说，这种行为表演式的演讲是一个与历史有关的情感表达平台，在这个平台上，他探讨自己祖国的社会政治动荡局势，并且将原始资料进行分类及传播。

向不熟悉以色列边防部队日常极端限制的观众，以说教的手段，强制传递这些极端限制信息构成了巴勒斯坦艺术家艾米丽·贾西尔 (Emily Jacir) 作品的特征。她的作品《我们来自何方》(*Where We Came From*, 2001 年) 是一部指示性作品，在片中，她问那些流亡的巴勒斯坦人 :“如果我在巴勒斯坦可以为你做一些事，那将会是什么？”她按照这些信件及资料上的要求去做，由此创作了一部将真正生活和装置艺术结合的展览，如“为我去贝特·拉伊亚 (Bayt Lahia) 一次，然后带回一张家人的照片给我，尤其是我弟弟孩子们的照片”。

处于悲剧分界线另一端的以色列艺术家们，尽管居住在完全对立的世界里，但他们也致力于把摄像机和责任意识瞄向这同一国界，其结果是大量不同角度和主题的作品的出现。艺术家如席加里特·兰道 (Sigalit Landau)、雅艾尔·芭塔娜 (Yael Bartana) 或乌迪德·赫希 (Oded Hirsch)，他们创作的行为表演和视频作品精细地分析了新闻媒介的作用，并产生了对无休止的战争后果的深深忧虑。而另外一些居住在国外的以色列艺术家，如奥默·法斯特 (Omer Fast)、盖·本-内尔 (Guy Ben-Ner)、麦卡·罗滕伯格 (Mika Rottenberg)、泰蜜·本-托尔 (Tamy Ben-Tor) 和克伦·席特 (Keren Cytter)，他们创作作品，表达他们深刻而独特的政治母体意识，正是这种政治母体使得他们自己成为现在这种状况。兰道 (Landau) 令人难忘的循环视频作品《带刺的呼啦圈》(*Barbed Hula*, 2000 年) 展示了一个带铁刺的呼啦圈在兰道赤裸的腹部上转动，并刮破了她的皮肤，这部作品展现和象征了中东持续的政治危险与失败的解决方案。奥默·法斯特的 (Omer Fast) 的《演职员表》(*The Casting*, 2007 年) 由一个双屏幕电影构成，包括录好的《活体画》(*Tableaux*

Vivants）访谈和伊拉克爆炸画面的再现，这部作品显示了法斯特习惯于将每个故事的双边立场都呈现出来的特征。法斯特以不同的形式探究真相，在《脱口秀》（*Talk Show*，2009 年）里，他迫使观众围绕着悬浮的银幕走一周，以这样的方式拼凑出一个士兵生命中的几个片段。《脱口秀》是他的第一个晚会长度的现场表演，在这部作品里，由一个现实生活中的真实人物讲了一个故事，其他几个演员以电话讲故事的方式转述给下一个人，形成一条直线性的但断断续续的叙事轴。这两部作品生动地说明了故事是如何通过时间和复述被扭曲以及被重写的。正是这种扭曲让泰蜜·本–托尔（Tamy Ben-Tor）的单人表演中的人物角色给观众留下了深刻印象（图 192）。她在远离家乡的纽约构思这些故事，她的故事不是从家庭生活入手，而是从做了一堆标记的收藏品那里编造出来，从在耶路撒冷度过童年的人那里借鉴，从布鲁克林的日常生活以及电影中所描绘的大屠杀场景那里借鉴。以色列人、非裔美国人、黑衫军（Blackshirts）或咖啡馆公社（café-society）的女性，组成了本–托尔具有反讽意味的滑稽世界里的喋喋不休阶层。在如此近距离的环境下，一个又一个的变化被观众尽收眼底，在她的作品里，本–托尔通常进行常规的典型表演，她从身边地板上的干净衣服堆里拉出她想要的，使它们变戏法似的出现，然后通过手势和声音呈现整个历史，故事一个接着一个。

政治讽喻

在许多南北美洲艺术家的创作素材中，政治意识成为个人标志的重要组成部分。拉丁美洲、欧洲、非洲和印第安等文化成为资本主义、社会主义、发达与欠发达经济的复杂混合体，而另一方面他们又被分裂主义分子虎视眈眈地盯着。而这些被演绎出来的激情与时间在不同国家则完全不同。波多黎各出生的艺术家詹妮弗·阿罗拉（Jennifer Allora）和吉列尔莫·卡尔萨迪利亚（Guillermo Calzadilla）的雕塑、行为表演、视频、电影和声音作品，它们可以被视为是一系列为提高公共意识及政治权力意识而设计的实验作品。他们在广泛研究的基础上参与创造了社会隐喻性的装置，这是他们艺术创作过程中的一个重要组成部分。《喧哗》（*Clamor*, 2006 年）（图 193）中有一个碉堡一样的雕塑装置和音乐演奏（表演者与音乐家一起在碉堡里表演），作品将古往今来的战争声音进行了组合，从美国内战到新近发生在英国、俄罗斯、智利和伊拉克的冲突，还包括电视公告。“音乐犹如武器”，艺术家用这种刺耳的、发自内心的声音对权力寓言进行形容和描述。

在墨西哥市，来自布鲁塞尔的弗兰西斯·埃利斯（Francis Alÿs）和在马德里出生的圣地亚哥·西耶拉（Santiago Sierra），针对他们寄居的这个超级喧嚣的城市，以及各种人群和阶层相交汇的边缘，他们创作了非常独特的作品。埃利斯带着训练有素的建筑师和城市规划专家的眼光走进都市，伴随着一系列排练好的介入活动，对有着层层叠叠历史记忆的街头巷尾进行调查。在作品《再现》（*Re-Enactments*，2000 年）（图

图 193 《喧哗》（*Clamor*），2006 年，由阿罗拉（Allora）和卡尔萨迪利亚（Calzadilla）创作。在整个演出过程中，在一个防御碉堡的复制品里，音乐家们不时地演奏来自全世界范围内的战争音乐片段。

图 194　弗兰西斯·埃利斯（Francis Alÿs），《再现》（*Re-Enactments*），2000 年于墨西哥城：一个动作的两种视频纪录，5 分 20 秒。

194）里，他把相同的动作表演两次，两次表演都被视频记录下来。在第一个视频里，我们看见埃利斯买了一把手枪，他带着枪行走在大街上，所有的人都可以看到他的枪。十二分钟后，他被警方截获并被一辆带有标志的车辆匆匆带走。第二个视频是埃利斯再现了同样的剧情，但这次却是与警方合作“演出”的，伴随着他的重演，仿佛在**再现**这个城市法律和秩序方面欠佳的声誉。西耶拉在他的表演中采用现实生活中极度穷困潦倒的个体进行表演，以此展示人类的堕落、凄凉和社会的冷漠。在作品《4 个人身上 160 厘米长的文身》（*160cm Line Tattooed on 4 People*，2000 年）里，4 个染有毒瘾的妓女以一针海洛因的价格被雇来，他在她们后背上纹了一条长长的刺青。西耶拉说，他选择艺术作为表达这种令人不安事件的展示平台，是因为它“提供了一条狭窄的边缘，人们可以通过它陈述自己的谴责”。

墨西哥艺术家特蕾莎·马戈莱斯（Teresa Margolles）来自库利亚坎，

图 198　罗曼 · 昂达克 (Roman Ondák)，《美好时代的美好感觉》(*Good Feelings in Good Times*)，2003 年，对在不同政治气候条件下，公共排队的习惯进行反讽批评。

的日子里，能够耐心地排队等候并且感觉良好，因为他们认为他们可能会得到他们希望得到的东西。”使用高度概念化的策略也构成了如下艺术家作品的特征，比如，帕维尔·阿瑟曼(Pawel Althamer)、露西·麦肯齐(Lucy McKenzie）和宝莉娜 · 奥洛夫斯卡（Paulina Olowska)、格雷戈尔 · 施奈德（Gregor Schneider)、菲尔·柯林斯（Phil Collins)、赛尔·弗洛耶（Ceal Floyer)、道格拉斯 · 戈登（Douglas Gordon)、特丽莎 · 唐纳利（Trisha Donelly)、托马斯 · 赫什豪恩（Thomas Hirschhorn）和克里斯蒂安 · 扬科夫斯基（Christian Jankowski)。艺术家们在不同的环境里使用不同的媒介进行创作：公园、公寓楼、屋顶、小巷子里、酒吧、剧院……并且在每一种情况下，行为表演都是最自由的和最有效的媒介，因为行为表演使得社会空间以及被吸引前来的社群充满了生机。

观众的责任

蒂诺·赛格尔（Tino Sehgal）则进一步要求观众对展览空间内所关注的对象进行选择，即什么是他们注意到的，什么是没有注意到的。对赛格尔来说，现代博物馆的参观者参与了“民主社会的形成，因为他们拥有主权”，他解释道，“我的作品就是要使观众具有作为强烈主体的意识。‘你也要参与其中’，我的作品说。”参与在距离上可能会受到限制，如在作品《吻》（*The Kiss*，2001 年）中，观众在经过这部作品的时候，会看到一对夫妇，他们有一系列精心设计的拥抱动作，这些拥抱动作来自我们熟悉的画作或雕塑。同样地，观众也可以积极地作为游戏者参与其中，如在古根海姆博物馆的《这个进步》（*This Progress*，2010 年）中，在博物馆的第一圈螺旋匝道上，观众会碰见一个孩子，这个孩子会问观众“进步是什么？”在遇到下一个观众“阐释者”之前，这名观众会与孩子有一个简短的谈话。一名高中生在更高一圈的匝道上，然后是一个年轻的成年人，最后是一个成熟的成年人，当人们不断向上攀爬这个建筑时，随着年龄段的上升，他们与遇见的人的思想交流也会不断地深入。

此种对艺术世界思想交流层次的结构调查，促使许多艺术家创作了具有知性影响的作品，他们用讲座或演讲的形式来表达自己对艺术和社会的反思，同时也诠释他们自己及其作品。这些艺术家如安德里娅·弗雷泽（Andrea Fraser）、凯利·杨（Carey Young）、可可·弗斯科（Coco Fusco）和莱恩·甘德（Ryan Gander），他们有意识地把行为演讲作为一种工具，用来探索与专业领域相关的一系列行为，比如博物馆会议室、公司办公室、证人审讯室和作家研究室。弗雷泽著名的《官方致辞》（*Official Welcome*，2001 年）（图 199）由下面一系列情境组成：艺术家站在讲台后面，热情洋溢地使用如此之多的方式，欢迎观众并感谢他们来到这个独特的艺术事件中来；但是大家很快就会发现，她演讲的这些话不是她自己的，而是从世界知名博物馆馆长、批评家和艺术家的讲话中截取而来的。弗雷泽在她的演讲结束前，做了一个颠覆性的点睛之笔：

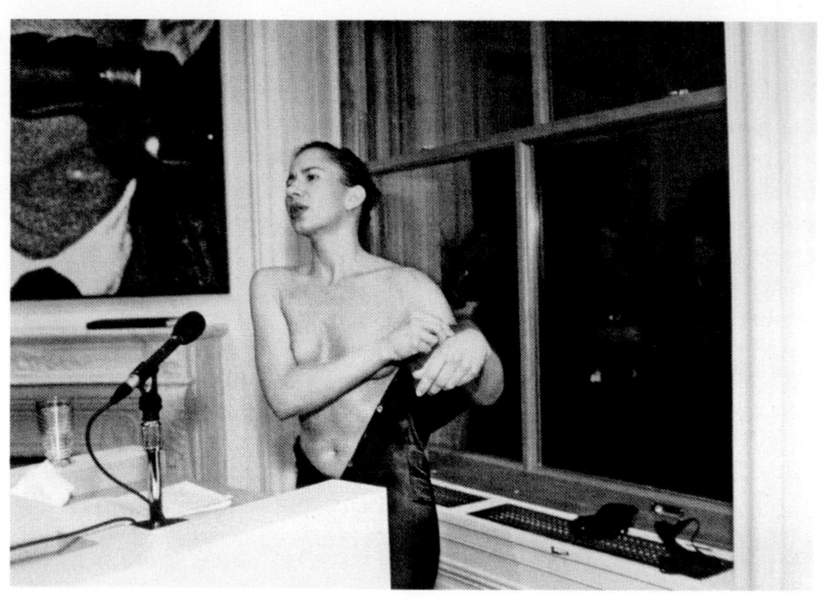

图 199 《官方致辞》(*Official Welcome*)，2001 年，安德里娅·弗雷泽 (Andrea Fraser) 一个正式演讲令人震惊的结尾，这个演讲是关于艺术界的等级制度对专家的那种不言而喻的诱惑。

当端庄的演讲者脱光了她的内衣之时，她还在继续对艺术和文化发表着夸夸其谈的演讲。凯利·杨的《最佳表演》(*Optimum Performance*，2003 年)，是关于“如何进行最有效果的表演”的演讲，表演者扮成一名励志演说家，在一个商业会议上进行发言，他的演讲目的是要提高参加自我完善研讨会的与会者的语言表达能力与技巧。弗斯科在《自己的房间》(*Room of One' s Own*，2005 年) 里，再现了她在课堂上学过的陆军审讯过程的程序。她在扮演权威人士的同时，也扮演受害者，以此对操纵思想的过程进行了例证，这部作品也暗示了发生在艺术和创意营销中的被微妙洗脑的其他迹象。甘德的幻灯片讲座以一种匀速的、不急不缓的作者阅读语调进行讲话。在《松散的联想》(*Loose Associations*，2002 年) 里，他在涵盖了文学、设计、建筑与政治的文化版图上漫谈，同时他也诠释了自己雕塑装置艺术背后的某些动机。“艺术就是做决定”，甘德说。对艺术家和观众来说都一样，“艺术是关于决策修辞学的”，他暗示道。

与艺术家对话

多种风格的涉入使得不断扩大领域的行为表演对观众来说颇具个性，许多观众认为，与艺术家的亲密接触是他们艺术体验的一部分。英国艺术家马丁·克里德（Martin Creed）、马克·列基（Mark Leckey）、杰瑞米·戴勒（Jeremy Deller）和斯巴达克斯·切特温德（Spartacus Chetwynd）等人，他们每个人都和早期的英国现场音乐有着强烈的联系，从吉内希斯·布雷耶·皮–奥利奇（Genesis Breyer P-Orridge）和柯熙·芬妮·图蒂（Cosey Fanni Tutti），到曼彻斯特的卢杜斯乐队（Ludus）、史密斯，再到“嗡嗡公鸡”（the Buzzcocks）、歌手和流行歌曲作者莫里西（Morrisey）、原始女权主义者林德·斯特林（Linder Sterling）和快乐分区乐队（Joy Division），这些人的影响部分地说明了为什么他们的作品是如此强烈地渴望来自表演者和观众之间互动所带来的那种情感高潮。克里德说他创作作品是为了满足与人们建立起联系的意愿，他说：“我把美术馆看作剧场，要展示一些人们可以看的东西，并且我也想把一个现场表演真的作为一个现场来进行展示，有可能会持续六周，但其中的观众来去自由。”他的雕塑对象、绘画和“综艺节目”结合了电影、歌曲和对艺术本质的评论以及我们如何感受它，这些都说明了克里德对“建立联系”的决心。列基也通过音乐进行行为表演，尽管他的作品较多涉及政治的参与，从《芙蓉天使使我硬起来》（*Fiorucci Made Me Hardcore*，1996 年）开始，那是一部关于英国音乐史的视频纪录片，包括从北部的灵魂音乐到酸性浩室（Acid House），再到混合了北方工人阶级的文化和上层阶级所享受的纨绔主义的音乐。戴勒的《欧格里夫抗争事件》（*The Battle of Orgreave*，2001 年）是对一场真实抗争的重现。抗争发生在 1984 年玛格丽特·撒切尔执政期间的英国，它发生在罢工矿工和武装警察之间。这部作品第一次被现场表演时非常引人注目，然后是作为戏剧电影上演，最后是装置艺术和现实对抗的视频记录展览。切特温德（Chetwynd）庞大的演出有时会有二十多个亲朋好友参与，他们穿着家庭手工缝制的奇了消费，然而却总是能走在等待他们的消费主义者之前。

行为表演进入21世纪

行为表演可能会影响未来21世纪几十年，就像它在20世纪所做的那样深刻，也许会比以前更加显著。文本和图像以闪电般的速度围绕地球旋转，通过比以往更复杂的计算机屏幕和应用程序快速到达数十亿人那里。在这个流动的矩阵里，艺术家的行为表演是多层面、跨学科和媒体驱动式的，它非常适合与现在和未来的观众在线交流。因此，对于新兴艺术家来说，无论是在大城市还是遥远的国度，行为表演越来越成为一种可选择的媒介，通过网络平台，如Vimeo和You Tube（它们分别成立于2004年和2005年）以及个人博客和形式日益复杂的网站。

另外，现在既可以通过互联网，也可以通过关注双年展、博物馆和此类出版物，以此对行为表演的历史进行更好地了解。“百年行为表演”（2009年）是一次巡回展，在一百个显示器里展示了从1909年未来主义宣言到当下的百年行为表演历史，它为这段历史提供了强有力的生动记录，并为未来的发展方向提供了指导。另外，它对新一代艺术家及博物馆走向公众也同样重要，因为它是对过去开创性行为表演的再现。这种实践现在已经自成类型，当它对早期艺术价值观提出质疑的时候，其价值观就赋予这些原创艺术家的行为表演以特权。实际上，这些之前艺术家的作品被当下的艺术家们进行了重新演绎，如伊莲·斯图尔特文（Elaine Sturtevant）重演了杜尚的《雷切尔》（*Relache*）和博伊斯的《我们的革命》（*La Rivoluzioni Siamo Noi*），保罗·麦卡锡（Paul McCarthy）重演了伊夫·克莱因的《跃入虚无》，迈克·彼得罗（Mike Bidlo）重演了克莱因的《人体测量术》，塔妮娅·布鲁格拉（Tania Bruguera）重演了安娜·门迭塔的《大地身体》（*Earth body*），这些被重演的作品在20世纪六七十年代和1980年代都开启了行为表演历史的新篇章，反过来它们也重塑了对行为表演自身的理解。同样，玛丽娜·阿布拉莫维奇对她偶像的作品进行了

图 201　克利福德·欧文斯(Clifford Owens)《工作室参观:哈莱姆的工作室博物馆(琼·乔纳斯)》[*Studio Visits: Studio Museum in Harlem (Joan Jonas)*],2005 年。艺术家为了"工作室参观"邀请了琼·乔纳斯；作为回应，她用他画了一张她自己的画。

二次创作，她的偶像如维托·阿孔西（Vito Acconci）、布鲁斯·瑙曼（Bruce Nauman）和瓦莉·艾克斯波特（Valie Export），以及她自己之前的行为表演，2005 年她在古根海姆博物馆（the Guggenheim Museum）将它们进行一一展示。阿布拉莫维奇对艾伦·卡普罗（Allan Kaprow）的《在 6 部分里的 18 个偶发艺术》（*18 Happenings in Six parts*，1959 年）进行了重演。2006 年，她在艺术家去世前六个月获得了他的许可，她又对他的作品进行了巡回展览。扎克·洛克希尔(Zach Rockhill)和克利福德·欧文斯（Clifford Owens）这样的艺术家现在是这个领域的专家（图 201）。此外，一些由艺术家自 2005 年开始就组织的新委员会，无论是在规模上，还是在野心上，已经为 21 世纪的行为表演的新方向预示了所有的可能性，这些艺术家包括伊扎克·朱利安（Isaac Julien）、弗兰西斯·埃奇（Abramovic）、巴尼（Barney）和蒂拉瓦尼加（Tiravanija），他们在行为表演方面都进行了持续不断的创作。身体作品的建构经历了几十年，现在终于被理解为塑造文化理念的丰富催化剂。即使它可以被吸收和认知，但在这个漫长、复杂而迷人的历史中的大量相关资料表明，行为表演仍然是一种高度条件反射的、多变的艺术形式，艺术家常常使用行为表演对社会及人的变化进行清晰的表达与快速反应。行为表演继续无视规则，就像从前一样，继续葆有它不可预测的和令人兴奋的一面。

本书引文出自以下参考书

第一章

1 APOLLONIO, Umbro, ed. *Futurist Manifestos*. London and New York, 1973

2 CARRIERI, Raffaele. *Futurism*. Milan, 1963

3 CLOUGH, Rosa Trillo. *Futurism*. New York, 1961

4 CRAIG, Gordon. 'Futurismo and the Theatre', *The Mask* (Florence), Jan 1914, pp. 194-200 *Futurism and the Arts, A Bibliography 1959-73*. Compiled by Jean Pierre Andreoli-de-Villers. Toronto, 1975

5 *Futurism 1909-1919*. Exh. Cat. Royal Academy of Arts, London, 1972-3

6 KIRBY, E. T. *Total Theatre*. New York, 1969

7 KIRBY, Michael. *Futurism Performance*. New York, 1971

8 *Lacerba* (Florence), Pubd 1913-15

9 LISTA, Giovanni. *Théatre futuriste italien*. Lausanne, 1976

10 MARINETTI, Filippo Tommaso. *Selected Writings*. ED. R. W. Flint. New York, 1971

11 MARINETTI, Filippo Tommaso. *Teatro ET. Marinetti*. Ed. Giovanni Calendoli (3 vols). Rome, 1960

12 MARTIN, Marianne W. *Futurist Art and Theory*, 1909-1915. Oxford, 1968

13 RISCHBIETER, Henning. *Art and the Stage in the Twentieth Century*. Greenwich, Conn, 1969

14 RUSSOLO, Luigi. *The Art of Noise*. New York, 1967

15 TAYLOR, Joshua C. *Futurism*. New York, 1961

第二章

1 *Art in Revolution: Soviet Art and Design Since* 1917. Exh. Cat. Arts Council/ Hayward Gallery, London 1971

2 BANHAM, Reyner. *Theory and Design in the First Machine Age*. London, 1960

3 BANN, Stephen, ed. *The Tradition of Constructivism*. London, 1974

4 BOWLT John E. *Russian Art 1875-1975*. Austin, Texas, 1976

5 BOWLT, John E. 'Russian Art in the 1920s', *Soviet Studies (Glasgow)*, vol. 22, no. 4, April 1971, pp. 574-94

6 BOWLT, John E. Russian *Art of the Avant-Garde. Theory and Criticism 1902-1934*,New York 1976

7 CARTER, Huntly. *The New Spirit in the Russian Theatre, 1917-1928*. London, New York and Paris, 1929

8 CARTER, Huntly. *The New Teatre and Cinema of Soviet Russia, 1917-1923*. London, 1924

9 *Diaghilev and Russian Stage Designers: a Loan Exhibition from the Collection of Mr and Mrs N. Lobanov-Rostovsky*. Introduction by John E. Bowlt, Washington, DC, 1972

10 *The Drama Review. Fall 1971*(T-52) and March 1973 (T-57)

11 DREIER, Katherine. *Burliuk*. New York, 1944 FÜLOP-MILLER, René. *The Mind and Face of Bolshevism*. London and New York, 1927 GIBIAN, George, and TJALSMA, H. W., eds. *Russian Modermism. Culture and the Auant-Garde 1900-1930. Cornell, 1976*

12 GORDON, Mel. 'Foregger and the Mastfor'. Unpubd MS. Ed. In *The Drama Review*, March 1975(T-65)

13 GRAY, Camilla. 'The Genesis of Socialist Realism', *Soviet Survey* (London), no. 27, Jan.-March 1959, pp. 32-9

14 GRAY Camilla. *The Great Experiment. Russian Art* 1853-1922. London and New York, 1962. Reissued as *The Russian Experiment in Art 1853-1922*. London and New York, 1970

15 GREGOR, Josef, and FÜLOP-MILLER, René. *The Russian Theatre*. Philadelphia, 1929. German orig. Zurich, 1928

16 HIGGENS, Andrew. 'Art and Politics in the Russian Revolution', *Studio International* (London), vol. Clxxx, no. 927, Nov.1970,pp.164-7;no.929, Dec.1970,pp.224-7

17 HOOVER, Marjorie L. *Meyerhold*. Amherst, 1974

18 LEYDA, JAY. *Kino: A History of the Russian and Soviet Film*. London and New York, 1960

19 MARKOV, Vladimir. *Russian Futurism: A History*. Berkeley, Calif., 1968

Choreography. New York, 1969
26 DIAMOND, Elin, ed. *Performance & Cultural Politics*. London, 1996
27 DUBERMAN, Martin. *Black Mountain. An Exploration in Community*. New York, 1972
28 ETCHELLS, Tim. *Certain Fragments: Contemporary Performance & Forced Entertainment*. London, 1999
29 FINLEY, Karen. *Shock Treatment*. San Francisco, 1990
30 FORTI, Simone. *Handbook in Motion*. Halifax, Nova, Scotia, 1975
31 FUCHS, Elinor. *The Death of Character, Perspectives on Theater after Modernism*. Bloomington, 1996
32 FUSCO, Coco. *Corpus Delecti: Performance Art of the Americas*. London, 2000
33 FUSCO, Coco. *English Is Broken Here: Notes on Cultural Fusion in the Americas*. New York, 1995
34 GOLDBERG, RoseLee. *High & Low: Modern Art and Popular Culture*. Exh. cat. New York: Museum of Modern Art, 1990
35 GOLDBERG, RoseLee. *Laurie Anderson*. London and New York, 2000
36 GOLDBERG, RoseLee, *Performance: Live Art since the 50s*, London and New York, 1998
37 GRAHAM, Dan. *Rock My Religion: Writings and Art Projects 1955-1990*. MIT, 1993
38 HANSEN, AL. *A Primer of Happenings & Time-Space Art*. New York, 1968
39 HENRI, Adrian. *Environments and Happenings*. London, 1974
40 HIGGINS, Dick. *Postface*. New York, 1964
41 *High Performance* (Los Angeles), 1979-
42 HOWELL, Anthony. *The Analysis of Performance Art*. The Netherlands, 1999
43 HUXLEY, Michael and WITTS, Noel. *The Twentieth-Century Performance Reader*. London, 1996
44 JOHNSON, Ellen H. *Claes Oldenburg* Harmondsworth and Baltimore, Md, 1971
45 JOHNSON, Elle H. *Modern Art and the Object*. London and New York. 1976
46 JONES, Amelia. *Body Art: Performing the Subject*. Minneapolis, 1998
47 JOWITT, Deborah, ed. , *Meredith Monk*. Baltimore, 1997
48 KAPROW, Allan. *Assemblage, Enviromments & Happenings*. New York, 1966
49 KAYE, Nick. *Postmodernism and Performance*. New York, 1994
50 KERTESS, Klaus, 'Ghandi in choral perpectives (Satyagraha)', *Artforum* (New York), Oct. 1980, pp.48-55
51 KIRBY, E.T. *Total Theatre*. New York. 1969
52 KIRBY, Michael. *The Art of Time*. New York, 1969
53 KIRBY, Michael. *Happenings*. New York 1965
54 KIRBY, Michael. and SCHECHNER, Richard. 'An Interview', *Tulane Drama Review*, vol.x, no. 2, Winter 1965
55 KOSTELANETZ, Richard. *John Cage*. New York, 1970
56 KOSTELANETZ, Richard. *The Theatre of Mixed Means*. New York 1968
57 KULTERMANN, Udo. *Art-Events and Happenings*. London and New York, 1971
58 KUSPIT, Donald. 'Dan Graham: Prometheus Mediabound', *Artforum* (New York), Feb. 1984
59 LIPPARD, Luch. *Six Years. The Dematerialization of the Art Object from 1955-1972*. New York, 1973
60 LOEFFLER, Carl E., and TONG, Darlene, eds. *Performance Anthology: A Source book for a Decade of California Performance Art*. San Francisco, 1980
61 LUBER, Heinrich. *Performance Index*. Basel, 1995
62 MCADAMS, Donna Ann. *Caught in the Act: A Look at Contemporary Multimedia Performance New* York, 1996
63 MCEVILLEY, Tom. 'Art in the Dark', *Artforum* (New York), June 1983, pp.62-71

64 MARRANCE, Bonnie, ed. *The Theatre of Images*. New York, 1977
65 MARSH, Anne. *Body and Self : Performance Art in Australia 1959-92*. Oxford, 1993
66 Musées d'Art Moderne de la Ville de Paris. *La Scène artistique au Royaume-Uni en 1995 de nouvelles aventures. Life/Live*. 1996-97
67 Musées de Marseille,. *L'Art au corps: le corps expose de Man Ray à nos jours*. Exh. Cat. 1996
68 Museum of Contemporary Art, Chicago. *Performance Anxiety*. Exh. cat. 1997
69 Museum of Contemporary Hispanic Art. *The Decade Show, Frameworks of Identity in the 1980s*. Exh. cat. 1990
70 MEYER, Ursula. 'How to Explain Pictures to a Dead Hare', *Art News* Jan. 1970
71 NITSCH, Hermann. *Orgien, Mysterien, Theater. Orgies, Mysteries, Theatre* (German and English). Darmstadt, 1969
72 O'DELL, Kathy. *Contract With the Skin: Masochism Performance Art and the 1970s*. Minneapolis, 1998
73 OLDENBURG, Claes. *Raw Notes*. Halifax, Nova Scotia, 1973
74 OLDENBURG, Claes. *Store Days*. New York, 1967
75 OPEN LETTER. *Essays on Performance and Cultural Politicization*. (Toronto), SummerFall 1983, nos. 5-6
76 PEINE, Otto, and MACK, Heinz. *Zero*. Cambridge, Mass., 1973, German orig.1959
77 *Performance Magazine* (London), June 1979-
78 PHELAN, Peggy. *Unmarked; The Politics of Performance*. London, 1993
79 RAINER, Yvonne. *Work 1951-1973*. Halifax, Nova Scotia, and New York, 1974
80 RATCLIFFE, Carter. *Gilbert and George: The Complete Pictures 1971-1985*. New York and London, 1986
81 REISE, Barbara. 'Presenting Gilbert and George, the Living Sculptures', *Art News*, Nov. 1971
82 ROTH, Moira, ed. *The Amazing Decade: Women and Performance Art 1970-1980*. Los Angeles, 1982
83 RUSSELL, Mark. *Out of Character; Rants, Raves and Monologues from Today's Top Performance Artists*. New York, 1997
84 SANFORD, Mariellen R. *Happenings and Other Acts*. London, 1995
85 SAYRE, Henry M. *The Objects of Performance*. Chicago, 1989
86 SCHNEEMANN, Carolee. *More than Meat Joy: Complete Performance Works and Selected Writings*. New York, 1979
87 SCHIMMEL, Paul. *Out of Actions: Between Performance and the Object 1949-1979*.
88 Museum of Contemporary Art, Los Angeles; London and New York, 1998
89 SCHNEIDER, Rebecca. *The Explicit Body in Performance*. London, 1997
90 SOHM, H. *Happening & Fluxus*. Cologne, 1970
91 SHOWALTER, Elaine. *Hystories, Hysterical Epidemics and Modern Media*. New York, 1997
92 *Studio International*. Vol. Clxxix, no. 922, May 1970; vol. cxci, no. 979, Jan.-Feb. 1976; vol. cxcii, no. 982, July-Aug. 1976; vol. cxcii, no. 984, Nov.-Dec, 1976
93 TAYLOR, Diana & VILLEGAS, Juan, eds. *Negotiating Performance: Gender, Sexuality, & Theatricality in Latino America*. Durham, 1994
94 TOMKINS, Calvin. *The Bride and the Batchelors*. London and New York, 1965
95 UGWU, Catherine, ed. *Let's Get It On: The Politics of Black Performance*. ICA, London, 1995
96 VERGINE, Lea. *Body Art and Performance*. Milan, 2000
97 Walker Art Center. *Art Performs Life: Merce Cunningham/Meredith Monk/Bill T. Jones*. Exh. cat. Minneapolis, 1998
98 Walker Art Center. ed. John Hendricks. *In The Spirit of Fluxus*. Exh. cat. Minneapolis, 1993
99 WALTHER, Franz Erhard. *Arbeiten* 1959-1975,

责任编辑　郑幼幼
文字编辑　张海钢
责任校对　高余朵
责任印制　朱圣学
图书设计　郑幼幼 & 祝羽正
图片翻拍　任晓华

Performance Art: From Futurism to the Present
Published by arrangement with Thames & Hudson Ltd, London

This edition first published in China in 2018 by Zhejiang Photographic Press, Hangzhou

浙 江 省 版 权 局
著作权合同登记章
图字：11-2013-106 号

图书在版编目（CIP）数据

行为表演艺术：从未来主义至当下：第三版 /（美）罗斯莉·格特伯格（RoseLee Goldberg）著；张冲，张涵露译. --杭州：浙江摄影出版社，2018.6
(艺术世界丛书)
ISBN 978-7-5514-2187-4

Ⅰ. ①行… Ⅱ. ①罗… ②张… ③张… Ⅲ. ①行为艺术—表演艺术 Ⅳ. ①J198

中国版本图书馆CIP数据核字（2018）第083424号

艺术世界丛书
行为表演艺术：从未来主义至当下（第三版）
(美) 罗斯莉 · 格特伯格　著
张　冲　张涵露　译

全国百佳图书出版单位
浙江摄影出版社出版发行
地址：杭州市体育场路347号
邮编：310006
网址：www.photo.zjcb.com
电话：0571-85151350
传真：0571-85159574
制版：杭州立飞图文有限公司
印刷：浙江影天印业有限公司
开本：889mm × 1194mm　1/32
印张：10
2018年6月第1版　　2018年6月第1次印刷
ISBN：978-7-5514-2187-4
定价：98.00元

鸣谢：本书全部用纸由蓝碧源特纸提供
封面：蓝碧源特纸/问纸系列/欧纯莱妮纹230gsm/米色
环衬：蓝碧源特纸/问纸系列/欧纯棉纸140gsm/米色
内页：蓝碧源特纸/问纸系列/新伯爵95gsm/米色
所有纸张均为可回收、可循环使用的绿色环保纸张，获SGS、FSC-COC认证。